KB080991

1천 동사 5천 문장을 듣고 따라 하면 저절로 암기되는 프랑스어 회화(MP3)

1천 동사 5천 문장을 듣고 따라하면 저절로 암기되는 프랑스어 회화(MP3)

1천 동사의 5천 문장들 듣고 따라하면 저절로 암기되는 프랑스어 회화(한국어와 프랑스어 MP3 파일)

머리말

1천 동사의 5천 문장들 듣고 따라하면 저절로 암기되는 프랑스어 회화(한국어와 프랑스어 MP3 파일)

프랑스어 회화 마스터하기: 단계별 학습으로 완성하는 언어의 여정

어서 오십시오, 프랑스어 학습의 새로운 차원으로의 초대입니다. "프랑스어 회화 마스터하기"는 기초부터 심화 학습까지, 여러분의 프랑스어 회화 능력을 체계적으로 발전시킬 수 있는 완벽한 가이드입니다.

이 책과 함께 제공되는 MP3 파일들은 한국어와 프랑스어 학습자를 위해 특별히 설계되었습니다.

1천 개의 동사와 명사를 활용하여 구성된 5천여 문장들은 일상생활에서 자주 접할 수 있는 표현들로, 초등학교 수준의 기본 문장부터 시작하여 점차 난이도를 높여갑니다.

소개글

학습자 중심의 혁신적인 접근법

"프랑스어 회화 마스터하기"는 1천개의 동사의 문장들 듣고 따라하면서, 자연스럽게 암기할 수 있도록 설계되었습니다.

이 책은 암기 훈련, 말하기 훈련, 듣기 훈련을 통합적으로 할 수 있도록 구성되어 있으며, 학습자가 한국어로 단어를 듣고 머릿속으로 이미지를 연상한 후, 프랑스어로 동시에 따라하며 학습할 수 있도록 돕습니다.

MP3 파일을 통한 효과적인 학습 지원

프랑스어 배우기 샘플- QR 코드를 스마트폰을 찍으시면 보실 수 있습니다.

https://naver.me/GDNHjWQq <= 프랑스어 배우기 샘플

MP3 파일들 다운로드는 맨 마지막 페이지에 있습니다.

1. 1. 명사 단어들 외우기, 필수 10개 동사의 단어들을 가지고 50문장 연습하기 -
1. mémoriser les noms, pratiquer 50 phrases avec 10 verbes essentiels
2. 학교 - école
3. 공원 - parc
4. 집 - maison
5. 여기 - ici
6. TV - TÉLÉVISION
7. 전시회 - Exposition
8. 주말 - week-end
9. 영화 - film
10. 음악 - musique
11. 콘서트 - concert
12. 클래식 - classique
13. 친구 - ami(e)
14. 이야기 - histoire
15. 회의 - rencontre
16. 발표 - présentation
17. 여행 - voyage
18. 경험 - expérience
19. 저녁 - dîner
20. 점심 - déjeuner
21. 아침 - matinée
22. 피자 - pizza
23. 물 - eau
24. 커피 - café
25. 주스 - jus de fruit
26. 음료 - boisson
27. 녹차 - thé vert
28. 의자 - chaise
29. 소파 - Canapé
30. 벤치 - banc
31. 창가 - fenêtre
32. 시간 - heure
33. 문 - porte

34. 줄 - ligne
35. 해변 - plage
36. 산책로 - sentier
37. 가다 - aller
38. 나는 학교에 갔다. - Je suis allé à l'école.
39. 너는 지금 가고 있다. - Vous y allez maintenant.
40. 그는 내일 공원에 갈 것이다. - Il ira au parc demain.
41. 그녀는 언제 학교에 가나요? - Quand va-t-elle à l'école ?
42. 그녀는 매일 학교에 갑니다. - Elle va à l'école tous les jours.
43. 오다 - A venir
44. 나는 집에 왔다. - Je rentre à la maison.
45. 너는 지금 오고 있다. - Vous arrivez maintenant.
46. 그녀는 내일 여기에 올 것이다. - Elle sera là demain.
47. 당신들은 언제 집에 오나요? - Quand rentrez-vous à la maison ?
48. 우리는 저녁에 집에 옵니다. - Nous rentrons le soir.
49. 보다 - voir
50. 나는 TV를 봤다. - J'ai regardé la télévision.
51. 너는 지금 무언가를 보고 있습니다. - Vous êtes en train de regarder quelque chose.
52. 우리는 내일 전시회를 볼 것이다. - Nous verrons l'exposition demain.
53. 그들은 주말에 무엇을 보나요? - Que regardent-ils le week-end ?
54. 그들은 주말에 영화를 봅니다. - Ils regardent des films le week-end.
55. 듣다 - Écouter
56. 나는 음악을 들었다. - J'ai écouté de la musique.
57. 너는 지금 무언가를 듣고 있습니다. - Vous êtes en train d'écouter quelque chose.
58. 그는 내일 콘서트에서 음악을 들을 것이다. - Il écoutera de la musique au concert demain.
59. 그녀는 어떤 음악을 듣고 싶어하나요? - Quel genre de musique veut-elle écouter ?
60. 그녀는 클래식 음악을 듣고 싶어합니다. - Elle veut écouter de la musique classique.
61. 말하다 - Parler
62. 나는 친구와 이야기했다. - J'ai parlé avec mon ami.

63. 너는 지금 무언가를 말하고 있습니다. - Vous êtes en train de dire quelque chose.
64. 우리는 내일 회의에서 발표할 것이다. - Nous ferons une présentation à la réunion de demain.
65. 그는 무엇에 대해 말하고 싶어하나요? - De quoi veut-il parler ?
66. 그는 여행 경험에 대해 말하고 싶어합니다. - Il veut parler de ses expériences de voyage.
67. 먹다 - manger
68. 나는 저녁을 먹었다. - J'ai dîné.
69. 너는 지금 점심을 먹고 있다. - Vous êtes en train de déjeuner.
70. 그는 내일 아침을 먹을 것이다. - Il prendra son petit déjeuner demain.
71. 그녀는 무엇을 먹고 싶어하나요? - Que veut-elle manger ?
72. 그녀는 피자를 먹고 싶어합니다. - Elle veut manger une pizza.
73. 마시다 - Boire
74. 나는 물을 마셨다. - J'ai bu de l'eau.
75. 너는 지금 커피를 마시고 있다. - Vous êtes en train de boire du café.
76. 우리는 내일 주스를 마실 것이다. - Nous boirons du jus de fruit demain.
77. 너는 어떤 음료를 마시나요? - Quelle boisson buvez-vous ?
78. 나는 녹차를 마십니다. - Je bois du thé vert.
79. 앉다 - s'asseoir
80. 나는 의자에 앉았다. - Je me suis assis sur une chaise.
81. 너는 지금 소파에 앉아 있다. - Vous êtes assis sur le canapé.
82. 그녀는 내일 벤치에 앉을 것이다. - Elle s'assiéra demain sur le banc.
83. 그들은 어디에 앉고 싶어하나요? - Où veulent-ils s'asseoir ?
84. 그들은 창가에 앉고 싶어합니다. - Ils veulent s'asseoir près de la fenêtre.
85. 서다 - Se tenir debout
86. 나는 한 시간 동안 서 있었다. - Je suis debout depuis une heure.
87. 너는 지금 문 앞에 서 있다. - Vous êtes devant la porte.
88. 그는 내일 줄에서 서 있을 것이다. - Il fera la queue demain.
89. 그녀는 얼마나 오래 서 있었나요? - Depuis combien de temps est-elle debout ?
90. 그녀는 30분 동안 서 있었습니다. - Elle est debout depuis une demi-heure.

91. 걷다 - marcher
92. 나는 공원을 걸었다. - J'ai marché dans le parc.
93. 너는 지금 집으로 걷고 있다. - Vous êtes en train de rentrer chez vous.
94. 우리는 내일 해변을 걸을 것이다. - Nous nous promènerons sur la plage demain.
95. 그들은 어디를 걷고 싶어하나요? - Où veulent-ils se promener ?
96. 그들은 산책로를 걷고 싶어합니다. - Ils veulent marcher sur la promenade.
97. 2. 명사 단어들 외우기, 필수 10개 동사의 단어들을 가지고 50문장 연습하기 - 2. mémorisez les noms, pratiquez 50 phrases avec les mots des 10 verbes essentiels
98. 10킬로미터 - 10 kilomètres
99. 그림 - peinture
100. 꽃 - fleur
101. 농담 - plaisanterie
102. 댄스(춤) - danse (danse)
103. 마라톤 - marathon
104. 무엇 - quoi
105. 백화점 - magasin d'alimentation
106. 보고서 - rapport
107. 샌드위치 - sandwich
108. 소설 - roman
109. 소식 - Nouvelles
110. 쇼 - spectacle
111. 수학 - mathématique
112. 신문 - journal
113. 신발 - chaussures
114. 아침 - matin
115. 영어 - anglais
116. 영화 - film
117. 옷 - vêtements
118. 요가 - yoga
119. 요리 - cuisine

120. 운동장 - aire de jeux
121. 이야기 - histoire
122. 인사 - salutations
123. 일기 - journal intime
124. 자전거 - bicyclette
125. 작년 - année dernière
126. 잡지 - magazine
127. 정원 - jardin
128. 책 - livre
129. 편지 - lettre
130. 프로젝트 - projet
131. 피아노 - piano
132. 한국어 - coréen
133. 달리다 - courir
134. 나는 마라톤을 달렸다. - J'ai couru un marathon.
135. 너는 지금 운동장을 달리고 있다. - Vous êtes en train de courir dans la cour de récréation.
136. 그는 내일 아침에 달릴 것이다. - Il courra demain matin.
137. 그녀는 얼마나 빨리 달릴 수 있나요? - À quelle vitesse peut-elle courir ?
138. 그녀는 시속 10킬로미터로 달릴 수 있습니다. - Elle peut courir dix kilomètres à l'heure.
139. 웃다 - rire
140. 나는 친구의 농담에 웃었다. - J'ai ri à la blague de mon ami.
141. 너는 지금 행복해 보인다. - Tu as l'air heureux maintenant.
142. 우리는 내일 코미디 쇼에서 웃을 것이다. - Nous allons rire au spectacle de comédie demain.
143. 너는 무엇에 웃나요? - Qu'est-ce qui vous fait rire ?
144. 나는 유머러스한 이야기에 웃습니다. - Je ris aux histoires humoristiques.
145. 울다 - pleurer
146. 나는 영화를 보고 울었다. - J'ai pleuré devant le film.
147. 너는 지금 슬픈 이야기에 울고 있다. - Vous pleurez maintenant devant cette histoire triste.

148. 그녀는 내일 작별 인사를 할 때 울 것이다. - Elle pleurera quand elle dira au revoir demain.
149. 그는 왜 울었나요? - Pourquoi a-t-il pleuré ?
150. 그는 감동적인 소식에 울었습니다. - Il a pleuré à l'annonce de cette nouvelle émouvante.
151. 사다 - acheter
152. 나는 새 신발을 샀다. - J'ai acheté de nouvelles chaussures.
153. 너는 지금 옷을 사고 있다. - Vous êtes en train d'acheter des vêtements.
154. 그들은 내일 선물을 살 것이다. - Ils achèteront des cadeaux demain.
155. 그녀는 어디서 쇼핑하나요? - Où fait-elle ses courses ?
156. 그녀는 백화점에서 쇼핑합니다. - Elle fait ses courses au grand magasin.
157. 팔다 - Vendre
158. 나는 자전거를 팔았다. - J'ai vendu mon vélo.
159. 너는 지금 꽃을 팔고 있다. - Vous vendez des fleurs en ce moment.
160. 그는 내일 책을 팔 것이다. - Il vendra des livres demain.
161. 당신들은 무엇을 팔고 싶어하나요? - Que voulez-vous vendre ?
162. 우리는 그림을 팔고 싶어합니다. - Nous voulons vendre des tableaux.
163. 만들다 - faire
164. 나는 샌드위치를 만들었다. - J'ai fait un sandwich.
165. 너는 지금 프로젝트를 만들고 있다. - Vous êtes en train de faire un projet.
166. 우리는 내일 정원을 만들 것이다. - Nous ferons un jardin demain.
167. 그들은 어떤 케이크를 만든나요? - Quel genre de gâteau font-ils ?
168. 그들은 초콜릿 케이크를 만듭니다. - Ils font un gâteau au chocolat.
169. 쓰다 - écrire
170. 나는 편지를 썼다. - J'ai écrit une lettre.
171. 너는 지금 보고서를 쓰고 있다. - Tu es en train d'écrire un rapport.
172. 그녀는 내일 일기를 쓸 것이다. - Elle écrira son journal demain.
173. 그는 언제 소설을 썼나요? - Quand a-t-il écrit son roman ?
174. 그는 작년에 소설을 썼습니다. - Il a écrit son roman l'année dernière.
175. 읽다 - lire
176. 나는 소설을 읽었다. - J'ai lu le roman.

177. 너는 지금 신문을 읽고 있다. - Vous lisez le journal en ce moment.
178. 그녀는 내일 잡지를 읽을 것이다. - Elle lira un magazine demain.
179. 너는 어떤 책을 좋아하나요? - Quel genre de livres aimez-vous ?
180. 나는 모험 소설을 좋아합니다. - J'aime les romans d'aventure.
181. 배우다 - apprendre
182. 나는 피아노를 배웠다. - J'ai appris à jouer du piano.
183. 너는 지금 한국어를 배우고 있다. - Tu apprends le coréen maintenant.
184. 우리는 내일 요가를 배울 것이다. - Nous apprendrons le yoga demain.
185. 너는 무엇을 배우고 싶어하나요? - Qu'est-ce que tu aimes apprendre ?
186. 나는 댄스를 배우고 싶어합니다. - Je veux apprendre à danser.
187. 가르치다 - enseigner
188. 나는 수학을 가르쳤다. - J'ai enseigné les mathématiques.
189. 너는 지금 영어를 가르치고 있다. - Vous enseignez l'anglais maintenant.
190. 그는 내일 요리를 가르칠 것이다. - Il enseignera la cuisine demain.
191. 그들은 어디에서 가르치나요? - Où enseignent-ils ?
192. 그들은 학교에서 가르칩니다. - Ils enseignent à l'école.
193. 3. 명사 단어들 외우기, 필수 10개 동사의 단어들을 가지고 50문장 연습하기 - 3. mémoriser les noms, pratiquer 50 phrases avec les 10 verbes essentiels
194. 열쇠 - clé
195. 안경 - lunettes
196. 지갑 - portefeuille
197. 책 - livre
198. 전화기 - téléphone portable
199. 시계 - horloge
200. 선물 - cadeau
201. 문서 - document
202. 기부금 - don
203. 편지 - lettre
204. 이메일 - courriel
205. 상 - récompense
206. 프로젝트 - projet
207. 운동 - travail

208. 여행 - voyage
209. 숙제 - travail à domicile
210. 회의 - réunion
211. 작업 - travail
212. 창문 - fenêtre
213. 상자 - Boîte
214. 전시회 - Exposition
215. 문 - porte
216. 컴퓨터 - ordinateur
217. 가게 - magasin
218. 라이트 - lumière
219. 텔레비전 - télévision
220. 에어컨 - climatiseur
221. 라디오 - radio
222. 불 - feu
223. 난방 - chauffage
224. TV - TV
225. 찾다 - trouver
226. 나는 열쇠를 찾았다. - J'ai trouvé les clés.
227. 너는 지금 안경을 찾고 있다. - Vous êtes en train de chercher vos lunettes.
228. 그녀는 내일 그녀의 지갑을 찾을 것이다. - Elle trouvera son portefeuille demain.
229. 그는 무엇을 찾았나요? - Qu'a-t-il trouvé ?
230. 그는 그의 책을 찾았습니다. - Il a trouvé son livre.
231. 잃다 - Perdre
232. 나는 전화기를 잃었다. - J'ai perdu mon téléphone.
233. 너는 지금 무언가를 잃었습니다. - Vous avez perdu quelque chose maintenant.
234. 그는 내일 그의 시계를 잃을 것이다. - Il perdra sa montre demain.
235. 그녀는 자주 무엇을 잃나요? - Que perd-elle souvent ?
236. 그녀는 자주 열쇠를 잃습니다. - Elle perd souvent ses clés.
237. 주다 - Offrir
238. 나는 친구에게 선물을 주었다. - J'ai offert un cadeau à mon ami.

239. 너는 지금 문서를 주고 있다. - Vous donnez le document maintenant.
240. 우리는 내일 기부금을 줄 것이다. - Nous ferons un don demain.
241. 그는 누구에게 도움을 주나요? - À qui donne-t-il de l'aide ?
242. 그는 어린이 병원에 도움을 줍니다. - Il aide l'hôpital pour enfants.
243. 받다 - recevoir
244. 나는 편지를 받았다. - J'ai reçu une lettre.
245. 너는 지금 이메일을 받고 있다. - Vous êtes en train de recevoir un e-mail.
246. 그녀는 내일 상을 받을 것이다. - Elle recevra un prix demain.
247. 그는 어떤 상을 받았나요? - Quel prix a-t-il reçu ?
248. 그는 최우수 학생 상을 받았습니다. - Il a reçu le prix du meilleur étudiant.
249. 시작하다 - commencer
250. 나는 새로운 프로젝트를 시작했다. - J'ai commencé un nouveau projet.
251. 너는 지금 운동을 시작하고 있다. - Vous commencez à faire de l'exercice.
252. 우리는 내일 여행을 시작할 것이다. - Nous commencerons à voyager demain.
253. 당신들은 언제 공부를 시작했나요? - Quand avez-vous commencé à étudier ?
254. 우리는 오늘 아침에 공부를 시작했습니다. - Nous avons commencé à étudier ce matin.
255. 끝내다 - finir
256. 나는 숙제를 끝냈다. - J'ai terminé mes devoirs.
257. 너는 지금 회의를 끝내고 있다. - Vous terminez la réunion maintenant.
258. 그는 내일 그의 작업을 끝낼 것이다. - Il terminera son travail demain.
259. 그녀는 책을 언제 끝냈나요? - Quand a-t-elle terminé son livre ?
260. 그녀는 어제 책을 끝냈습니다. - Elle a terminé son livre hier.
261. 열다 - ouvrir
262. 나는 창문을 열었다. - J'ai ouvert la fenêtre.
263. 너는 지금 상자를 열고 있다. - Vous êtes en train d'ouvrir la boîte.
264. 그들은 내일 전시회를 열 것이다. - L'exposition sera inaugurée demain.
265. 그는 문을 언제 열었나요? - Quand a-t-il ouvert la porte ?
266. 그는 아침에 문을 열었습니다. - Il a ouvert la porte le matin.

267. 닫다 - Fermer
268. 나는 책을 닫았다. - J'ai fermé le livre.
269. 너는 지금 컴퓨터를 닫고 있다. - Vous êtes en train de fermer l'ordinateur.
270. 우리는 내일 가게를 닫을 것이다. - Nous fermerons le magasin demain.
271. 그녀는 왜 창문을 닫았나요? - Pourquoi a-t-elle fermé la fenêtre ?
272. 추워서 창문을 닫았습니다. - Elle a fermé la fenêtre parce qu'il faisait froid.
273. 켜다 - allumer
274. 나는 라이트를 켰다. - J'ai allumé la lumière.
275. 너는 지금 텔레비전을 켜고 있다. - Vous allumez la télévision maintenant.
276. 그는 내일 에어컨을 켤 것이다. - Il allumera le climatiseur demain.
277. 그들은 언제 라디오를 켰나요? - Quand ont-ils allumé la radio ?
278. 그들은 점심 때 라디오를 켰습니다. - Ils ont allumé la radio à midi.
279. 끄다 - éteindre
280. 나는 컴퓨터를 껐다. - J'ai éteint l'ordinateur.
281. 너는 지금 불을 끄고 있다. - Vous êtes en train d'éteindre la lumière.
282. 그녀는 내일 난방을 끌 것이다. - Elle éteindra le chauffage demain.
283. 그는 왜 TV를 껐나요? - Pourquoi a-t-il éteint la télévision ?
284. 잠자려고 TV를 껐습니다. - J'ai éteint la télévision pour m'endormir.
285. 4. 명사 단어들 외우기, 필수 10개 동사의 단어들을 가지고 50문장 연습하기 - 4. Mémorisez les noms, pratiquez 50 phrases avec les 10 verbes essentiels
286. 결과 - résultat
287. 공부 - étude
288. 날씨 - temps
289. 날 - moi
290. 남 - autre
291. 답 - réponse
292. 도움 - aide
293. 눈 - œil
294. 봉사활동 - bénévole
295. 부엌 - cuisine

296. 사람 - personne
297. 사무실 - bureau
298. 소파 - canapé
299. 손 - main
300. 어르신 - personne âgée
301. 얼굴 - visage
302. 음식 - nourriture
303. 일 - jour
304. 일정 - horaire
305. 자 - règle
306. 정원 - jardin
307. 조언 - conseil
308. 차 - voiture
309. 친구 - ami(e)
310. 침대 - lit
311. 책 - livre
312. 추위 - froid
313. 휴식 - repos
314. 해답 - solution
315. 회의 - réunion
316. 씻다 - laver
317. 나는 손을 씻었다. - Je me suis lavé les mains.
318. 너는 지금 얼굴을 씻고 있다. - Tu es en train de te laver le visage.
319. 우리는 내일 차를 씻을 것이다. - Nous laverons la voiture demain.
320. 그들은 언제 차를 씻나요? - Quand est-ce qu'ils lavent la voiture ?
321. 그들은 매주 일요일에 차를 씻습니다. - Ils lavent leur voiture tous les dimanches.
322. 청소하다 - nettoyer
323. 나는 방을 청소했다. - J'ai nettoyé la chambre.
324. 너는 지금 사무실을 청소하고 있다. - Vous êtes en train de nettoyer le bureau.
325. 그들은 내일 정원을 청소할 것이다. - Ils nettoieront le jardin demain.
326. 그녀는 언제 부엌을 청소했나요? - Quand a-t-elle nettoyé la cuisine ?
327. 그녀는 오늘 아침에 부엌을 청소했습니다. - Elle a nettoyé la cuisine ce

matin.
328. 일어나다 - se lever
329. 나는 일찍 일어났다. - Je me suis levé tôt.
330. 너는 지금 침대에서 일어나고 있다. - Vous vous levez maintenant.
331. 우리는 내일 아침 6시에 일어날 것이다. - Nous nous lèverons à 6 heures demain matin.
332. 그는 보통 몇 시에 일어나나요? - À quelle heure se lève-t-il habituellement ?
333. 그는 보통 7시에 일어납니다. - Il se lève généralement à sept heures.
334. 자다 - dormir
335. 나는 깊이 잤다. - J'ai dormi profondément.
336. 너는 지금 소파에서 자고 있다. - Vous dormez sur le canapé maintenant.
337. 그녀는 내일 일찍 자러 갈 것이다. - Elle se couchera tôt demain.
338. 너는 얼마나 오래 잤나요? - Combien de temps as-tu dormi ?
339. 나는 8시간 잤습니다. - J'ai dormi huit heures.
340. 알다 - Savoir
341. 나는 답을 알았다. - Je connaissais la réponse.
342. 너는 지금 비밀을 알고 있다. - Vous connaissez maintenant le secret.
343. 우리는 내일 결과를 알 것이다. - Nous connaîtrons le résultat demain.
344. 그는 그녀의 전화번호를 알고 있나요? - Connaît-il son numéro de téléphone ?
345. 네, 알고 있습니다. - Oui, il le connaît.
346. 모르다 - Je ne le connais pas
347. 나는 그 사람을 몰랐다. - Je ne connaissais pas la personne.
348. 너는 지금 답을 모르고 있다. - Vous ne connaissez pas la réponse maintenant.
349. 그들은 내일 일정을 모를 것이다. - Ils ne connaîtront pas l'horaire demain.
350. 그녀는 왜 해답을 모르나요? - Pourquoi ne connaît-elle pas la réponse ?
351. 그녀는 공부하지 않았습니다. - Elle n'a pas étudié.
352. 좋아하다 - Aimer
353. 나는 여름을 좋아했다. - J'ai aimé l'été.

354. 너는 지금 책을 좋아하고 있다. - Tu aimes les livres maintenant.
355. 우리는 내일 바베큐를 좋아할 것이다. - Nous aimerons le barbecue demain.
356. 그들은 어떤 음식을 좋아하나요? - Quel genre de nourriture aiment-ils ?
357. 그들은 일식을 좋아합니다. - Ils aiment la cuisine japonaise.
358. 싫어하다 - ne pas aimer
359. 나는 눈을 싫어했다. - J'ai détesté la neige.
360. 너는 지금 추위를 싫어하고 있다. - Vous détestez le froid en ce moment.
361. 그는 내일 회의를 싫어할 것이다. - Il détestera la réunion de demain.
362. 그녀는 어떤 날씨를 싫어하나요? - Quel genre de temps déteste-t-elle ?
363. 그녀는 비오는 날씨를 싫어합니다. - Elle déteste le temps pluvieux.
364. 필요하다 - avoir besoin
365. 나는 도움이 필요했다. - J'avais besoin d'aide.
366. 너는 지금 휴식이 필요하다. - Vous avez besoin d'une pause maintenant.
367. 그녀는 내일 조언이 필요할 것이다. - Elle aura besoin de conseils demain.
368. 그들에게 무엇이 필요한가요? - De quoi ont-ils besoin ?
369. 그들은 지원이 필요합니다. - Ils ont besoin de soutien.
370. 돕다 - d'aider
371. 나는 이웃을 도왔다. - J'ai aidé mon voisin.
372. 너는 지금 친구를 돕고 있다. - Vous aidez maintenant un ami.
373. 우리는 내일 봉사활동을 할 것이다. - Nous allons faire du bénévolat demain.
374. 당신은 누구를 도와주고 싶어하나요? - Qui aimez-vous aider ?
375. 나는 어르신들을 도와주고 싶어합니다. - J'aime aider les personnes âgées.
376. 5. 명사 단어들 외우기, 필수 10개 동사의 단어들을 가지고 50문장 연습하기 - 5. mémoriser les noms, pratiquer 50 phrases avec des mots des 10 verbes essentiels
377. 가족 - famille

378. 공원 - parc
379. 길 - route
380. 날 - jour
381. 누구 - qui
382. 늦은 - tardif
383. 도로 - route
384. 만남 - rencontre
385. 무례함 - impolitesse
386. 사람 - personnes
387. 사랑 - amour
388. 사무실 - bureau
389. 삶 - vie
390. 서울 - Séoul
391. 시골 - campagne
392. 슬픔 - tristesse
393. 약속 - promesse
394. 어디 - où
395. 영원 - éternité
396. 오랜 - long
397. 오후 - après-midi
398. 의사 - médecin
399. 일 - jour
400. 전화 - téléphone
401. 주말 - week-end
402. 지난달 - Mois dernier
403. 집 - Accueil
404. 친구 - Ami(e)
405. 해변 - plage
406. 행복 - heureux
407. 헤어짐 - rupture
408. 놀다 - jouer
409. 나는 공원에서 놀았다. - J'ai joué dans le parc.
410. 너는 지금 친구들과 노는 중이다. - Tu joues maintenant avec tes amis.
411. 우리는 내일 해변에서 놀 것이다. - Demain, nous jouerons sur la plage.

412. 당신들은 주말에 어디에서 노나요? - Où jouez-vous le week-end ?
413. 우리는 주말에 공원에서 논다. - Nous jouons dans le parc le week-end.
414. 일하다 - Travailler
415. 나는 늦게까지 일했다. - J'ai travaillé jusqu'à tard.
416. 너는 지금 사무실에서 일하고 있다. - Vous travaillez au bureau en ce moment.
417. 그는 내일 집에서 일할 것이다. - Il travaillera à la maison demain.
418. 그녀는 어떤 일을 하나요? - Quel genre de travail fait-elle ?
419. 그녀는 선생님이다. - Elle est enseignante.
420. 살다 - vivre
421. 나는 서울에서 살았다. - J'habitais à Séoul.
422. 너는 지금 어디에 살고 있나요? - Où habitez-vous maintenant ?
423. 우리는 내일 새 집에서 살 것이다. - Demain, nous habiterons dans notre nouvelle maison.
424. 그들은 어디에서 살고 싶어하나요? - Où veulent-ils vivre ?
425. 그들은 시골에서 살고 싶어한다. - Ils veulent vivre à la campagne.
426. 죽다 - mourir
427. 나는 거의 죽을 뻔했다. - J'ai failli mourir.
428. 너는 지금 삶을 살고 있다. - Vous vivez la vie maintenant.
429. 그는 오래 살 것이다. - Il vivra longtemps.
430. 그녀는 어떻게 살고 싶어하나요? - Comment veut-elle vivre ?
431. 그녀는 행복하게 살고 싶어한다. - Elle veut vivre heureuse pour toujours.
432. 사랑하다 - Aimer
433. 나는 너를 사랑했다. - Je t'ai aimé.
434. 너는 지금 누군가를 사랑하고 있다. - Tu es amoureux de quelqu'un maintenant.
435. 그녀는 영원히 사랑할 것이다. - Elle aimera toujours.
436. 그는 누구를 사랑하나요? - Qui aime-t-il ?
437. 그는 그의 가족을 사랑한다. - Il aime sa famille.
438. 미워하다 - détester
439. 나는 어제 늦은 약속을 미워했다. - J'ai détesté mon rendez-vous tardif d'hier.

440. 너는 지금 막힌 도로를 미워한다. - Vous détestez la route bloquée en ce moment.
441. 그는 내일 일찍 일어나는 것을 미워할 것이다. - Il détestera se lever tôt demain.
442. 그녀는 무엇을 미워하나요? - Que déteste-t-elle ?
443. 그녀는 무례함을 미워합니다. - Elle déteste l'impolitesse.
444. 기다리다 - Attendre
445. 나는 어제 너를 오랫동안 기다렸다. - Je t'ai attendu longtemps hier.
446. 너는 지금 친구를 기다린다. - Tu attends ton ami maintenant.
447. 그는 내일 중요한 전화를 기다릴 것이다. - Il attendra un appel important demain.
448. 우리는 얼마나 더 기다려야 하나요? - Combien de temps devons-nous encore attendre ?
449. 5분만 더 기다려 주세요. - Veuillez patienter encore cinq minutes.
450. 만나다 - Rencontrer
451. 나는 지난 주에 그를 만났다. - Je l'ai rencontré la semaine dernière.
452. 너는 지금 새로운 사람을 만난다. - Vous rencontrez une nouvelle personne maintenant.
453. 그녀는 내일 오랜 친구를 만날 것이다. - Elle rencontrera un vieil ami demain.
454. 그들은 언제 만나기로 했나요? - Quand vont-ils se rencontrer ?
455. 그들은 내일 오후에 만나기로 했습니다. - Ils se rencontrent demain après-midi.
456. 헤어지다 - rompre
457. 나는 지난달에 그녀와 헤어졌다. - J'ai rompu avec elle le mois dernier.
458. 너는 지금 슬픔을 헤어진다. - Tu romps maintenant avec tes chagrins.
459. 그들은 내일 서로 헤어질 것이다. - Ils se sépareront demain.
460. 왜 그들은 헤어지기로 결정했나요? - Pourquoi ont-ils décidé de se séparer ?
461. 그들은 서로 다른 길을 가기로 결정했습니다. - Ils ont décidé de se séparer.
462. 전화하다 - appeler
463. 나는 어제 그에게 전화했다. - Je l'ai appelé hier.
464. 너는 지금 의사에게 전화한다. - Appelez le médecin maintenant.

465. 그녀는 내일 저녁에 나에게 전화할 것이다. - Elle m'appellera demain soir.
466. 그는 언제 나에게 전화할 거예요? - Quand va-t-il m'appeler ?
467. 그는 저녁에 전화할 거예요. - Il m'appellera dans la soirée.
468. 6. 명사 단어들 외우기, 필수 10개 동사의 단어들을 가지고 50문장 연습하기 - 6. mémoriser les noms, pratiquer 50 phrases avec les 10 verbes essentiels
469. 길 - chemin
470. 질문 - Question
471. 조언 - Conseil
472. 시간 - Temps
473. 문제 - Problème
474. 상자 - Boîte
475. 책 - livre
476. 가방 - sac
477. 펜 - stylo
478. 열쇠 - clé
479. 서류 - document
480. 캐리어 - porte-bébé
481. 장난감 - jouet
482. 바구니 - panier
483. 카트 - chariot
484. 문 - porte
485. 의자 - chaise
486. 책장 - étagère
487. 로프 - corde
488. 커튼 - rideau
489. 끈 - corde
490. 손잡이 - poignée
491. 방 - pièce
492. 집 - maison
493. 회의실 - salle de réunion
494. 건물 - bâtiment
495. 영화관 - Cinéma

496. 사무실 - bureau
497. 도서관 - bibliothèque
498. 언덕 - colline
499. 계단 - escalier
500. 탑 - tour
501. 산 - montagne
502. 묻다 - demander
503. 나는 어제 길을 물었다. - J'ai demandé mon chemin hier.
504. 너는 지금 질문을 한다. - Vous posez une question maintenant.
505. 그는 내일 조언을 물을 것이다. - Il demandera un conseil demain.
506. 그녀는 무엇을 물어봤나요? - Qu'est-ce qu'elle a demandé ?
507. 그녀는 시간을 물어봤습니다. - Elle a demandé l'heure.
508. 대답하다 - Répondre
509. 나는 그의 질문에 대답했다. - J'ai répondu à sa question.
510. 너는 지금 내 질문에 대답한다. - Vous répondez à ma question maintenant.
511. 그녀는 내일 문제에 대답할 것이다. - Elle répondra à la question demain.
512. 그들은 어떻게 대답했나요? - Comment ont-ils répondu ?
513. 그들은 친절하게 대답했습니다. - Ils ont répondu gentiment.
514. 들다 - soulever
515. 나는 무거운 상자를 들었다. - J'ai soulevé la lourde boîte.
516. 너는 지금 책을 든다. - Vous portez un livre maintenant.
517. 그는 내일 가방을 들 것이다. - Il soulèvera le sac demain.
518. 그녀는 무엇을 들 수 있나요? - Que peut-elle soulever ?
519. 그녀는 큰 가방을 들 수 있습니다. - Elle peut soulever un gros sac.
520. 놓다 - Poser
521. 나는 펜을 책상 위에 놓았다. - Je pose le stylo sur le bureau.
522. 너는 지금 열쇠를 놓는다. - Tu poses tes clés maintenant.
523. 그들은 내일 서류를 책상 위에 놓을 것이다. - Ils mettront les papiers sur le bureau demain.
524. 그는 어디에 그것을 놓았나요? - Où l'a-t-il mis ?
525. 그는 문 앞에 그것을 놓았습니다. - Il l'a mis devant la porte.
526. 끌다 - traîner

527. 나는 캐리어를 끌었다. - J'ai traîné la valise.
528. 너는 지금 장난감을 끈다. - Tu traînes le jouet maintenant.
529. 그녀는 내일 바구니를 끌 것이다. - Elle traînera le panier demain.
530. 그들은 무엇을 끌었나요? - Qu'ont-ils traîné ?
531. 그들은 작은 카트를 끌었습니다. - Ils ont poussé un petit chariot.
532. 밀다 - Pousser
533. 나는 문을 밀었다. - J'ai poussé la porte.
534. 너는 지금 의자를 밀고 있다. - Vous poussez la chaise maintenant.
535. 그는 내일 상자를 밀 것이다. - Il poussera les cartons demain.
536. 그녀는 어떤 것을 밀어야 하나요? - Que doit-elle pousser ?
537. 그녀는 책장을 밀어야 합니다. - Elle doit pousser la bibliothèque.
538. 당기다 - Tirer
539. 나는 로프를 당겼다. - J'ai tiré la corde.
540. 너는 지금 커튼을 당긴다. - Vous tirez les rideaux maintenant.
541. 그들은 내일 끈을 당길 것이다. - Ils tireront la corde demain.
542. 그는 무엇을 당겼나요? - Qu'est-ce qu'il a tiré ?
543. 그는 문 손잡이를 당겼습니다. - Il a tiré la poignée de la porte.
544. 들어가다 - entrer
545. 나는 방에 들어갔다. - Je suis entré dans la pièce.
546. 너는 지금 집에 들어간다. - Vous entrez dans la maison maintenant.
547. 그녀는 내일 회의실에 들어갈 것이다. - Elle entrera dans la salle de conférence demain.
548. 그들은 언제 건물에 들어갔나요? - Quand sont-ils entrés dans le bâtiment ?
549. 그들은 아침에 건물에 들어갔습니다. - Ils sont entrés dans le bâtiment le matin.
550. 나오다 - sortir
551. 나는 어제 영화관에서 나왔다. - Je suis sorti du cinéma hier.
552. 너는 지금 사무실에서 나온다. - Vous sortez du bureau maintenant.
553. 그는 내일 도서관에서 나올 것이다. - Il sortira de la bibliothèque demain.
554. 너는 어디에서 나왔나요? - Où êtes-vous sorti ?
555. 나는 회의실에서 나왔습니다. - Je suis sorti de la salle de conférence.
556. 올라가다 - monter

557. 나는 언덕을 올라갔다. - Je suis monté sur la colline.
558. 너는 지금 계단을 올라간다. - Vous montez l'escalier maintenant.
559. 우리는 내일 탑에 올라갈 것이다. - Nous monterons la tour demain.
560. 그들은 어디로 올라갔나요? - Où sont-ils montés ?
561. 그들은 산으로 올라갔습니다. - Ils sont montés à la montagne.
562. 7. 명사 단어들 외우기, 필수 10개 동사의 단어들을 가지고 50문장 연습하기 - 7. mémoriser les noms, pratiquer 50 phrases avec les mots des 10 verbes essentiels
563. 지하 - souterrain
564. 계단 - escalier
565. 지하철역 - station de métro
566. 지하실 - cave
567. 자전거 - vélo
568. 버스 - bus
569. 기차 - train
570. 배 - bateau
571. 역 - gare
572. 비행기 - avion
573. 정류장 - gare
574. 중앙 정류장 - arrêt central
575. 계약서 - contrat
576. 메뉴 - menu
577. 계획 - plan
578. 문서 - document
579. 보고서 - rapport
580. 미래 - futur
581. 결정 - décision
582. 직업 변경 - changement d'emploi
583. 대학 - université
584. 저녁 메뉴 - menu du dîner
585. 여행지 - destination de voyage
586. 색깔 - Couleur
587. 파란색 - bleu
588. 문제 - problème

589. 어려움 - difficulté
590. 수수께끼 - énigme
591. 상황 - situation
592. 팀워크 - travail d'équipe
593. 순간 - Moment
594. 날짜 - date
595. 대화 - conversation
596. 숫자 - numéro de téléphone
597. 전화번호 - numéro de téléphone
598. 생일 - anniversaire
599. 약속 - promesse
600. 회의 - rencontre
601. 회의 시간 - heure de la réunion
602. 말 - mot
603. 소식 - Actualités
604. 기적 - miracle
605. 운명 - destin
606. 내려가다 - descendre
607. 나는 지하로 내려갔다. - Je suis descendu à la cave.
608. 너는 지금 계단을 내려간다. - Tu descends les escaliers maintenant.
609. 그녀는 내일 지하철역으로 내려갈 것이다. - Elle descendra à la station de métro demain.
610. 그는 어디로 내려갔나요? - Où est-il descendu ?
611. 그는 지하실로 내려갔습니다. - Il est descendu à la cave.
612. 타다 - rouler
613. 나는 자전거를 탔다. - J'ai fait du vélo.
614. 너는 지금 버스를 탄다. - Tu prends le bus maintenant.
615. 그들은 내일 기차를 탈 것이다. - Ils prendront le train demain.
616. 그녀는 무엇을 타고 싶어하나요? - Qu'est-ce qu'elle veut faire ?
617. 그녀는 배를 타고 싶어합니다. - Elle veut aller sur un bateau.
618. 내리다 - Descendre
619. 나는 역에서 기차에서 내렸다. - Je suis descendu du train à la gare.
620. 너는 지금 버스에서 내린다. - Tu descends du bus maintenant.
621. 그는 내일 비행기에서 내릴 것이다. - Il descendra de l'avion demain.

622. 그들은 어느 정류장에서 내렸나요? - À quel arrêt sont-ils descendus ?
623. 그들은 중앙 정류장에서 내렸습니다. - Ils sont descendus à l'arrêt central.
624. 살펴보다 - regarder
625. 나는 계약서를 살펴보았다. - J'ai relu le contrat.
626. 너는 지금 메뉴를 살펴본다. - Vous regardez le menu maintenant.
627. 그녀는 내일 계획을 살펴볼 것이다. - Elle va regarder les plans pour demain.
628. 그들은 어떤 문서를 살펴보고 있나요? - Quels sont les documents qu'ils examinent ?
629. 그들은 보고서를 살펴보고 있습니다. - Ils examinent le rapport.
630. 생각하다 - Réfléchir
631. 나는 우리의 미래에 대해 생각했다. - Je pensais à notre avenir.
632. 너는 지금 무엇에 대해 생각한다. - Tu penses à quoi maintenant.
633. 그는 내일 결정에 대해 생각할 것이다. - Il réfléchira à sa décision demain.
634. 그녀는 무엇에 대해 생각하고 있나요? - À quoi pense-t-elle ?
635. 그녀는 직업 변경에 대해 생각하고 있습니다. - Elle pense à changer de travail.
636. 결정하다 - décider
637. 나는 대학을 결정했다. - J'ai choisi une université.
638. 너는 지금 저녁 메뉴를 결정한다. - Vous êtes en train de décider du menu du dîner.
639. 그들은 내일 여행지를 결정할 것이다. - Ils décideront demain de leur destination.
640. 그는 어떤 색깔을 결정했나요? - De quelle couleur s'est-il décidé ?
641. 그는 파란색을 결정했습니다. - Il a choisi le bleu.
642. 해결하다 - résoudre
643. 나는 그 문제를 해결했다. - J'ai résolu ce problème.
644. 너는 지금 어려움을 해결한다. - Tu résous la difficulté maintenant.
645. 그녀는 내일 그 수수께끼를 해결할 것이다. - Elle résoudra cette énigme demain.
646. 그들은 어떻게 그 상황을 해결했나요? - Comment ont-ils résolu cette situation ?

647. 그들은 팀워크로 해결했습니다. - Ils l'ont résolue en travaillant en équipe.
648. 기억하다 - se souvenir
649. 나는 그 순간을 기억했다. - Je me suis souvenu de ce moment.
650. 너는 지금 중요한 날짜를 기억한다. - Tu te souviens maintenant de la date importante.
651. 우리는 내일 그 대화를 기억할 것이다. - Nous nous souviendrons de cette conversation demain.
652. 그녀는 어떤 숫자를 기억하나요? - De quel numéro se souvient-elle ?
653. 그녀는 그의 전화번호를 기억합니다. - Elle se souvient de son numéro de téléphone.
654. 잊다 - oublier
655. 나는 그의 생일을 잊었다. - J'ai oublié son anniversaire.
656. 너는 지금 약속을 잊는다. - Vous oubliez le rendez-vous maintenant.
657. 그는 내일 중요한 회의를 잊을 것이다. - Il oubliera son rendez-vous important de demain.
658. 그들은 무엇을 잊어버렸나요? - Qu'ont-ils oublié ?
659. 그들은 그 회의 시간을 잊어버렸습니다. - Ils ont oublié l'heure de la réunion.
660. 믿다 - croire
661. 나는 그녀의 말을 믿었다. - J'ai cru à ses paroles.
662. 너는 지금 그 소식을 믿는다. - Vous croyez aux nouvelles maintenant.
663. 그들은 내일 기적을 믿을 것이다. - Demain, ils croiront à un miracle.
664. 그는 무엇을 믿나요? - En quoi croit-il ?
665. 그는 운명을 믿습니다. - Il croit au destin.
666. 8. 명사 단어들 외우기, 필수 10개 동사의 단어들을 가지고 50문장 연습하기 - 8. mémoriser les noms, pratiquer 50 phrases avec les 10 verbes essentiels
667. 말 - mot
668. 소식 - Nouvelles
669. 계획 - plan
670. 이야기 - histoire
671. 결과 - résultat
672. 평화 - paix

673. 성공 - succès
674. 미래 - avenir
675. 건강 - santé
676. 안전 - sécurité
677. 가족 - famille
678. 행복 - bonheur
679. 세계 평화 - paix dans le monde
680. 차 - voiture
681. 집 - maison
682. 여행 - voyage
683. 시골 - campagne
684. 활동 - activité
685. 신호등 - Feu de circulation
686. 새벽 - aube
687. 학교 - école
688. 아침 - matin
689. 회사 - entreprise
690. 목적지 - destination
691. 오후 - après-midi
692. 편지 - lettre
693. 메일 - courrier
694. 선물 - cadeau
695. 친구 - ami(e)
696. 길 - route
697. 강 - rivière
698. 다리 - jambe
699. 보트 - bateau
700. 과거 - passé
701. 결정 - décision
702. 무언가 - quelque chose
703. 의심하다 - douter
704. 나는 그의 말을 의심했다. - J'ai douté de ses paroles.
705. 너는 지금 그 소식을 의심한다. - Vous doutez de la nouvelle maintenant.

706. 그는 내일 그 계획을 의심할 것이다. - Il doutera du plan demain.
707. 너는 왜 그를 의심하나요? - Pourquoi doutez-vous de lui ?
708. 나는 그의 이야기가 일관되지 않기 때문입니다. - Je doute de lui parce que son histoire est incohérente.
709. 희망하다 - espérer
710. 나는 좋은 결과를 희망했다. - J'ai espéré un bon résultat.
711. 너는 지금 평화를 희망한다. - Vous espérez la paix maintenant.
712. 그들은 내일 성공을 희망할 것이다. - Ils espèrent le succès demain.
713. 우리는 무엇을 희망해야 하나요? - Que devons-nous espérer ?
714. 우리는 더 나은 미래를 희망해야 합니다. - Nous devons espérer un avenir meilleur.
715. 기도하다 - Prier
716. 나는 건강을 위해 기도했다. - J'ai prié pour la santé.
717. 너는 지금 안전을 기도한다. - Vous priez pour la sécurité maintenant.
718. 그녀는 내일 가족의 행복을 기도할 것이다. - Elle priera demain pour le bonheur de sa famille.
719. 너는 무엇을 위해 기도하나요? - Pour quoi priez-vous ?
720. 나는 세계 평화를 위해 기도합니다. - Je prie pour la paix dans le monde.
721. 운전하다 - conduire
722. 나는 어제 차를 운전했다. - J'ai conduit ma voiture hier.
723. 너는 지금 집으로 운전한다. - Vous rentrez chez vous maintenant.
724. 그는 내일 여행을 운전할 것이다. - Il fera le voyage demain.
725. 그녀는 어디로 운전해 가나요? - Où va-t-elle en voiture ?
726. 그녀는 시골로 운전해 갑니다. - Elle se rend à la campagne.
727. 멈추다 - S'arrêter
728. 나는 갑자기 멈췄다. - Je me suis arrêté brusquement.
729. 너는 지금 멈춘다. - Tu t'arrêtes maintenant.
730. 우리는 내일 활동을 멈출 것이다. - Nous arrêterons nos activités demain.
731. 그들은 왜 멈췄나요? - Pourquoi se sont-ils arrêtés ?
732. 그들은 신호등에서 멈췄습니다. - Ils se sont arrêtés au feu rouge.
733. 출발하다 - Partir
734. 나는 새벽에 출발했다. - Je suis parti à l'aube.

735. 너는 지금 여행을 출발한다. - Vous partez en voyage maintenant.
736. 그녀는 내일 학교로 출발할 것이다. - Elle partira demain pour l'école.
737. 그들은 언제 출발할 예정인가요? - Quand doivent-ils partir ?
738. 그들은 내일 아침에 출발할 예정입니다. - Le départ est prévu pour demain matin.
739. 도착하다 - arriver
740. 나는 어젯밤에 도착했다. - Je suis arrivé hier soir.
741. 너는 지금 회사에 도착한다. - Vous arrivez au travail maintenant.
742. 그들은 내일 목적지에 도착할 것이다. - Ils arriveront à destination demain.
743. 너는 언제 도착했나요? - Quand êtes-vous arrivé ?
744. 나는 오후에 도착했습니다. - Je suis arrivé dans l'après-midi.
745. 보내다 - Envoyer
746. 나는 편지를 보냈다. - J'ai envoyé une lettre.
747. 너는 지금 메일을 보낸다. - Vous envoyez le courrier maintenant.
748. 그는 내일 선물을 보낼 것이다. - Il enverra le cadeau demain.
749. 우리는 누구에게 선물을 보내나요? - À qui envoyons-nous des cadeaux ?
750. 우리는 친구에게 선물을 보냅니다. - Nous envoyons des cadeaux à nos amis.
751. 건너다 - traverser
752. 나는 길을 건넜다. - J'ai traversé la route.
753. 너는 지금 강을 건넌다. - Tu traverses la rivière maintenant.
754. 그녀는 내일 다리를 건널 것이다. - Elle traversera le pont demain.
755. 당신들은 어떻게 강을 건넜나요? - Comment avez-vous traversé la rivière ?
756. 우리는 보트를 이용해서 건넜습니다. - Nous avons traversé en bateau.
757. 돌아보다 - regarder en arrière
758. 나는 뒤를 돌아보았다. - J'ai regardé en arrière.
759. 너는 지금 과거를 돌아본다. - Vous regardez en arrière maintenant.
760. 우리는 내일 결정을 돌아볼 것이다. - Nous reviendrons sur notre décision demain.
761. 그녀는 왜 주저하며 돌아보나요? - Pourquoi hésite-t-elle à regarder en arrière ?

762. 그녀는 무언가를 잊었기 때문입니다. - Parce qu'elle a oublié quelque chose.
763. 9. 명사 단어들 외우기, 필수 10개 동사의 단어들을 가지고 50문장 연습하기 - 9. mémoriser les noms, pratiquer 50 phrases avec les 10 verbes essentiels
764. 위험 - danger
765. 갈등 - conflit
766. 교통 체증 - embouteillage
767. 논쟁 - dispute
768. 제품 - produit
769. 가격 - prix
770. 옵션 - option
771. 대학 프로그램 - programme universitaire
772. 시험 - test
773. 발표 - présentation
774. 파티 - fête
775. 저녁 식사 - dîner
776. 방 - salle
777. 책상 - table
778. 창고 - stockage
779. 서류 - document
780. 자전거 - bicyclette
781. 컴퓨터 - ordinateur
782. 시계 - horloge
783. 옥상 - toit
784. 신발 - chaussures
785. 문 - porte
786. 안경 - lunettes
787. 자동차 - automobile
788. 피아노 - piano
789. 공 - ballon
790. 골프 - golf
791. 드럼 - tambour
792. 돌 - pierre

793. 종이비행기 - avion en papier
794. 나비 - papillon
795. 물고기 - poisson
796. 꽃 - fleur
797. 화분 - pot
798. 정원 - jardin
799. 피하다 - éviter
800. 나는 위험을 피했다. - J'ai évité le danger.
801. 너는 지금 갈등을 피한다. - Vous évitez les conflits maintenant.
802. 그들은 내일 교통 체증을 피할 것이다. - Ils éviteront les embouteillages demain.
803. 그는 무엇을 피하려고 하나요? - Qu'est-ce qu'il essaie d'éviter ?
804. 그는 불필요한 논쟁을 피하려고 합니다. - Il essaie d'éviter les disputes inutiles.
805. 비교하다 - Comparer
806. 나는 두 제품을 비교했다. - J'ai comparé les deux produits.
807. 너는 지금 가격을 비교한다. - Vous comparez les prix maintenant.
808. 그녀는 내일 옵션을 비교할 것이다. - Elle comparera les options demain.
809. 그들은 어떤 것들을 비교하나요? - Quelles sont les choses qu'ils comparent ?
810. 그들은 다양한 대학 프로그램을 비교합니다. - Ils comparent différents programmes d'études.
811. 준비하다 - préparer
812. 나는 시험을 준비했다. - Je me suis préparé pour le test.
813. 너는 지금 발표를 준비한다. - Vous vous préparez pour la présentation maintenant.
814. 우리는 내일 파티를 준비할 것이다. - Nous nous préparons pour la fête de demain.
815. 그녀는 무엇을 준비하고 있나요? - Que prépare-t-elle ?
816. 그녀는 저녁 식사를 준비하고 있습니다. - Elle prépare le dîner.
817. 정리하다 - organiser
818. 나는 내 방을 정리했다. - J'ai rangé ma chambre.
819. 너는 지금 책상을 정리한다. - Vous êtes en train de ranger votre

bureau.
820. 그들은 내일 창고를 정리할 것이다. - Ils organiseront l'entrepôt demain.
821. 그는 언제 서류를 정리할까요? - Quand organisera-t-il ses papiers ?
822. 그는 이번 주말에 서류를 정리할 것입니다. - Il organisera ses papiers ce week-end.
823. 수리하다 - réparer
824. 나는 자전거를 수리했다. - J'ai réparé mon vélo.
825. 너는 지금 컴퓨터를 수리한다. - Vous êtes en train de réparer l'ordinateur.
826. 그녀는 내일 시계를 수리할 것이다. - Elle réparera sa montre demain.
827. 그들은 무엇을 수리하고 있나요? - Qu'est-ce qu'ils réparent ?
828. 그들은 옥상을 수리하고 있습니다. - Ils réparent le toit.
829. 고치다 - réparer
830. 나는 신발을 고쳤다. - J'ai réparé mes chaussures.
831. 너는 지금 문을 고친다. - Tu répares la porte maintenant.
832. 그는 내일 안경을 고칠 것이다. - Il réparera ses lunettes demain.
833. 그녀는 언제 자동차를 고쳤나요? - Quand a-t-elle réparé sa voiture ?
834. 그녀는 지난 주에 자동차를 고쳤습니다. - Elle a réparé sa voiture la semaine dernière.
835. 치다 - Jouer
836. 나는 피아노를 쳤다. - J'ai joué du piano.
837. 너는 지금 공을 친다. - Vous frappez la balle maintenant.
838. 그들은 내일 골프를 칠 것이다. - Ils joueront au golf demain.
839. 너는 언제 드럼을 쳤나요? - Quand as-tu joué de la batterie ?
840. 나는 어제 드럼을 쳤습니다. - J'ai joué de la batterie hier.
841. 던지다 - Lancer
842. 나는 공을 던졌다. - J'ai lancé la balle.
843. 너는 지금 돌을 던진다. - Tu lances des pierres maintenant.
844. 그는 내일 종이비행기를 던질 것이다. - Demain, il lancera un avion en papier.
845. 그녀는 무엇을 던졌나요? - Qu'a-t-elle lancé ?
846. 그녀는 공을 던졌어요. - Elle a lancé une balle.
847. 잡다 - attraper
848. 나는 나비를 잡았다. - J'ai attrapé un papillon.

849. 너는 지금 공을 잡는다. - Tu attrapes la balle maintenant.
850. 우리는 내일 물고기를 잡을 것이다. - Nous attraperons des poissons demain.
851. 그들은 무엇을 잡았나요? - Qu'ont-ils attrapé ?
852. 그들은 큰 물고기를 잡았어요. - Ils ont attrapé un gros poisson.
853. 피다 - fleurir
854. 나는 꽃을 피웠다. - J'ai fait éclore une fleur.
855. 너는 지금 화분에서 꽃이 피는 것을 본다. - Tu vois une fleur qui s'épanouit dans un pot.
856. 그녀는 내일 정원에서 꽃을 피울 것이다. - Demain, elle aura des fleurs dans le jardin.
857. 그들은 어디에서 꽃을 피웠나요? - Où ont-elles fleuri ?
858. 그들은 정원에서 꽃을 피웠어요. - Elles ont fleuri dans le jardin.
859. 침대 - le lit
860. 소파 - le canapé
861. 잔디밭 - la pelouse
862. 꿈 - un rêve
863. 몸 - un corps
864. 병 - bouteille
865. 물 - eau
866. 수프 - soupe
867. 차 - thé
868. 친구들 - amis
869. 파티 - fête
870. 모임 - rassemblement
871. 공원 - Parc
872. 집 - maison
873. 여행 - voyage
874. 학교 - école
875. 방 - chambre
876. 비밀 - secret
877. 진실 - vérité
878. 이야기 - histoire
879. 서랍 - tiroir

880. 책 - livre
881. 가방 - Sac à main
882. 지갑 - Portefeuille
883. 상자 - Boîte
884. 선물 - Cadeau
885. 편지 - Lettre
886. 눕다 - s'allonger
887. 나는 일찍 누웠다. - Je me couche tôt.
888. 너는 지금 침대에 눕는다. - Tu t'allonges dans ton lit maintenant.
889. 그는 내일 소파에 누울 것이다. - Il s'allongera demain sur le canapé.
890. 그녀는 어디에 누웠나요? - Où s'est-elle allongée ?
891. 그녀는 잔디밭에 누웠어요. - Elle s'est allongée sur la pelouse.
892. 꿈꾸다 - Rêver
893. 나는 행복한 꿈을 꿨다. - J'ai fait un rêve heureux.
894. 너는 지금 꿈을 꾼다. - Vous êtes en train de rêver.
895. 우리는 내일 큰 꿈을 꿀 것이다. - Demain, nous ferons un grand rêve.
896. 그들은 무슨 꿈을 꿨나요? - De quoi ont-ils rêvé ?
897. 그들은 여행하는 꿈을 꿨어요. - Ils rêvaient de voyager.
898. 움직이다 - se déplacer
899. 나는 천천히 움직였다. - J'ai bougé lentement.
900. 너는 지금 몸을 움직인다. - Vous bougez votre corps maintenant.
901. 그들은 내일 더 빠르게 움직일 것이다. - Demain, ils bougeront plus vite.
902. 그녀는 왜 움직이지 않나요? - Pourquoi ne bouge-t-elle pas ?
903. 그녀는 피곤해서 움직이지 않아요. - Elle ne bouge pas parce qu'elle est fatiguée.
904. 흔들다 - secouer
905. 나는 나무를 흔들었다. - J'ai secoué l'arbre.
906. 너는 지금 의자를 흔든다. - Vous secouez la chaise maintenant.
907. 그는 내일 우산을 흔들 것이다. - Il secouera le parapluie demain.
908. 그들은 무엇을 흔들었나요? - Qu'ont-ils secoué ?
909. 그들은 병을 흔들었어요. - Ils ont secoué la bouteille.
910. 끓이다 - faire bouillir
911. 나는 물을 끓였다. - J'ai fait bouillir l'eau.

912. 너는 지금 수프를 끓인다. - Tu fais bouillir la soupe maintenant.
913. 그녀는 내일 차를 끓일 것이다. - Elle fera bouillir le thé demain.
914. 그들은 언제 물을 끓였나요? - Quand ont-ils fait bouillir l'eau ?
915. 그들은 아침에 물을 끓였어요. - Ils ont fait bouillir l'eau le matin.
916. 어울리다 - S'entendre avec
917. 나는 친구들과 잘 어울렸다. - Je me suis bien entendu avec mes amis.
918. 너는 지금 파티에서 잘 어울린다. - Tu as l'air bien à la fête maintenant.
919. 우리는 내일 모임에서 잘 어울릴 것이다. - Nous nous entendrons bien à la réunion de demain.
920. 그들은 어디에서 어울렸나요? - Où ont-ils traîné ?
921. 그들은 공원에서 잘 어울렸어요. - Ils se sont bien entendus dans le parc.
922. 떠나다 - Partir
923. 나는 새벽에 떠났다. - Je suis parti à l'aube.
924. 너는 지금 집을 떠난다. - Vous quittez la maison maintenant.
925. 그는 내일 여행을 떠날 것이다. - Il partira en voyage demain.
926. 그녀는 언제 떠났나요? - Quand est-elle partie ?
927. 그녀는 어제 떠났어요. - Elle est partie hier.
928. 돌아오다 - revenir
929. 나는 저녁에 돌아왔다. - Je suis rentré le soir.
930. 너는 지금 학교에서 돌아온다. - Tu reviens de l'école maintenant.
931. 우리는 내일 여행에서 돌아올 것이다. - Nous reviendrons de notre voyage demain.
932. 그들은 언제 돌아올까요? - Quand reviendront-ils ?
933. 그들은 내일 돌아올 거예요. - Ils reviendront demain.
934. 밝히다 - éclairer
935. 나는 방에 불을 밝혔다. - J'ai allumé la lumière dans la pièce.
936. 너는 지금 비밀을 밝힌다. - Tu révèles le secret maintenant.
937. 그녀는 내일 진실을 밝힐 것이다. - Elle révélera la vérité demain.
938. 그는 왜 이야기를 밝혔나요? - Pourquoi a-t-il révélé l'histoire ?
939. 그는 솔직하고 싶어서 밝혔어요. - Il l'a révélée parce qu'il voulait être honnête.

940. 꺼내다 - sortir
941. 나는 서랍에서 책을 꺼냈다. - J'ai sorti le livre du tiroir.
942. 너는 지금 가방에서 지갑을 꺼낸다. - Tu sors ton portefeuille de ton sac maintenant.
943. 그는 내일 상자에서 선물을 꺼낼 것이다. - Il sortira le cadeau de la boîte demain.
944. 그녀는 무엇을 꺼냈나요? - Qu'est-ce qu'elle a sorti ?
945. 그녀는 편지를 꺼냈어요. - Elle a sorti une lettre.
946. 10. 명사 단어들 외우기, 필수 10개 동사의 단어들을 가지고 50문장 연습하기 - 10. mémoriser les noms, pratiquer 50 phrases avec les mots des 10 verbes essentiels
947. 상자 - boîte
948. 사진 - image
949. 서류 - papier
950. 파일 - dossier
951. 책 - livre
952. 책장 - Bibliothèque
953. 서랍 - Tiroir
954. 신문 - journal
955. 컵 - tasse
956. 물건 - objet
957. 저녁 - dîner
958. 식탁 - table à manger
959. 아침 - petit déjeuner
960. 식사 - repas
961. 파티 - fête
962. 테이블 - table
963. 정리 - organisation
964. 책상 - bureau
965. 방 - chambre
966. 장난감 - Jouets
967. 친구 - ami(e)
968. 연필 - Crayon
969. 텐트 - tente

970. 선생님 - professeur
971. 돈 - argent
972. 도구 - outil
973. 소식 - nouvelles
974. 소리 - son
975. 선물 - présent
976. 밤 - Nuit
977. 시험 - Test
978. 결과 - Résultat
979. 발표 - annonce
980. 높은 - élevé
981. 건강 - santé
982. 여행 - voyage
983. 날씨 - Météo
984. 메시지 - Message
985. 넣다 - à Insérer
986. 나는 상자에 사진을 넣었다. - Je mets la photo dans la boîte.
987. 너는 지금 서류를 파일에 넣는다. - Vous mettez les papiers dans le dossier maintenant.
988. 우리는 내일 책을 책장에 넣을 것이다. - Demain, nous mettrons les livres sur l'étagère.
989. 그들은 어디에 넣었나요? - Où les ont-ils mis ?
990. 그들은 서랍에 넣었어요. - Dans le tiroir.
991. 버리다 - jeter
992. 나는 오래된 신문을 버렸다. - J'ai jeté le vieux journal.
993. 너는 지금 깨진 컵을 버린다. - Jette la tasse cassée maintenant.
994. 그는 내일 불필요한 물건을 버릴 것이다. - Demain, il jettera les choses inutiles.
995. 그녀는 왜 그것을 버렸나요? - Pourquoi l'a-t-elle jeté ?
996. 그녀는 필요 없어서 버렸어요. - Elle l'a jeté parce qu'elle n'en avait pas besoin.
997. 차리다 - Mettre la table
998. 나는 저녁 식탁을 차렸다. - Je mets la table pour le dîner.
999. 너는 지금 아침 식사를 차린다. - Vous mettez la table pour le petit

déjeuner maintenant.
1000. 우리는 내일 파티를 위해 테이블을 차릴 것이다. - Nous mettrons la table pour la fête demain.
1001. 그들은 언제 식탁을 차렸나요? - Quand ont-ils mis la table ?
1002. 그들은 방금 차렸어요. - Ils viennent de mettre la table.
1003. 치우다 - nettoyer
1004. 나는 파티 후에 정리를 했다. - J'ai nettoyé après la fête.
1005. 너는 지금 책상을 치운다. - Vous êtes en train de débarrasser le bureau.
1006. 그녀는 내일 방을 치울 것이다. - Elle rangera sa chambre demain.
1007. 그들은 무엇을 치웠나요? - Qu'ont-ils rangé ?
1008. 그들은 장난감을 치웠어요. - Ils ont rangé les jouets.
1009. 빌리다 - Emprunter
1010. 나는 친구에게 책을 빌렸다. - J'ai emprunté un livre à un ami.
1011. 너는 지금 연필을 빌린다. - Tu emprunteras un crayon maintenant.
1012. 우리는 내일 텐트를 빌릴 것이다. - Nous emprunterons la tente demain.
1013. 그녀는 누구에게 빌렸나요? - À qui a-t-elle emprunté ?
1014. 그녀는 선생님에게 빌렸어요. - Elle a emprunté à son professeur.
1015. 갚다 - rembourser
1016. 나는 친구에게 돈을 갚았다. - J'ai remboursé l'argent à mon ami.
1017. 너는 지금 빌린 책을 갚는다. - Vous remboursez le livre emprunté maintenant.
1018. 그는 내일 빌린 도구를 갚을 것이다. - Il remboursera les outils empruntés demain.
1019. 그들은 언제 갚을까요? - Quand le rembourseront-ils ?
1020. 그들은 내일 갚을 거예요. - Ils le rembourseront demain.
1021. 놀라다 - être surpris
1022. 나는 소식에 놀랐다. - J'ai été surpris par la nouvelle.
1023. 너는 지금 갑작스러운 소리에 놀란다. - Vous êtes surpris par le son soudain maintenant.
1024. 그녀는 내일 깜짝 선물에 놀랄 것이다. - Elle sera surprise par la surprise demain.
1025. 그는 왜 놀랐나요? - Pourquoi a-t-il été surpris ?

1026. 그는 선물을 받아서 놀랐어요. - Il a été surpris de recevoir le cadeau.
1027. 두렵다 - à Effrayé
1028. 나는 어두운 밤이 두려웠다. - J'ai eu peur de la nuit noire.
1029. 너는 지금 시험 결과가 두렵다. - Vous avez peur des résultats de l'examen maintenant.
1030. 우리는 내일 발표가 두려울 것이다. - Nous aurons peur de la présentation de demain.
1031. 그녀는 무엇이 두렵나요? - De quoi a-t-elle peur ?
1032. 그녀는 높은 곳이 두려워요. - Elle a le vertige.
1033. 걱정하다 - être inquiet
1034. 나는 시험 결과를 걱정했다. - J'étais inquiet à propos des résultats de l'examen.
1035. 너는 친구의 건강을 걱정한다. - Vous vous inquiétez de la santé de votre ami.
1036. 그는 여행의 날씨를 걱정할 것이다. - Il va s'inquiéter du temps qu'il fera pendant son voyage.
1037. 걱정이 많나요? - Êtes-vous très inquiet ?
1038. 네, 걱정이 많아요. - Oui, je m'inquiète beaucoup.
1039. 안심하다 - être soulagé
1040. 나는 메시지를 받고 안심했다. - J'ai été soulagé de recevoir le message.
1041. 너는 결과를 듣고 안심한다. - Vous êtes soulagé d'entendre le résultat.
1042. 그녀는 확인 후 안심할 것이다. - Elle sera soulagée après avoir vérifié.
1043. 안심됐나요? - Êtes-vous soulagé ?
1044. 네, 안심됐어요. - Oui, je suis soulagé.
1045. 11. 명사 단어들 외우기, 필수 10개 동사의 단어들을 가지고 50문장 연습하기 - 11. mémoriser les noms, pratiquer 50 phrases avec les 10 verbes essentiels
1046. 실수 - erreur
1047. 지연 - Retard
1048. 문제 - problème
1049. 친구 - ami(e)

1050. 아이 - enfant
1051. 동료 - collègue
1052. 동생 - Frère ou sœur
1053. 졸업 - Diplôme de fin d'études
1054. 생일 - Anniversaire
1055. 성공 - Réussite
1056. 도움 - aide
1057. 선생님 - enseignant
1058. 지원 - soutien
1059. 오해 - malentendu
1060. 잘못 - mal
1061. 서류 - document
1062. 파일 - fichier
1063. 책 - Livre
1064. 책장 - bibliothèque
1065. 돈 - argent
1066. 저금통 - tirelire
1067. 그릇 - bol
1068. 신문 - journal
1069. 옷 - vêtements
1070. 저녁 - dîner
1071. 식탁 - table à manger
1072. 아침 - petit déjeuner
1073. 식사 - repas
1074. 파티 - fête
1075. 테이블 - table
1076. 화내다 - se mettre en colère
1077. 나는 실수를 하고 화냈다. - J'ai fait une erreur et je me suis mis en colère.
1078. 너는 지연에 화낸다. - Vous êtes fâché par le retard.
1079. 그들은 문제를 보고 화낼 것이다. - Ils verront le problème et seront en colère.
1080. 화났나요? - Êtes-vous en colère ?
1081. 네, 화났어요. - Oui, je suis en colère.

1082. 달래다 - Apaiser
1083. 나는 친구를 달랬다. - J'ai apaisé mon ami.
1084. 너는 아이를 달랜다. - Vous apaiserez l'enfant.
1085. 그녀는 동료를 달랠 것이다. - Elle apaisera son collègue.
1086. 달랐나요? - Était-ce différent ?
1087. 네, 달랐어요. - Oui, c'était différent.
1088. 축하하다 - Fêter
1089. 나는 동생의 졸업을 축하했다. - J'ai félicité mon frère pour son diplôme.
1090. 너는 친구의 생일을 축하한다. - Vous célébrez l'anniversaire de votre ami.
1091. 우리는 성공을 축하할 것이다. - Nous allons fêter notre succès.
1092. 축하할까요? - On fête ça ?
1093. 네, 축하해요. - Oui, célébrons.
1094. 감사하다 - Être reconnaissant
1095. 나는 도움을 받고 감사했다. - On m'a aidé et on m'a remercié.
1096. 너는 선생님께 감사한다. - Vous êtes reconnaissant envers votre professeur.
1097. 그들은 지원에 감사할 것이다. - Ils vous seront reconnaissants de votre soutien.
1098. 감사해요? - Êtes-vous reconnaissant ?
1099. 네, 감사해요. - Oui, je suis reconnaissant.
1100. 사과하다 - S'excuser
1101. 나는 실수에 대해 사과했다. - Je me suis excusé pour mon erreur.
1102. 너는 지각에 대해 사과한다. - Vous vous excusez pour votre retard.
1103. 그는 오해에 대해 사과할 것이다. - Il s'excusera pour le malentendu.
1104. 사과할까요? - Dois-je m'excuser ?
1105. 네, 사과해요. - Oui, je m'excuse.
1106. 용서하다 - Pardonner
1107. 나는 친구의 실수를 용서했다. - J'ai pardonné à mon ami son erreur.
1108. 너는 그의 잘못을 용서한다. - Vous pardonnez sa faute.
1109. 그녀는 오해를 용서할 것이다. - Elle pardonnera le malentendu.
1110. 용서할까요? - Pardonnons-nous ?
1111. 네, 용서해요. - Oui, je pardonne.

1112. 선물하다 - Offrir un cadeau
1113. 나는 친구에게 선물을 했다. - J'ai offert un cadeau à mon ami.
1114. 너는 선생님께 선물한다. - Vous offrez un cadeau à votre professeur.
1115. 그들은 기념일에 선물할 것이다. - Ils offriront un cadeau à l'occasion de leur anniversaire.
1116. 선물할까요? - Dois-je offrir un cadeau ?
1117. 네, 선물해요. - Oui, je fais un cadeau.
1118. 넣다 - Mettre
1119. 나는 서류를 파일에 넣었다. - Je mets les papiers dans le dossier.
1120. 너는 책을 책장에 넣는다. - Vous mettez les livres sur l'étagère.
1121. 그는 돈을 저금통에 넣을 것이다. - Il mettra l'argent dans la tirelire.
1122. 넣을까요? - Dois-je le mettre ?
1123. 네, 넣어요. - Oui, mettez-le.
1124. 버리다 - Jeter
1125. 나는 깨진 그릇을 버렸다. - J'ai jeté le bol cassé.
1126. 너는 오래된 신문을 버린다. - Tu jettes le vieux journal.
1127. 그녀는 사용하지 않는 옷을 버릴 것이다. - Elle jettera les vêtements qu'elle n'utilise pas.
1128. 버릴까요? - On les jette ?
1129. 네, 버려요. - Oui, jetez-les.
1130. 차리다 - Mettre la table
1131. 나는 저녁 식탁을 차렸다. - Je mets la table pour le dîner.
1132. 너는 아침 식사를 차린다. - Vous mettez la table pour le petit déjeuner.
1133. 우리는 파티를 위해 테이블을 차릴 것이다. - Nous allons mettre la table pour la fête.
1134. 차릴까요? - Mettons-nous à table ?
1135. 네, 차려요. - Oui, mettons la table.
1136. 12. 명사 단어들 외우기, 필수 10개 동사의 단어들을 가지고 50문장 연습하기 - 12. Mémorisez les noms, pratiquez 50 phrases avec les mots des 10 verbes essentiels
1137. 저녁 - dîner
1138. 식사 - repas

1139. 방 - chambre
1140. 책상 - bureau
1141. 이웃 - voisin
1142. 사다리 - échelle
1143. 친구 - ami
1144. 책 - livre
1145. 차 - voiture
1146. 빚 - dette
1147. 은행 - banque
1148. 대출 - prêt
1149. 돈 - argent
1150. 소식 - Actualités
1151. 소리 - son
1152. 발표 - annonce
1153. 어둠 - obscurité
1154. 높이 - hauteur
1155. 실패 - Échec
1156. 시험 - Test
1157. 결과 - Résultats
1158. 여행 - voyage
1159. 계획 - planification
1160. 답장 - Réponse
1161. 확인 - vérifier
1162. 해결 - résoudre
1163. 지각 - Retard
1164. 실수 - Erreurs
1165. 지연 - Retard
1166. 아이 - Enfant
1167. 동료 - collègue
1168. 승진 - Promotion
1169. 성공 - Succès
1170. 기념일 - Anniversaire
1171. 치우다 - ranger
1172. 나는 저녁 식사 후에 정리했다. - J'ai fait le ménage après le dîner.

1173. 너는 방을 치운다. - Vous rangez votre chambre.
1174. 그는 책상을 치울 것이다. - Il va débarrasser le bureau.
1175. 치울까요? - Dois-je le ranger ?
1176. 네, 치워요. - Oui, range-le.
1177. 빌리다 - Emprunter
1178. 나는 이웃에게 사다리를 빌렸다. - J'ai emprunté une échelle à mon voisin.
1179. 너는 친구에게 책을 빌린다. - Vous empruntez un livre à un ami.
1180. 그들은 차를 빌릴 것이다. - Ils vont emprunter la voiture.
1181. 빌릴까요? - Je l'emprunte ?
1182. 네, 빌려요. - Oui, empruntons.
1183. 갚다 - Rembourser
1184. 나는 친구에게 빚을 갚았다. - J'ai remboursé ma dette à mon ami.
1185. 너는 은행에 대출을 갚는다. - Vous remboursez le prêt à la banque.
1186. 그는 돈을 갚을 것이다. - Il remboursera l'argent.
1187. 갚을까요? - Dois-je le rembourser ?
1188. 네, 갚아요. - Oui, je vais le rembourser.
1189. 놀라다 - Être surpris
1190. 나는 소식을 듣고 놀랐다. - J'ai été surpris d'apprendre la nouvelle.
1191. 너는 갑작스러운 소리에 놀란다. - Vous êtes surpris par le son soudain.
1192. 그녀는 발표를 듣고 놀랄 것이다. - Elle sera surprise d'entendre l'annonce.
1193. 놀랐나요? - Êtes-vous surpris ?
1194. 네, 놀랐어요. - Oui, j'ai été surpris.
1195. 두렵다 - à Effrayé
1196. 나는 어둠이 두려웠다. - J'ai eu peur du noir.
1197. 너는 높이가 두렵다. - Vous avez le vertige.
1198. 그들은 실패가 두려울 것이다. - Ils ont peur de l'échec.
1199. 두려워요? - Avez-vous peur ?
1200. 네, 두려워요. - Oui, j'ai peur.
1201. 걱정하다 - s'inquiéter
1202. 나는 시험을 걱정했다. - J'étais inquiet pour l'examen.
1203. 너는 결과를 걱정한다. - Vous vous inquiétez des résultats.

1204. 그는 여행 계획을 걱정할 것이다. - Il va s'inquiéter de ses projets de voyage.
1205. 걱정이 많으세요? - Vous inquiétez-vous beaucoup ?
1206. 아니요, 조금요. - Non, un peu.
1207. 안심하다 - être soulagé
1208. 나는 답장을 받고 안심했다. - J'ai été soulagé de recevoir une réponse.
1209. 너는 확인하고 안심한다. - Vous êtes soulagé de recevoir une confirmation.
1210. 그녀는 해결되면 안심할 것이다. - Elle sera soulagée lorsque le problème sera résolu.
1211. 안심됐어요? - Êtes-vous soulagé ?
1212. 네, 안심됐어요. - Oui, je suis soulagée.
1213. 화내다 - être en colère
1214. 나는 지각에 화냈다. - Je suis fâché de ce retard.
1215. 너는 실수에 화낸다. - Vous êtes fâché par l'erreur.
1216. 그는 지연에 화낼 것이다. - Il sera fâché de ce retard.
1217. 화낼 거예요? - Allez-vous vous mettre en colère ?
1218. 아니요, 안 화낼래요. - Non, je ne serai pas en colère.
1219. 달래다 - Apaiser
1220. 나는 울던 아이를 달랬다. - J'ai apaisé l'enfant qui pleurait.
1221. 너는 친구를 달랜다. - Vous allez apaiser votre ami.
1222. 그녀는 동료를 달랠 것이다. - Elle réconfortera son collègue.
1223. 달랠 수 있어요? - Pouvez-vous apaiser ?
1224. 네, 달랠게요. - Oui, je vais apaiser.
1225. 축하하다 - Fêter
1226. 나는 승진을 축하했다. - J'ai fêté ma promotion.
1227. 너는 성공을 축하한다. - Vous célébrez votre succès.
1228. 우리는 기념일을 축하할 것이다. - Nous allons fêter notre anniversaire.
1229. 축하해줄까요? - Dois-je vous féliciter ?
1230. 네, 축하해요. - Oui, célébrons.
1231. 13. 명사 단어들 외우기, 필수 10개 동사의 단어들을 가지고 50문장 연습하기 - 13. mémoriser les noms, pratiquer 50 phrases avec les 10 verbes

essentiels
1232. 도움 - aider
1233. 지원 - soutenir
1234. 협력 - coopérer
1235. 잘못 - erreur
1236. 실수 - erreur
1237. 오해 - malentendu
1238. 거짓말 - mensonge
1239. 생일 - anniversaire
1240. 선물 - cadeau
1241. 졸업 - diplômé
1242. 책 - livre
1243. 운동 - entraînement
1244. 여행지 - destination de voyage
1245. 조언 - conseil
1246. 조용 - calme
1247. 정리 - organiser
1248. 제출 - soumettre
1249. 흡연 - fumer
1250. 출입 - aller et venir
1251. 사용 - utiliser
1252. 요청 - demander
1253. 출발 - partir
1254. 참여 - participation
1255. 제안 - proposition
1256. 초대 - inviter
1257. 감사하다 - Remercier
1258. 나는 도움에 감사했다. - Je vous remercie pour votre aide.
1259. 너는 지원에 감사한다. - Vous êtes reconnaissant pour votre soutien.
1260. 그들은 협력에 감사할 것이다. - Ils apprécieraient la coopération.
1261. 감사드려도 돼요? - Puis-je vous remercier ?
1262. 네, 감사해요. - Oui, merci.
1263. 사과하다 - s'excuser
1264. 나는 잘못을 사과했다. - Je me suis excusé pour mon erreur.

1265. 너는 늦은 것에 사과한다. - Vous vous excusez d'être en retard.
1266. 그는 실수에 대해 사과할 것이다. - Il va s'excuser pour son erreur.
1267. 사과해야 하나요? - Dois-je m'excuser ?
1268. 네, 사과하세요. - Oui, il faut s'excuser.
1269. 용서하다 - Pardonner
1270. 나는 실수를 용서했다. - Je pardonne l'erreur.
1271. 너는 오해를 용서한다. - Vous pardonnez le malentendu.
1272. 그녀는 거짓말을 용서할 것이다. - Elle pardonnera le mensonge.
1273. 용서해줄 수 있어요? - Peux-tu me pardonner ?
1274. 네, 용서해요. - Oui, je te pardonne.
1275. 선물하다 - Offrir un cadeau
1276. 나는 생일 선물을 했다. - J'ai offert un cadeau d'anniversaire.
1277. 너는 감사의 표시로 선물한다. - On offre un cadeau en signe de reconnaissance.
1278. 우리는 졸업 선물을 할 것이다. - Nous allons offrir un cadeau de fin d'études.
1279. 선물 좋아하세요? - Aimes-tu les cadeaux ?
1280. 네, 좋아해요. - Oui, je les aime bien.
1281. 권하다 - Recommander
1282. 나는 책을 권했다. - J'ai recommandé un livre.
1283. 너는 운동을 권한다. - Vous recommandez de faire de l'exercice.
1284. 그는 여행지를 권할 것이다. - Il va recommander une destination de voyage.
1285. 추천해줄까요? - Voulez-vous que je vous recommande quelque chose ?
1286. 네, 추천해주세요. - Oui, s'il vous plaît, recommandez.
1287. 요청하다 - Demander
1288. 나는 도움을 요청했다. - J'ai demandé de l'aide.
1289. 너는 조언을 요청한다. - Vous demandez un conseil.
1290. 그들은 지원을 요청할 것이다. - Ils vont demander de l'aide.
1291. 도와달라고 할까요? - Dois-je demander de l'aide ?
1292. 네, 부탁해요. - Oui, je vous en prie.
1293. 명령하다 - Ordonner
1294. 나는 조용히 할 것을 명령했다. - Je t'ai ordonné de te taire.

1295. 너는 정리를 명령한다. - Vous avez l'ordre de ranger.
1296. 그녀는 제출을 명령할 것이다. - Elle vous ordonnera de le rendre.
1297. 명령할게요? - Voulez-vous que je vous l'ordonne ?
1298. 아니요, 괜찮아요. - Non, merci.
1299. 금지하다 - interdire
1300. 나는 흡연을 금지했다. - J'ai interdit de fumer.
1301. 너는 출입을 금지한다. - Il vous est interdit d'entrer.
1302. 그들은 사용을 금지할 것이다. - Ils interdiront l'usage.
1303. 금지된 건가요? - Est-ce interdit ?
1304. 네, 금지예요. - Oui, c'est interdit.
1305. 허락하다 - Accorder une permission
1306. 나는 요청을 허락했다. - J'ai accédé à la demande.
1307. 너는 출발을 허락한다. - Vous pouvez partir.
1308. 우리는 참여를 허락할 것이다. - Nous allons donner l'autorisation de participer.
1309. 허락될까요? - Suis-je autorisé ?
1310. 네, 허락돼요. - Oui, vous êtes autorisé.
1311. 거절하다 - décliner
1312. 나는 제안을 거절했다. - J'ai décliné l'offre.
1313. 너는 초대를 거절한다. - Vous déclinez l'invitation.
1314. 그는 요청을 거절할 것이다. - Il va décliner la demande.
1315. 거절해도 돼요? - Est-ce que c'est bien de refuser ?
1316. 네, 괜찮아요. - Oui, c'est bien.
1317. 14. 명사 단어들 외우기, 필수 10개 동사의 단어들을 가지고 50문장 연습하기 - 14. mémoriser les noms, pratiquer 50 phrases avec les 10 verbes essentiels
1318. 계획 - projet
1319. 의견 - avis
1320. 제안 - proposition
1321. 결정 - décision
1322. 방침 - politique
1323. 정책 - politique
1324. 새벽 - aube
1325. 직원 - employé

1326. 파트너 - partenaire
1327. 규칙 - règle
1328. 방법 - méthode
1329. 절차 - procédure
1330. 여행 - voyage
1331. 미래 - futur
1332. 꿈 - rêve
1333. 경험 - expérience
1334. 상황 - situation
1335. 권리 - droit
1336. 입장 - entrée
1337. 문제 - problème
1338. 해결책 - solution
1339. 중요성 - importance
1340. 필요성 - Nécessité
1341. 안전 - sécurité
1342. 동의하다 - D'accord
1343. 나는 계획에 동의했다. - Je suis d'accord avec le plan.
1344. 너는 의견에 동의한다. - Vous êtes d'accord avec l'opinion.
1345. 그녀는 제안에 동의할 것이다. - Elle acceptera la proposition.
1346. 동의할 수 있나요? - Pouvez-vous être d'accord ?
1347. 네, 동의해요. - Oui, je suis d'accord.
1348. 반대하다 - S'opposer
1349. 나는 결정에 반대했다. - Je me suis opposé à la décision.
1350. 너는 방침에 반대한다. - Vous êtes contre la politique.
1351. 우리는 정책에 반대할 것이다. - Nous allons nous opposer à la politique.
1352. 반대해야 하나요? - Dois-je m'y opposer ?
1353. 아니요, 고민해보세요. - Non, réfléchissez.
1354. 인사하다 - Saluer
1355. 나는 새벽에 인사했다. - J'ai salué à l'aube.
1356. 너는 도착하자마자 인사한다. - Vous saluez à votre arrivée.
1357. 그들은 만날 때 인사할 것이다. - Ils se diront bonjour lorsqu'ils se rencontreront.

1358. 인사드려도 될까요? - Puis-je dire bonjour ?
1359. 네, 인사하세요. - Oui, dites bonjour.
1360. 소개하다 - présenter
1361. 나는 친구를 소개했다. - J'ai présenté mon ami.
1362. 너는 새 직원을 소개한다. - Vous présentez le nouvel employé.
1363. 그는 파트너를 소개할 것이다. - Il présentera son partenaire.
1364. 소개시켜줄까요? - Dois-je vous présenter ?
1365. 네, 소개해주세요. - Oui, présentez-moi.
1366. 설명하다 - pour expliquer
1367. 나는 규칙을 설명했다. - J'ai expliqué les règles.
1368. 너는 방법을 설명한다. - Vous expliquez la méthode.
1369. 그녀는 절차를 설명할 것이다. - Elle va expliquer la procédure.
1370. 설명해드릴까요? - Voulez-vous que je vous explique ?
1371. 네, 부탁해요. - Oui, je vous en prie.
1372. 이야기하다 - parler de
1373. 나는 여행에 대해 이야기했다. - J'ai parlé du voyage.
1374. 너는 계획에 대해 이야기한다. - Vous parlez de projets.
1375. 우리는 미래에 대해 이야기할 것이다. - Nous allons parler de l'avenir.
1376. 이야기해볼까요? - On parle ?
1377. 네, 해봐요. - Oui, faisons-le.
1378. 묘사하다 - Décrire
1379. 나는 꿈을 묘사했다. - J'ai décrit un rêve.
1380. 너는 경험을 묘사한다. - Vous décrivez une expérience.
1381. 그는 상황을 묘사할 것이다. - Il va décrire une situation.
1382. 묘사해줄 수 있어요? - Pouvez-vous la décrire ?
1383. 네, 묘사할게요. - Oui, je vais la décrire.
1384. 주장하다 - Affirmer
1385. 나는 의견을 주장했다. - J'ai affirmé une opinion.
1386. 너는 권리를 주장한다. - Vous affirmez un droit.
1387. 그녀는 입장을 주장할 것이다. - Elle va affirmer une position.
1388. 주장할 건가요? - Allez-vous affirmer ?
1389. 네, 주장할래요. - Oui, je vais affirmer.
1390. 논의하다 - Discuter
1391. 나는 문제를 논의했다. - J'ai discuté du problème.

1392. 너는 계획을 논의한다. - Vous discutez du plan.
1393. 우리는 해결책을 논의할 것이다. - Nous allons discuter de la solution.
1394. 논의해볼까요? - Discutons-nous ?
1395. 네, 논의합시다. - Oui, discutons-en.
1396. 강조하다 - souligner
1397. 나는 중요성을 강조했다. - J'ai souligné l'importance.
1398. 너는 필요성을 강조한다. - Vous mettez l'accent sur la nécessité.
1399. 그들은 안전을 강조할 것이다. - Ils mettront l'accent sur la sécurité.
1400. 강조해야 할까요? - Faut-il insister ?
1401. 네, 강조하세요. - Oui, il faut insister.
1402. 15. 명사 단어들 외우기, 필수 10개 동사의 단어들을 가지고 50문장 연습하기 - 15. mémoriser les noms, pratiquer 50 phrases avec les mots des 10 verbes essentiels
1403. 지각 - retard
1404. 실수 - erreur
1405. 불참 - non-apparition
1406. 자료 - données
1407. 책 - livre
1408. 문서 - document
1409. 데이터 - données
1410. 결과 - résultat
1411. 추세 - Tendances
1412. 길이 - longueur
1413. 무게 - poids
1414. 온도 - température
1415. 날씨 - temps
1416. 경기 - jeu
1417. 스코어 - score
1418. 문제 - problème
1419. 논의 - Argument
1420. 회의 - réunion
1421. 식당 - restaurant
1422. 영화 - film
1423. 여행지 - destination de voyage

1424. 프로젝트 - projet
1425. 성능 - performance
1426. 보고서 - rapport
1427. 계약서 - contrat
1428. 제안 - proposition
1429. 약속 - promesse
1430. 시간 - heure
1431. 주소 - adresse
1432. 예약 - réservation
1433. 변명하다 - excuser
1434. 나는 지각에 대해 변명했다. - Je me suis excusé d'être en retard.
1435. 너는 실수에 대해 변명한다. - Vous vous excusez pour vos erreurs.
1436. 그는 불참에 대해 변명할 것이다. - Il s'excusera de son absence.
1437. 변명할까요? - Dois-je m'excuser ?
1438. 아니요, 솔직히 말해요. - Non, soyez honnête.
1439. 분류하다 - Catégoriser
1440. 나는 자료를 분류했다. - J'ai trié le matériel.
1441. 너는 책을 분류한다. - Vous classez les livres.
1442. 그녀는 문서를 분류할 것이다. - Elle classera les documents.
1443. 분류해야 하나요? - Dois-je catégoriser ?
1444. 네, 분류해주세요. - Oui, veuillez classer.
1445. 분석하다 - Analyser
1446. 나는 데이터를 분석했다. - J'ai analysé les données.
1447. 너는 결과를 분석한다. - Vous analysez les résultats.
1448. 우리는 추세를 분석할 것이다. - Nous allons analyser la tendance.
1449. 분석할까요? - Devons-nous analyser ?
1450. 네, 분석해 주세요. - Oui, analysez, s'il vous plaît.
1451. 측정하다 - Mesurer
1452. 나는 길이를 측정했다. - J'ai mesuré la longueur.
1453. 너는 무게를 측정한다. - Vous mesurez le poids.
1454. 그는 온도를 측정할 것이다. - Il mesurera la température.
1455. 크기 확인할까요? - Voulez-vous vérifier la taille ?
1456. 네, 확인해 주세요. - Oui, vérifiez.
1457. 예측하다 - Prévoir

1458. 나는 날씨를 예측했다. - J'ai prédit le temps qu'il ferait.
1459. 너는 결과를 예측한다. - Vous prédisez le résultat.
1460. 그녀는 경기 스코어를 예측할 것이다. - Elle va prédire le score du match.
1461. 미래 맞출 수 있나요? - Pouvez-vous deviner l'avenir ?
1462. 아마도 가능할 거예요. - Vous le pouvez probablement.
1463. 결론내다 - Conclure
1464. 나는 문제의 결론을 내렸다. - J'ai conclu le problème.
1465. 너는 논의를 결론짓는다. - Vous concluez la discussion.
1466. 우리는 회의를 결론낼 것이다. - Nous allons conclure la réunion.
1467. 결론은 뭐예요? - Quelle est la conclusion ?
1468. 곧 결정할 거예요. - Nous déciderons bientôt.
1469. 추천하다 - Recommander
1470. 나는 좋은 식당을 추천했다. - Je vous ai recommandé un bon restaurant.
1471. 너는 영화를 추천한다. - Vous recommandez un film.
1472. 그들은 여행지를 추천할 것이다. - Ils vont recommander une destination de voyage.
1473. 어디 가볼까요? - Où devrions-nous aller ?
1474. 이곳 추천해요. - Je recommande cet endroit.
1475. 평가하다 - Noter
1476. 나는 프로젝트를 평가했다. - J'ai évalué un projet.
1477. 너는 성능을 평가한다. - Vous évaluez les performances.
1478. 당신들은 결과를 평가할 것이다. - Vous évaluerez les résultats.
1479. 어떻게 생각해요? - Qu'en pensez-vous ?
1480. 잘 했어요. - C'est très bien.
1481. 검토하다 - Réviser
1482. 나는 보고서를 검토했다. - J'ai révisé le rapport.
1483. 너는 계약서를 검토한다. - Vous examinerez le contrat.
1484. 그는 제안을 검토할 것이다. - Il examinera la proposition.
1485. 다시 볼까요? - Pouvons-nous le revoir ?
1486. 네, 확인해요. - Oui, vérifions.
1487. 확인하다 - confirmer
1488. 나는 약속 시간을 확인했다. - J'ai confirmé l'heure du rendez-vous.

1489. 너는 주소를 확인한다. - Vous confirmez l'adresse.
1490. 그녀는 예약을 확인할 것이다. - Elle va confirmer le rendez-vous.
1491. 맞는지 봐줄래요? - Pouvez-vous vérifier si c'est bien le cas ?
1492. 네, 볼게요. - Oui, je vais vérifier.
1493. 16. 명사 단어들 외우기, 필수 10개 동사의 단어들을 가지고 50문장 연습하기 - 16. mémoriser les noms, pratiquer 50 phrases avec les mots des 10 verbes essentiels
1494. 카페 - café
1495. 비밀 - secret
1496. 보물 - trésor
1497. 별 - étoile
1498. 행동 - action
1499. 자연 - Nature
1500. 실수 - Erreur
1501. 장점 - Force
1502. 성과 - Réussite
1503. 의견 - Opinion
1504. 규칙 - Règle
1505. 문화 - Culture
1506. 친구 - Ami
1507. 선생님 - Enseignant
1508. 고객 - Client
1509. 메시지 - Message
1510. 소식 - Nouvelles
1511. 선물 - Cadeau
1512. 결과 - Résultat
1513. 상황 - Situation
1514. 진행 - Progrès
1515. 질문 - Question
1516. 요청 - Demande
1517. 초대 - Invitation
1518. 놀람 - Surprise
1519. 기쁨 - Joie
1520. 감사함 - Gratitude

1521. 문제 - Problème
1522. 도전 - Défi
1523. 위기 - Crise
1524. 발견하다 - à découvrir
1525. 나는 새로운 카페를 발견했다. - J'ai découvert un nouveau café.
1526. 너는 비밀을 발견한다. - Vous découvrez un secret.
1527. 그들은 보물을 발견할 것이다. - Ils vont découvrir un trésor.
1528. 뭔가 찾았어요? - As-tu trouvé quelque chose ?
1529. 네, 발견했어요. - Oui, je l'ai trouvé.
1530. 관찰하다 - observer
1531. 나는 별을 관찰했다. - J'ai observé les étoiles.
1532. 너는 행동을 관찰한다. - Vous observez le comportement.
1533. 우리는 자연을 관찰할 것이다. - Nous allons observer la nature.
1534. 봐도 돼요? - Je peux regarder ?
1535. 네, 같이 봐요. - Oui, regardons ensemble.
1536. 인정하다 - Admettre
1537. 나는 실수를 인정했다. - J'ai admis mon erreur.
1538. 너는 장점을 인정한다. - Vous reconnaissez le mérite.
1539. 그녀는 성과를 인정할 것이다. - Elle reconnaîtra les réussites.
1540. 맞아요? - C'est bien cela ?
1541. 네, 인정해요. - Oui, je l'admets.
1542. 존중하다 - respecter
1543. 나는 상대방의 의견을 존중했다. - J'ai respecté l'opinion de l'autre personne.
1544. 너는 규칙을 존중한다. - Vous respecterez les règles.
1545. 우리는 문화를 존중할 것이다. - Nous respecterons la culture.
1546. 존중하는 거 맞죠? - Nous sommes respectueux, n'est-ce pas ?
1547. 네, 맞아요. - Oui, nous le sommes.
1548. 연락하다 - contacter
1549. 나는 친구에게 연락했다. - J'ai contacté mon ami.
1550. 너는 선생님에게 연락한다. - Vous contacterez votre professeur.
1551. 그들은 고객에게 연락할 것이다. - Ils vont contacter le client.
1552. 연락할까요? - Dois-je les contacter ?
1553. 네, 해주세요. - Oui, je vous en prie.

1554. 전달하다 - Transmettre
1555. 나는 메시지를 전달했다. - J'ai transmis le message.
1556. 너는 소식을 전달한다. - Vous transmettez la nouvelle.
1557. 그녀는 선물을 전달할 것이다. - Elle va livrer le cadeau.
1558. 전해드려야 하나요? - Dois-je le livrer ?
1559. 네, 부탁해요. - Oui, je vous en prie.
1560. 보고하다 - Rapporter
1561. 나는 결과를 보고했다. - J'ai rapporté les résultats.
1562. 너는 상황을 보고한다. - Vous rendez compte de la situation.
1563. 당신들은 진행 상황을 보고할 것이다. - Vous ferez un rapport sur les progrès réalisés.
1564. 알려줘야 해요? - Dois-je vous en informer ?
1565. 네, 알려주세요. - Oui, veuillez m'en informer.
1566. 회답하다 - pour répondre
1567. 나는 질문에 회답했다. - J'ai répondu à la question.
1568. 너는 요청에 회답한다. - Vous répondrez à la demande.
1569. 그는 초대에 회답할 것이다. - Il répondra à l'invitation.
1570. 답할 수 있어요? - Pouvez-vous répondre ?
1571. 네, 할게요. - Oui, je répondrai.
1572. 반응하다 - réagir
1573. 나는 놀람으로 반응했다. - J'ai réagi avec surprise.
1574. 너는 기쁨으로 반응한다. - Vous réagissez avec joie.
1575. 그녀는 감사함으로 반응할 것이다. - Elle réagira avec gratitude.
1576. 기뻐해야 할까요? - Dois-je me réjouir ?
1577. 네, 기뻐하세요. - Oui, réjouissez-vous.
1578. 대응하다 - Réagir
1579. 나는 문제에 대응했다. - J'ai répondu au problème.
1580. 너는 도전에 대응한다. - Vous répondez au défi.
1581. 우리는 위기에 대응할 것이다. - Nous allons répondre à la crise.
1582. 준비됐나요? - Êtes-vous prêt ?
1583. 네, 준비됐어요. - Oui, je suis prêt.
1584. 17. 명사 단어들 외우기, 필수 10개 동사의 단어들을 가지고 50문장 연습하기 - 17. mémoriser les noms, pratiquer 50 phrases avec des mots des 10 verbes essentiels

1585. 아이 - enfant
1586. 반려동물 - animal
1587. 정원 - jardin
1588. 짐 - charger
1589. 우산 - parapluie
1590. 선물 - cadeau
1591. 여행 - voyage
1592. 파티 - fête
1593. 프로젝트 - projet
1594. 팀 - équipe
1595. 메뉴 - menu
1596. 위원회 - comité
1597. 모임 - classe
1598. 대회 - Concours
1599. 이벤트 - événement
1600. 계획 - plan
1601. 명령 - Commandement
1602. 작전 - Opération
1603. 약속 - promesse
1604. 규칙 - règle
1605. 수업 - classe
1606. 회의 - réunion
1607. 활동 - activité
1608. 캠페인 - campagne
1609. 박물관 - musée
1610. 친구 집 - maison d'amis
1611. 병원 - hôpital
1612. 돌보다 - prendre soin
1613. 나는 아이를 돌보았다. - Je me suis occupé d'un enfant.
1614. 너는 반려동물을 돌본다. - Vous vous occupez d'un animal de compagnie.
1615. 그들은 정원을 돌볼 것이다. - Ils vont s'occuper du jardin.
1616. 잘 지내나요? - Comment vont-ils ?
1617. 네, 잘 지내요. - Oui, je me débrouille bien.

1618. 챙기다 - emballer
1619. 나는 짐을 챙겼다. - J'ai fait mes bagages.
1620. 너는 우산을 챙긴다. - Tu prépares ton parapluie.
1621. 그녀는 선물을 챙길 것이다. - Elle va emballer ses cadeaux.
1622. 필요한 거 있어요? - Tu as besoin de quelque chose ?
1623. 아니요, 다 챙겼어요. - Non, j'ai tout préparé.
1624. 계획하다 - Planifier
1625. 나는 여행을 계획했다. - J'ai organisé le voyage.
1626. 너는 파티를 계획한다. - Vous organisez une fête.
1627. 우리는 프로젝트를 계획할 것이다. - Nous allons planifier un projet.
1628. 언제 시작할까요? - Quand allons-nous commencer ?
1629. 곧 시작해요. - Nous commençons bientôt.
1630. 구성하다 - Organiser
1631. 나는 팀을 구성했다. - J'ai organisé l'équipe.
1632. 너는 메뉴를 구성한다. - Vous organisez le menu.
1633. 그들은 위원회를 구성할 것이다. - Ils organiseront le comité.
1634. 누가 포함되나요? - Qui sera inclus ?
1635. 모두 포함될 거예요. - Tout le monde.
1636. 조직하다 - Organiser
1637. 나는 모임을 조직했다. - J'ai organisé une réunion.
1638. 너는 대회를 조직한다. - Vous organisez un concours.
1639. 우리는 이벤트를 조직할 것이다. - Nous allons organiser un événement.
1640. 준비됐어요? - Êtes-vous prêt ?
1641. 네, 준비됐습니다. - Oui, je suis prêt.
1642. 실행하다 - Exécuter
1643. 나는 계획을 실행했다. - J'ai exécuté le plan.
1644. 너는 명령을 실행한다. - Vous exécutez l'ordre.
1645. 그는 작전을 실행할 것이다. - Il exécutera l'opération.
1646. 진행할까요? - Poursuivons-nous ?
1647. 네, 시작해요. - Oui, commençons.
1648. 실천하다 - Mettre en pratique
1649. 나는 약속을 실천했다. - J'ai mis en pratique ma promesse.
1650. 너는 규칙을 실천한다. - Vous pratiquez les règles.

1651. 그녀는 계획을 실천할 것이다. - Elle suivra son plan.
1652. 지키고 있나요? - Tu le respectes ?
1653. 네, 지키고 있어요. - Oui, je le respecte.
1654. 참가하다 - Participer à
1655. 나는 대회에 참가했다. - J'ai participé au concours.
1656. 너는 수업에 참가한다. - Vous participez au cours.
1657. 그들은 회의에 참가할 것이다. - Ils vont participer à une conférence.
1658. 가입할 수 있나요? - Puis-je y participer ?
1659. 네, 가능해요. - Oui, vous le pouvez.
1660. 참여하다 - participer à
1661. 나는 프로젝트에 참여했다. - J'ai participé à un projet.
1662. 너는 활동에 참여한다. - Vous participez à une activité.
1663. 우리는 캠페인에 참여할 것이다. - Nous allons participer à une campagne.
1664. 도울까요? - Voulez-vous aider ?
1665. 네, 도와주세요. - Oui, aidez-nous.
1666. 방문하다 - Visiter
1667. 나는 박물관을 방문했다. - J'ai visité le musée.
1668. 너는 친구 집을 방문한다. - Vous visiterez la maison de votre ami.
1669. 그는 병원을 방문할 것이다. - Il se rendra à l'hôpital.
1670. 언제 갈까요? - Quand partons-nous ?
1671. 이번 주말에 가요. - Je pars ce week-end.
1672. 18. 명사 단어들 외우기, 필수 10개 동사의 단어들을 가지고 50문장 연습하기 - 18. mémoriser les noms, pratiquer 50 phrases avec les 10 verbes essentiels
1673. 전시회 - Exposition
1674. 영화 - film
1675. 공연 - spectacle
1676. 도시 - ville
1677. 명소 - curiosités
1678. 섬 - île
1679. 유럽 - Europe
1680. 국내 여행 - voyage intérieur
1681. 아시아 - Asie

1682. 숲 - forêt
1683. 동굴 - grotte
1684. 사막 - désert
1685. 연구 결과 - Résultats
1686. 프로젝트 - projet
1687. 계획 - plan
1688. 연극 - théâtre
1689. 무대 - scène
1690. 콘서트 - concert
1691. TV 프로그램 - programme TV
1692. 드라마 - théâtre
1693. 피아노 - piano
1694. 기타 - etc
1695. 바이올린 - violon
1696. 친구 결혼식 - mariage d'amis
1697. 샤워실 - salle de douche
1698. 가라오케 - karaoké
1699. 파티 - fête
1700. 클럽 - club
1701. 축제 - festival
1702. 관람하다 - regarder
1703. 나는 전시회를 관람했다. - Je suis allé à une exposition.
1704. 너는 영화를 관람한다. - Vous irez au cinéma.
1705. 그녀는 공연을 관람할 것이다. - Elle ira à un concert.
1706. 좋았나요? - C'était bien ?
1707. 네, 멋졌어요. - Oui, c'était très bien.
1708. 관광하다 - Faire du tourisme
1709. 나는 도시를 관광했다. - Je suis allé faire du tourisme en ville.
1710. 너는 명소를 관광한다. - Vous avez fait du tourisme.
1711. 그들은 섬을 관광할 것이다. - Ils vont visiter l'île.
1712. 재밌었나요? - Tu t'es bien amusé ?
1713. 네, 정말 재밌었어요. - Oui, c'était très amusant.
1714. 여행하다 - voyager
1715. 나는 유럽을 여행했다. - J'ai voyagé en Europe.

1716. 너는 지금 국내 여행을 한다. - Vous voyagez à l'intérieur du pays maintenant.
1717. 그는 내일 아시아로 여행할 것이다. - Il se rendra en Asie demain.
1718. 어디로 가고 싶어요? - Où voulez-vous aller ?
1719. 제주도로 가고 싶어요. - Je veux aller sur l'île de Jeju.
1720. 탐험하다 - explorer
1721. 나는 숲을 탐험했다. - J'ai exploré la forêt.
1722. 너는 지금 동굴을 탐험한다. - Tu explores la grotte maintenant.
1723. 그들은 내일 사막을 탐험할 것이다. - Ils exploreront le désert demain.
1724. 무엇을 찾고 있나요? - Que cherchez-vous ?
1725. 보물을 찾고 있어요. - Je cherche un trésor.
1726. 발표하다 - publier
1727. 나는 연구 결과를 발표했다. - J'ai présenté les résultats de mes recherches.
1728. 너는 지금 프로젝트를 발표한다. - Vous présentez votre projet maintenant.
1729. 그녀는 내일 계획을 발표할 것이다. - Elle présentera ses projets demain.
1730. 언제 발표해요? - Quand présente-t-elle ?
1731. 오후 3시에 발표해요. - Je présente mon projet à 15 heures.
1732. 공연하다 - Représenter
1733. 나는 연극을 공연했다. - J'ai joué une pièce de théâtre.
1734. 너는 지금 무대에서 공연한다. - Vous êtes en train de jouer sur scène.
1735. 우리는 내일 콘서트를 공연할 것이다. - Nous donnons un concert demain.
1736. 무슨 공연이에요? - De quel genre de concert s'agit-il ?
1737. 뮤지컬 공연이에요. - C'est un spectacle musical.
1738. 출연하다 - Apparaître dans
1739. 나는 TV 프로그램에 출연했다. - J'ai participé à une émission de télévision.
1740. 너는 지금 영화에 출연한다. - Vous jouez maintenant dans un film.
1741. 그는 내일 드라마에 출연할 것이다. - Il jouera dans un feuilleton demain.

1742. 어디에 나와요? - Où apparaissez-vous ?
1743. TV에서 나와요. - Je passe à la télévision.
1744. 연주하다 - Jouer
1745. 나는 피아노를 연주했다. - Je jouais du piano.
1746. 너는 지금 기타를 연주한다. - Tu joues de la guitare maintenant.
1747. 그녀는 내일 바이올린을 연주할 것이다. - Demain, elle jouera du violon.
1748. 어떤 악기를 다루나요? - De quel instrument jouez-vous ?
1749. 바이올린을 다루요. - Je joue du violon.
1750. 노래하다 - Chanter
1751. 나는 친구 결혼식에서 노래했다. - J'ai chanté au mariage de mon ami.
1752. 너는 지금 샤워실에서 노래한다. - Tu es en train de chanter sous la douche.
1753. 우리는 내일 가라오케에서 노래할 것이다. - Demain, nous chanterons au karaoké.
1754. 좋아하는 노래 있어요? - Avez-vous une chanson préférée ?
1755. 네, 많아요. - Oui, j'en ai plusieurs.
1756. 춤추다 - Danser
1757. 나는 파티에서 춤췄다. - J'ai dansé à la fête.
1758. 너는 지금 클럽에서 춤춘다. - Vous êtes en train de danser dans le club.
1759. 그들은 내일 축제에서 춤출 것이다. - Ils danseront demain au festival.
1760. 어떤 춤을 추나요? - Quel genre de danse faites-vous ?
1761. 힙합을 춰요. - Je danse le hip-hop.
1762. 19. 명사 단어들 외우기, 필수 10개 동사의 단어들을 가지고 50문장 연습하기 - 19. mémoriser les noms, pratiquer 50 phrases avec les mots des 10 verbes essentiels
1763. 풍경화 - paysage
1764. 초상화 - portrait
1765. 벽화 - peinture murale
1766. 바다 - océan
1767. 보고서 - rapport
1768. 이메일 - courriel

1769. 계약서 - contrat
1770. 일기 - agenda
1771. 회의 내용 - Détails de la réunion
1772. 실험 결과 - Résultat de l'expérience
1773. 사진 - photo
1774. 컴퓨터 - ordinateur
1775. 문서 - document
1776. 데이터 - données
1777. 클라우드 - nuage
1778. 중요 문서 - document important
1779. 파일 - fichier
1780. 앱 - application
1781. 음악 - musique
1782. 소프트웨어 - logiciel
1783. 소셜 미디어 - médias sociaux
1784. 비디오 - vidéo
1785. 웹사이트 - site web
1786. 프로그램 - programme
1787. 게임 - jeu
1788. 바이러스 - virus
1789. 악성 소프트웨어 - logiciel malveillant
1790. 오류 - erreur
1791. 그리다 - dessiner
1792. 나는 풍경화를 그렸다. - J'ai dessiné un paysage.
1793. 너는 지금 초상화를 그린다. - Vous peignez un portrait maintenant.
1794. 그녀는 내일 벽화를 그릴 것이다. - Elle peindra une fresque murale demain.
1795. 무엇을 그리고 싶어요? - Que veux-tu dessiner ?
1796. 바다를 그리고 싶어요. - Je veux dessiner la mer.
1797. 작성하다 - Écrire
1798. 나는 보고서를 작성했다. - J'ai écrit un rapport.
1799. 너는 지금 이메일을 작성한다. - Tu écris un e-mail maintenant.
1800. 그는 내일 계약서를 작성할 것이다. - Il écrira le contrat demain.
1801. 언제 끝낼 수 있어요? - Quand pouvez-vous terminer ?

1802. 한 시간 안에 끝낼 수 있어요. - Je peux finir dans une heure.
1803. 기록하다 - Enregistrer
1804. 나는 일기를 기록했다. - J'ai enregistré mon journal.
1805. 너는 지금 회의 내용을 기록한다. - Vous êtes en train d'enregistrer la réunion.
1806. 그들은 내일 실험 결과를 기록할 것이다. - Ils enregistreront les résultats de l'expérience demain.
1807. 기록 필요해요? - Avez-vous besoin d'enregistrer ?
1808. 네, 필요해요. - Oui, j'en ai besoin.
1809. 저장하다 - enregistrer
1810. 나는 사진을 컴퓨터에 저장했다. - J'ai enregistré la photo sur mon ordinateur.
1811. 너는 지금 문서를 저장한다. - Sauvegardez le document maintenant.
1812. 그녀는 내일 데이터를 클라우드에 저장할 것이다. - Elle sauvegardera les données sur le nuage demain.
1813. 어디에 저장할까요? - Où les sauvegardera-t-elle ?
1814. 클라우드에 저장해요. - Dans le nuage.
1815. 복사하다 - à Copier
1816. 나는 중요 문서를 복사했다. - J'ai copié un document important.
1817. 너는 지금 사진을 복사한다. - Copiez la photo maintenant.
1818. 그는 내일 파일을 복사할 것이다. - Il copiera le fichier demain.
1819. 몇 부 복사해야 하나요? - Combien de copies dois-je faire ?
1820. 3부 복사해 주세요. - Faites 3 copies.
1821. 삭제하다 - pour Effacer
1822. 나는 오래된 이메일을 삭제했다. - J'ai supprimé un vieil e-mail.
1823. 너는 지금 불필요한 파일을 삭제한다. - Vous pouvez maintenant supprimer les fichiers inutiles.
1824. 그녀는 내일 앱을 삭제할 것이다. - Elle supprimera l'application demain.
1825. 지울까요? - Dois-je l'effacer ?
1826. 네, 지워주세요. - Oui, veuillez l'effacer.
1827. 다운로드하다 - pour télécharger
1828. 나는 음악을 다운로드했다. - J'ai téléchargé la musique.
1829. 너는 지금 앱을 다운로드한다. - Vous téléchargez l'application

maintenant.
1830. 우리는 내일 소프트웨어를 다운로드할 것이다. - Nous téléchargerons le logiciel demain.
1831. 어떤 앱을 받을까요? - Quelle application dois-je prendre ?
1832. 최신 버전 받아요. - Je veux la dernière version.
1833. 업로드하다 - télécharger
1834. 나는 사진을 소셜 미디어에 업로드했다. - J'ai téléchargé une photo sur les médias sociaux.
1835. 너는 지금 비디오를 업로드한다. - Vous êtes en train de télécharger une vidéo.
1836. 그는 내일 문서를 웹사이트에 업로드할 것이다. - Il téléchargera le document sur le site web demain.
1837. 지금 올릴까요? - Voulez-vous le télécharger maintenant ?
1838. 네, 올려주세요. - Oui, veuillez le télécharger.
1839. 설치하다 - Installer
1840. 나는 프로그램을 설치했다. - J'ai installé le programme.
1841. 너는 지금 게임을 설치한다. - Vous installez le jeu maintenant.
1842. 그녀는 내일 앱을 설치할 것이다. - Elle installera l'application demain.
1843. 설치 도와드릴까요? - Puis-je vous aider à l'installer ?
1844. 네, 부탁드려요. - Oui, s'il vous plaît.
1845. 제거하다 - pour supprimer
1846. 나는 바이러스를 제거했다. - J'ai supprimé le virus.
1847. 너는 지금 악성 소프트웨어를 제거한다. - Supprimez le logiciel malveillant maintenant.
1848. 그들은 내일 오류를 제거할 것이다. - Ils supprimeront l'erreur demain.
1849. 제거 시작할까요? - Pouvons-nous commencer la suppression ?
1850. 네, 시작해주세요. - Oui, s'il vous plaît, commencez.
1851. 20. 명사 단어들 외우기, 필수 10개 동사의 단어들을 가지고 50문장 연습하기 - 20. mémoriser les noms, pratiquer 50 phrases avec les mots des 10 verbes essentiels
1852. 시스템 - système
1853. 소프트웨어 - logiciel
1854. 앱 - application
1855. 휴대폰 - téléphone portable

1856. 노트북 - ordinateur portable
1857. 전기차 - voiture électrique
1858. 배터리 - batterie
1859. 기기 - appareil
1860. 시계 - horloge
1861. 타이어 - pneu
1862. 필터 - filtre
1863. 창문 - fenêtre
1864. 문서 - document
1865. 오류 - erreur
1866. 계획 - plan
1867. 보고서 - rapport
1868. 아이디어 - idée
1869. 작업 환경 - environnement de travail
1870. 프로세스 - processus
1871. 제품 - produit
1872. 데이터 - données
1873. 파일 - fichier
1874. 건강 - santé
1875. 체력 - santé
1876. 신뢰 - confiance
1877. 상처 - blessure
1878. 마음 - esprit
1879. 관계 - relation
1880. 업데이트하다 - mettre à jour
1881. 나는 시스템을 업데이트했다. - J'ai mis à jour le système.
1882. 너는 지금 소프트웨어를 업데이트한다. - Vous mettez le logiciel à jour maintenant.
1883. 그는 내일 앱을 업데이트할 것이다. - Il mettra l'application à jour demain.
1884. 지금 업데이트해야 하나요? - Dois-je la mettre à jour maintenant ?
1885. 네, 해야 해요. - Oui, vous devez le faire.
1886. 충전하다 - charger
1887. 나는 휴대폰을 충전했다. - J'ai chargé mon téléphone portable.

1888. 너는 노트북을 충전한다. - Vous chargez votre ordinateur portable.
1889. 그는 전기차를 충전할 것이다. - Il va charger sa voiture électrique.
1890. 충전할까? - Dois-je la charger ?
1891. 네, 해. - Oui, faisons-le.
1892. 방전하다 - décharger
1893. 나는 배터리가 방전됐다. - J'ai une batterie déchargée.
1894. 너는 기기가 방전된다. - Vous allez décharger votre appareil.
1895. 그녀는 시계가 방전될 것이다. - Elle va décharger sa montre.
1896. 방전됐어? - Est-elle déchargée ?
1897. 네, 됐어. - Oui, elle est morte.
1898. 교체하다 - remplacer
1899. 나는 타이어를 교체했다. - J'ai changé le pneu.
1900. 너는 필터를 교체한다. - Vous changez le filtre.
1901. 그들은 창문을 교체할 것이다. - Ils vont remplacer les fenêtres.
1902. 교체할까? - On la remplace ?
1903. 네, 교체해. - Oui, remplacez-les.
1904. 수정하다 - Corriger
1905. 나는 문서를 수정했다. - J'ai corrigé le document.
1906. 너는 오류를 수정한다. - Vous corrigez l'erreur.
1907. 그녀는 계획을 수정할 것이다. - Elle va réviser le plan.
1908. 수정할까? - Dois-je le corriger ?
1909. 네, 수정해. - Oui, corrigez-le.
1910. 보완하다 - compléter
1911. 나는 보고서를 보완했다. - J'ai complété le rapport.
1912. 너는 아이디어를 보완한다. - Vous complétez l'idée.
1913. 그는 시스템을 보완할 것이다. - Il complétera le système.
1914. 보완할까? - Complétons-nous ?
1915. 네, 보완해. - Oui, compléter.
1916. 개선하다 - Améliorer
1917. 나는 작업 환경을 개선했다. - J'ai amélioré l'environnement de travail.
1918. 너는 프로세스를 개선한다. - Vous améliorerez le processus.
1919. 그녀는 제품을 개선할 것이다. - Elle va améliorer le produit.
1920. 개선할까? - Devons-nous améliorer ?
1921. 네, 개선해. - Oui, il faut l'améliorer.

1922. 복구하다 - Récupérer
1923. 나는 데이터를 복구했다. - J'ai récupéré les données.
1924. 너는 시스템을 복구한다. - Vous récupérez le système.
1925. 그들은 파일을 복구할 것이다. - Ils vont récupérer les fichiers.
1926. 복구할까? - Devons-nous récupérer ?
1927. 네, 복구해. - Oui, récupérer.
1928. 회복하다 - récupérer
1929. 나는 건강을 회복했다. - J'ai retrouvé la santé.
1930. 너는 체력을 회복한다. - Vous retrouvez votre force physique.
1931. 그는 신뢰를 회복할 것이다. - Il retrouvera sa confiance.
1932. 회복할까? - On se reprend ?
1933. 네, 회복해. - Oui, récupérer.
1934. 치유하다 - Guérir
1935. 나는 상처를 치유했다. - J'ai guéri la blessure.
1936. 너는 마음을 치유한다. - Vous guérissez le cœur.
1937. 그녀는 관계를 치유할 것이다. - Elle guérira la relation.
1938. 치유할까? - Devons-nous guérir ?
1939. 네, 치유해. - Oui, guérissons.
1940. 21. 명사 단어들 외우기, 필수 10개 동사의 단어들을 가지고 50문장 연습하기 - 21. Mémorisez les noms, pratiquez 50 phrases avec les 10 verbes essentiels.
1941. 운동 - Exercices
1942. 프로그램 - programme
1943. 치료 - thérapie
1944. 재료 - ingrédient
1945. 색깔 - couleur
1946. 소스 - sauce
1947. 빵 - pain
1948. 고기 - viande
1949. 케이크 - gâteau
1950. 야채 - légumes
1951. 면 - nouilles
1952. 쌀 - riz
1953. 계란 - œuf

1954. 감자 - pomme de terre
1955. 브로콜리 - brocoli
1956. 떡 - gâteau de riz
1957. 생선 - poisson
1958. 만두 - boulette
1959. 유리 - verre
1960. 기록 - disque
1961. 치킨 - poulet
1962. 수프 - soupe
1963. 물 - eau
1964. 밥 - riz
1965. 차 - voiture
1966. 국 - soupe
1967. 음료 - boisson
1968. 재활하다 - réhabiliter
1969. 나는 운동으로 재활했다. - J'ai fait de l'exercice.
1970. 너는 프로그램으로 재활한다. - Vous réhabilitez avec un programme.
1971. 그는 치료로 재활할 것이다. - Il va se réadapter à la thérapie.
1972. 재활할까? - On réhabilite ?
1973. 네, 재활해. - Oui, réhabiliter.
1974. 섞다 - mélanger
1975. 나는 재료를 섞었다. - J'ai mélangé les ingrédients.
1976. 너는 색깔을 섞는다. - Vous mélangez les couleurs.
1977. 그녀는 소스를 섞을 것이다. - Elle va mélanger la sauce.
1978. 섞을까? - On mélange ?
1979. 네, 섞어. - Oui, on mélange.
1980. 굽다 - cuire
1981. 나는 빵을 굽었다. - J'ai fait cuire le pain.
1982. 너는 고기를 굽는다. - Vous cuisez la viande.
1983. 그들은 케이크를 굽을 것이다. - Ils vont faire un gâteau.
1984. 굽을까? - On fait cuire ?
1985. 네, 굽자. - Oui, nous allons cuire.
1986. 볶다 - faire sauter
1987. 나는 야채를 볶았다. - J'ai fait sauter les légumes.

1988. 너는 면을 볶는다. - Vous faites frire les nouilles.
1989. 그는 쌀을 볶을 것이다. - Il fera frire le riz.
1990. 볶을까? - On fait frire ?
1991. 네, 볶아. - Oui, faire sauter.
1992. 삶다 - faire bouillir
1993. 나는 계란을 삶았다. - J'ai fait bouillir les œufs.
1994. 너는 감자를 삶는다. - Vous ferez bouillir les pommes de terre.
1995. 그녀는 브로콜리를 삶을 것이다. - Elle fera bouillir les brocolis.
1996. 삶을까? - On fait bouillir ?
1997. 네, 삶아. - Oui, bouillir.
1998. 찌다 - étuver
1999. 나는 떡을 찐다. - Je vais faire cuire les gâteaux de riz à la vapeur.
2000. 너는 생선을 찐다. - Vous ferez cuire le poisson à la vapeur.
2001. 그들은 만두를 찔 것이다. - Ils feront cuire les boulettes à la vapeur.
2002. 찔까? - À la vapeur ?
2003. 네, 찌자. - Oui, faisons-les cuire à la vapeur.
2004. 깨다 - casser
2005. 나는 유리를 깼다. - J'ai cassé le verre.
2006. 너는 계란을 깬다. - Vous cassez un œuf.
2007. 그녀는 기록을 깰 것이다. - Elle va battre le record.
2008. 깰까? - On casse ?
2009. 네, 깨. - Oui, casser.
2010. 튀기다 - frire
2011. 나는 감자를 튀겼다. - J'ai fait frire les pommes de terre.
2012. 너는 치킨을 튀긴다. - Tu fais frire le poulet.
2013. 그는 생선을 튀길 것이다. - Il fera frire le poisson.
2014. 튀길까? - On fait frire ?
2015. 네, 튀겨. - Oui, faire frire.
2016. 데우다 - réchauffer
2017. 나는 수프를 데웠다. - J'ai réchauffé la soupe.
2018. 너는 물을 데운다. - Vous chauffez l'eau.
2019. 그녀는 밥을 데울 것이다. - Elle va chauffer le riz.
2020. 데울까? - Dois-je le chauffer ?
2021. 네, 데워. - Oui, fais-le chauffer.

2022. 식히다 - refroidir
2023. 나는 차를 식혔다. - J'ai refroidi le thé.
2024. 너는 국을 식힌다. - Vous refroidirez la soupe.
2025. 그들은 음료를 식힐 것이다. - Ils refroidiront la boisson.
2026. 식힐까? - Dois-je la refroidir ?
2027. 네, 식혀줘. - Oui, s'il vous plaît, refroidissez-le.
2028. 22. 명사 단어들 외우기, 필수 10개 동사의 단어들을 가지고 50문장 연습하기 - 22. mémorisez les noms, pratiquez 50 phrases avec les 10 verbes essentiels
2029. 물 - eau
2030. 주스 - jus de fruit
2031. 아이스크림 - glace
2032. 얼음 - glace
2033. 초콜릿 - chocolat
2034. 버터 - beurre
2035. 밀가루 - farine
2036. 반죽 - pâte
2037. 소스 - sauce
2038. 떡 - gâteau de riz
2039. 만두 - boulette
2040. 쿠키 - biscuit
2041. 벽 - mur
2042. 그림 - peinture
2043. 문 - porte
2044. 집 - maison
2045. 건물 - bâtiment
2046. 사과 - s'excuser
2047. 옷 - vêtements
2048. 선물 - cadeau
2049. 잡초 - herbe
2050. 번호 - nombre
2051. 당첨자 - gagnant
2052. 책 - livre
2053. USB - USB

2054. 카드 - carte
2055. 설탕 - sucre
2056. 소금 - sel
2057. 향신료 - épice
2058. 얼리다 - à congeler
2059. 나는 물을 얼렸다. - J'ai congelé de l'eau.
2060. 너는 주스를 얼린다. - Tu congèles du jus.
2061. 그는 아이스크림을 얼릴 것이다. - Il va congeler de la glace.
2062. 얼릴까? - Dois-je la congeler ?
2063. 네, 얼려. - Oui, congelez-la.
2064. 녹이다 - Faire fondre
2065. 나는 얼음을 녹였다. - J'ai fait fondre la glace.
2066. 너는 초콜릿을 녹인다. - Tu fais fondre le chocolat.
2067. 그녀는 버터를 녹일 것이다. - Elle fera fondre le beurre.
2068. 녹일까? - On le fait fondre ?
2069. 네, 녹여. - Oui, faites-le fondre.
2070. 저미다 - Remuer
2071. 나는 밀가루를 저었다. - J'ai remué la farine.
2072. 너는 반죽을 저민다. - Vous allez remuer la pâte.
2073. 그는 소스를 저을 것이다. - Il remuera la sauce.
2074. 저을까? - On remue ?
2075. 네, 저어. - Oui, remuer.
2076. 빚다 - faire
2077. 나는 떡을 빚었다. - J'ai fait des galettes de riz.
2078. 너는 만두를 빚는다. - Vous ferez des boulettes.
2079. 그녀는 쿠키를 빚을 것이다. - Elle fera des biscuits.
2080. 빚을까? - On fait des gâteaux ?
2081. 네, 빚어. - Oui, on fait des gâteaux.
2082. 칠하다 - Peindre
2083. 나는 벽을 칠했다. - J'ai peint le mur.
2084. 너는 그림을 칠한다. - Tu peins le tableau.
2085. 그들은 문을 칠할 것이다. - Ils vont peindre la porte.
2086. 칠할까? - On peint ?
2087. 네, 칠해. - Oui, peignez-la.

2088. 철거하다 - Démolir
2089. 나는 오래된 집을 철거했다. - J'ai démoli la vieille maison.
2090. 너는 벽을 철거한다. - Vous démolissez le mur.
2091. 그는 건물을 철거할 것이다. - Il va démolir le bâtiment.
2092. 철거할까? - On le démolit ?
2093. 네, 철거해. - Oui, démolir.
2094. 고르다 - Cueillir
2095. 나는 사과를 골랐다. - J'ai cueilli une pomme.
2096. 너는 옷을 고른다. - Tu choisis les vêtements.
2097. 그녀는 선물을 고를 것이다. - Elle choisira un cadeau.
2098. 고를까? - On choisit ?
2099. 네, 골라. - Oui, cueillir.
2100. 뽑다 - Cueillir
2101. 나는 잡초를 뽑았다. - J'ai arraché les mauvaises herbes.
2102. 너는 번호를 뽑는다. - Vous tirez les numéros.
2103. 그들은 당첨자를 뽑을 것이다. - Ils tireront le gagnant.
2104. 뽑을까? - On tire ?
2105. 네, 뽑아. - Oui, cueillez.
2106. 빼다 - Soustraire
2107. 나는 책을 뺐다. - J'ai soustrait le livre.
2108. 너는 USB를 뺀다. - Vous soustrayez l'USB.
2109. 그는 카드를 뺄 것이다. - Il va soustraire la carte.
2110. 뺄까? - Dois-je soustraire ?
2111. 네, 빼. - Oui, soustraire.
2112. 추가하다 - Ajouter
2113. 나는 설탕을 추가했다. - J'ai ajouté du sucre.
2114. 너는 소금을 추가한다. - Vous ajoutez du sel.
2115. 그녀는 향신료를 추가할 것이다. - Elle ajoutera des épices.
2116. 추가할까? - Dois-je en ajouter ?
2117. 네, 추가해줘. - Oui, ajoutez-en, s'il vous plaît.
2118. 23. 명사 단어들 외우기, 필수 10개 동사의 단어들을 가지고 50문장 연습하기 - 23. mémoriser les noms, pratiquer 50 phrases avec les 10 verbes essentiels
2119. 램프 - lampe

2120. 플래시 - éclair
2121. 빛 - lumière
2122. 목록 - liste
2123. 옵션 - option
2124. 장점 - Avantages
2125. 가지 - plante d'œuf
2126. 장단점 - pour et contre
2127. 결과 - résultat
2128. 자료 - données
2129. 파일 - fichier
2130. 개 - chien
2131. 요소 - Élément
2132. 아이디어 - idée
2133. 기계 - machine
2134. 문제 - problème
2135. 시스템 - système
2136. 의자 - chaise
2137. 화면 - écran
2138. 테이블 - table
2139. 옷 - vêtements
2140. 종이 - papier
2141. 지도 - carte
2142. 매트 - tapis
2143. 책 - livre
2144. 포스터 - affiche
2145. 숨다 - se cacher
2146. 나는 숨었다. - Je me cache.
2147. 너는 숨는다. - Vous vous cachez.
2148. 그들은 숨을 것이다. - Ils se cachent.
2149. 숨을까? - Devons-nous nous cacher ?
2150. 네, 숨어. - Oui, cachons-nous.
2151. 비추다 - Éclairer
2152. 나는 램프를 비췄다. - J'ai allumé la lampe.
2153. 너는 플래시를 비춘다. - Tu fais briller le flash.

2154. 그는 빛을 비출 것이다. - Il éclairera la lumière.
2155. 비출까? - Dois-je éclairer ?
2156. 네, 비춰. - Oui, brillez.
2157. 나열하다 - Énumérer
2158. 나는 목록을 나열했다. - J'ai énuméré la liste.
2159. 너는 옵션을 나열한다. - Vous énumérez les options.
2160. 그녀는 장점을 나열할 것이다. - Elle énumérera les avantages.
2161. 나열할까? - On fait la liste ?
2162. 네, 나열해. - Oui, faites la liste.
2163. 대조하다 - contraster
2164. 나는 두 가지를 대조했다. - J'ai opposé deux choses.
2165. 너는 장단점을 대조한다. - Vous opposez le pour et le contre.
2166. 그는 결과를 대조할 것이다. - Il opposera les résultats.
2167. 색깔 다른가? - Les couleurs sont-elles différentes ?
2168. 예, 다르다. - Oui, elles sont différentes.
2169. 정렬하다 - Trier
2170. 너는 자료를 정렬했다. - Vous avez trié le matériel.
2171. 그는 목록을 정렬한다. - Il va trier la liste.
2172. 그녀는 파일을 정렬할 것이다. - Elle va trier les dossiers.
2173. 순서 맞나요? - Est-ce que c'est en ordre ?
2174. 네, 맞아요. - Oui, c'est en ordre.
2175. 결합하다 - Combiner
2176. 그는 두 개를 결합했다. - Il va combiner deux choses.
2177. 그녀는 요소를 결합한다. - Elle combinera les éléments.
2178. 우리는 아이디어를 결합할 것이다. - Nous allons combiner des idées.
2179. 같이 할까요? - On le fait ensemble ?
2180. 좋아요. - C'est bon.
2181. 분해하다 - Démonter
2182. 그녀는 기계를 분해했다. - Elle a démonté la machine.
2183. 우리는 문제를 분해한다. - Nous allons déconstruire le problème.
2184. 당신들은 시스템을 분해할 것이다. - Vous allez démonter le système.
2185. 어렵나요? - C'est difficile ?
2186. 아니요. - Non, ce n'est pas difficile.
2187. 회전하다 - Faire pivoter

2188. 우리는 의자를 회전했다. - Nous avons fait tourner la chaise.
2189. 당신들은 화면을 회전한다. - Vous ferez tourner l'écran.
2190. 그들은 테이블을 회전할 것이다. - Ils vont faire tourner la table.
2191. 돌릴까요? - Allons-nous faire tourner ?
2192. 그래요. - Oui, nous le ferons.
2193. 접다 - Plier
2194. 당신들은 옷을 접었다. - Vous pliez les vêtements.
2195. 그들은 종이를 접는다. - Ils plient le papier.
2196. 나는 지도를 접을 것이다. - Je vais plier une carte.
2197. 이걸 접어요? - Tu plies ça ?
2198. 네, 접어요. - Oui, je la plie.
2199. 펼치다 - Déplier
2200. 그들은 매트를 펼쳤다. - Ils ont déplié le tapis.
2201. 나는 책을 펼친다. - Je déplie un livre.
2202. 너는 포스터를 펼칠 것이다. - Vous déplieriez une affiche.
2203. 여기에 놓을까요? - Dois-je le mettre ici ?
2204. 네, 놓아줘 - Oui, mettez-le là.
2205. 24. 명사 단어들 외우기, 필수 10개 동사의 단어들을 가지고 50문장 연습하기 - 24. mémoriser les noms, pratiquer 50 phrases avec les 10 verbes essentiels
2206. 깃발 - drapeau
2207. 스카프 - foulard
2208. 카펫 - tapis
2209. 신발끈 - lacet
2210. 선물 - cadeau
2211. 머리 - tête
2212. 문제 - problème
2213. 노트 - note
2214. 수수께끼 - énigme
2215. 상자 - boîte
2216. 책 - livre
2217. 블록 - bloc
2218. 물 - eau
2219. 쌀 - riz

2220. 콩 - haricot
2221. 병 - fête
2222. 가방 - sac
2223. 그릇 - bol
2224. 통 - récipient
2225. 바구니 - panier
2226. 컵 - tasse
2227. 씨앗 - graine
2228. 페인트 - peinture
2229. 장애물 - obstacle
2230. 줄넘기 - corde à sauter
2231. 울타리 - clôture
2232. 말다 - rouler
2233. 나는 깃발을 말았다. - J'ai roulé un drapeau
2234. 너는 스카프를 말다. - Tu roules un foulard.
2235. 그는 카펫을 말 것이다. - Il va rouler le tapis.
2236. 도와줄까요? - Voulez-vous que je vous aide ?
2237. 네, 부탁해요. - Oui, je vous en prie.
2238. 묶다 - nouer
2239. 너는 신발끈을 묶었다. - Vous nouez vos lacets.
2240. 그는 선물을 묶는다. - Il attachera le cadeau.
2241. 그녀는 머리를 묶을 것이다. - Elle attachera ses cheveux.
2242. 더 조여요? - Plus serré ?
2243. 예, 조여요. - Oui, plus serré.
2244. 풀다 - résoudre
2245. 그는 문제를 풀었다. - Il a résolu le problème.
2246. 그녀는 노트를 푼다. - Elle résoudra ses notes.
2247. 우리는 수수께끼를 풀 것이다. - Nous allons résoudre l'énigme.
2248. 어떻게 해요? - Comment faire ?
2249. 생각해봐요. - Réfléchissez-y.
2250. 쌓다 - empiler
2251. 그녀는 상자를 쌓았다. - Elle a empilé les boîtes.
2252. 우리는 책을 쌓는다. - Nous empilons les livres.
2253. 당신들은 블록을 쌓을 것이다. - Vous allez empiler des blocs.

2254. 높게 쌓을까요? - On les empile en hauteur ?
2255. 조심해요. - Faites attention.
2256. 쏟다 - verser
2257. 우리는 물을 쏟았다. - Nous avons renversé de l'eau.
2258. 당신들은 쌀을 쏟는다. - Vous renversez du riz.
2259. 그들은 콩을 쏟을 것이다. - Ils vont renverser des haricots.
2260. 다 쏟았어요? - As-tu tout renversé ?
2261. 다 쏟았어요. - J'ai tout renversé.
2262. 채우다 - remplir
2263. 당신들은 병을 채웠다. - Vous remplissez la bouteille.
2264. 그들은 가방을 채운다. - Ils remplissent le sac.
2265. 나는 그릇을 채울 것이다. - Je vais remplir le bol.
2266. 가득할까요? - Sera-t-il plein ?
2267. 가득해요. - Il est plein.
2268. 비우다 - Vider
2269. 그들은 통을 비웠다. - Ils ont vidé le tonneau.
2270. 나는 바구니를 비운다. - Je vais vider le panier.
2271. 너는 컵을 비울 것이다. - Tu vas vider la tasse.
2272. 이것도 비울까요? - On vide aussi celle-là ?
2273. 네, 비워요. - Oui, videz-la.
2274. 뿌리다 - Semer
2275. 나는 씨앗을 뿌렸다. - J'ai semé les graines.
2276. 너는 물을 뿌린다. - Tu asperges de l'eau.
2277. 그는 페인트를 뿌릴 것이다. - Il aspergera de la peinture.
2278. 여기에요? - Ici ?
2279. 여기에요. - Ici.
2280. 건너뛰다 - Sauter
2281. 너는 장애물을 건너뛰었다. - Vous avez sauté la haie.
2282. 그는 줄넘기를 한다. - Il sautera la corde.
2283. 그녀는 울타리를 건너뛸 것이다. - Elle va sauter la barrière.
2284. 저기로 갈까요? - On y va ?
2285. 저기로 가요. - Allons-y.
2286. 기울이다 - Incliner
2287. 나는 병을 기울였다. - J'ai incliné la bouteille.

2288. 너는 컵을 기울인다. - Vous inclinez la tasse.
2289. 그는 그릇을 기울일 것이다. - Il inclinera le bol.
2290. 컵을 기울여? - Incliner la tasse ?
2291. 예, 기울여줘. - Oui, inclinez-la.
2292. 25. 명사 단어들 외우기, 필수 10개 동사의 단어들을 가지고 50문장 연습하기 - 25. mémoriser les noms, pratiquer 50 phrases avec les 10 verbes essentiels
2293. 버튼 - bouton
2294. 스위치 - interrupteur
2295. 페달 - pédale
2296. 스티커 - autocollant
2297. 라벨 - étiquette
2298. 포스터 - affiche
2299. 사진 - image
2300. 메모 - mémo
2301. 공지 - notification
2302. 선 - ligne
2303. 원 - un
2304. 사각형 - Carré
2305. 글자 - lettre
2306. 오류 - erreur
2307. 데이터 - données
2308. 이름 - nom
2309. 주소 - adresse
2310. 번호 - numéro
2311. 비용 - dépenses
2312. 합계 - Somme
2313. 예산 - budget
2314. 별 - étoile
2315. 사과 - s'excuser
2316. 페이지 - Page
2317. 결과 - résultat
2318. 날씨 - météo
2319. 승자 - vainqueur

2320. 프로젝트 - projet
2321. 누르다 - pour appuyer
2322. 나는 버튼을 눌렀다. - J'ai appuyé sur le bouton.
2323. 너는 스위치를 누른다. - Vous appuyez sur l'interrupteur.
2324. 그녀는 페달을 누를 것이다. - Elle va appuyer sur la pédale.
2325. 스위치 누를까? - Dois-je appuyer sur l'interrupteur ?
2326. 네, 눌러. - Oui, appuyez dessus.
2327. 떼다 - décoller
2328. 나는 스티커를 뗐다. - J'ai décollé l'autocollant.
2329. 너는 라벨을 뗀다. - Vous enlevez l'étiquette.
2330. 우리는 포스터를 뗄 것이다. - Nous allons décoller l'affiche.
2331. 라벨 떼어도 돼? - Puis-je décoller l'étiquette ?
2332. 그래, 떼. - Oui, décoller.
2333. 붙이다 - coller
2334. 나는 사진을 붙였다. - J'ai collé l'image.
2335. 너는 메모를 붙인다. - Vous collez des notes.
2336. 당신들은 공지를 붙일 것이다. - Vous allez étiqueter une notice.
2337. 메모 붙일까? - Dois-je coller une note ?
2338. 예, 붙여. - Oui, collez.
2339. 긋다 - tracer une ligne
2340. 나는 선을 그었다. - J'ai tracé une ligne.
2341. 너는 원을 그린다. - Vous allez dessiner un cercle.
2342. 그들은 사각형을 그을 것이다. - Ils vont dessiner un carré.
2343. 선 긋기 좋아? - Aimes-tu tracer des lignes ?
2344. 네, 좋아. - Oui, bien.
2345. 지우다 - effacer
2346. 나는 글자를 지웠다. - J'ai effacé les lettres.
2347. 너는 오류를 지운다. - Vous effacez l'erreur.
2348. 그는 데이터를 지울 것이다. - Il va effacer les données.
2349. 오류 지울까? - Dois-je effacer l'erreur ?
2350. 그래, 지워. - Oui, effacez.
2351. 적다 - Écrire
2352. 나는 이름을 적었다. - J'écris le nom.
2353. 너는 주소를 적는다. - Vous écrivez l'adresse.

2354. 그녀는 번호를 적을 것이다. - Elle notera le numéro.
2355. 주소 적어 줄래? - Pouvez-vous écrire l'adresse ?
2356. 좋아, 적어. - D'accord, écrivez-la.
2357. 계산하다 - calculer
2358. 나는 비용을 계산했다. - J'ai calculé le coût.
2359. 너는 합계를 계산한다. - Vous calculez le total.
2360. 우리는 예산을 계산할 것이다. - Nous allons calculer le budget.
2361. 합계 계산할까? - On calcule le total ?
2362. 네, 계산해. - Oui, calculons.
2363. 세다 - Compter
2364. 나는 별을 셌다. - J'ai compté les étoiles.
2365. 너는 사과를 센다. - Vous comptez les pommes.
2366. 당신들은 페이지를 셀 것이다. - On compte les pages.
2367. 사과 몇 개야? - Combien de pommes ?
2368. 지금 세. - Comptez maintenant.
2369. 추측하다 - Deviner
2370. 나는 결과를 추측했다. - J'ai deviné le résultat.
2371. 너는 날씨를 추측한다. - Vous devinez le temps qu'il fait.
2372. 그들은 승자를 추측할 것이다. - Ils devineront le gagnant.
2373. 날씨 어때? - Quel temps fait-il ?
2374. 비 올까 봐. - Je pense qu'il va pleuvoir.
2375. 가정하다 - Supposer
2376. 나는 그가 올 것이라고 가정했다. - J'ai supposé qu'il viendrait.
2377. 너는 그녀가 승리할 것이라고 가정한다. - Vous supposez qu'elle va gagner.
2378. 우리는 프로젝트가 성공할 것이라고 가정할 것이다. - Nous supposons que le projet sera couronné de succès.
2379. 그녀가 승리할까? - Va-t-elle gagner ?
2380. 아마 그럴것이다. - Probablement.
2381. 26. 명사 단어들 외우기, 필수 10개 동사의 단어들을 가지고 50문장 연습하기 - 26. Mémorisez les noms, pratiquez 50 phrases avec les 10 verbes requis.
2382. 상황 - situation
2383. 의도 - intention

2384. 결과 - résultat
2385. 계획 - plan
2386. 날짜 - date
2387. 장소 - lieu
2388. 요청 - demande
2389. 제안 - proposition
2390. 계약 - contrat
2391. 의견 - avis
2392. 변경사항 - Changements
2393. 조언 - avis
2394. 문제 - problème
2395. 프로젝트 - projet
2396. 해결책 - solution
2397. 주제 - sujet
2398. 모드 - mode
2399. 파일 - fichier
2400. 형식 - formulaire
2401. 데이터 - données
2402. 이슈 - question
2403. 포인트 - point
2404. 질문 - question
2405. 호출 - appel
2406. 온도 - température
2407. 볼륨 - volume
2408. 속도 - vitesse
2409. 판단하다 - juger
2410. 나는 상황을 판단했다. - J'ai jugé la situation.
2411. 너는 그의 의도를 판단한다. - Vous jugez ses intentions.
2412. 그녀는 결과를 판단할 것이다. - Elle jugera le résultat.
2413. 옳은 거야? - Est-ce bien ?
2414. 판단해 봐. - Juger.
2415. 확정하다 - Finaliser
2416. 나는 계획을 확정했다. - J'ai finalisé le plan.
2417. 너는 날짜를 확정한다. - Vous finaliserez la date.

2418. 그들은 장소를 확정할 것이다. - Ils confirmeront le lieu.
2419. 날짜 확정됐어? - La date est-elle finalisée ?
2420. 예, 됐어. - Oui, nous sommes fixés.
2421. 승인하다 - Approuver
2422. 나는 요청을 승인했다. - J'approuve la demande.
2423. 너는 제안을 승인한다. - Vous approuvez la proposition.
2424. 우리는 계약을 승인할 것이다. - Nous approuverons le contrat.
2425. 제안 승인할까? - Approuvons-nous la proposition ?
2426. 네, 승인해. - Oui, nous l'approuvons.
2427. 반영하다 - refléter
2428. 나는 의견을 반영했다. - J'ai pris en compte les commentaires.
2429. 너는 변경사항을 반영한다. - Vous refléterez les changements.
2430. 그는 조언을 반영할 것이다. - Il tiendra compte des conseils.
2431. 의견 반영됐어? - Avez-vous réfléchi ?
2432. 예, 반영됐어. - Oui, il a été pris en compte.
2433. 접근하다 - Approcher
2434. 나는 문제에 접근했다. - J'ai abordé le problème.
2435. 너는 프로젝트에 접근한다. - Vous abordez le projet.
2436. 그녀는 해결책에 접근할 것이다. - Elle va aborder la solution.
2437. 해결책 찾았어? - Avez-vous trouvé une solution ?
2438. 찾는 중이야. - Je la cherche.
2439. 전환하다 - Changer de sujet
2440. 나는 주제를 전환했다. - J'ai changé de sujet.
2441. 너는 모드를 전환한다. - Vous changez de mode.
2442. 우리는 계획을 전환할 것이다. - Nous allons changer de plan.
2443. 모드 바꿀까? - On change de mode ?
2444. 네, 바꿔. - Oui, changer.
2445. 변환하다 - Convertir
2446. 나는 파일을 변환했다. - J'ai converti le fichier.
2447. 너는 형식을 변환한다. - Vous convertissez un format.
2448. 그들은 데이터를 변환할 것이다. - Ils convertiront les données.
2449. 형식 맞춰줄래? - Pouvez-vous le formater ?
2450. 좋아, 맞출게. - D'accord, je vais le formater.
2451. 조명하다 - éclairer

2452. 나는 이슈를 조명했다. - J'ai éclairé la question.
2453. 너는 포인트를 조명한다. - Vous éclairez un point.
2454. 그녀는 주제를 조명할 것이다. - Elle va éclairer le sujet.
2455. 주제 뭘까? - Quel est le sujet ?
2456. 곧 알려줄게. - Je vous le dirai bientôt.
2457. 응답하다 - Répondre
2458. 나는 질문에 응답했다. - J'ai répondu à la question.
2459. 너는 요청에 응답한다. - Vous répondez à la demande.
2460. 우리는 호출에 응답할 것이다. - Nous répondons à l'appel.
2461. 답변 줄 수 있어? - Pouvez-vous me donner une réponse ?
2462. 네, 할 수 있어. - Oui, je le peux.
2463. 조절하다 - réguler
2464. 나는 온도를 조절했다. - J'ai réglé la température.
2465. 너는 볼륨을 조절한다. - Vous réglez le volume.
2466. 그들은 속도를 조절할 것이다. - Ils vont régler la vitesse.
2467. 볼륨 낮출까? - Voulez-vous que je baisse le volume ?
2468. 네, 낮춰 줘. - Oui, baissez le volume, s'il vous plaît.
2469. 27. 명사 단어들 외우기, 필수 10개 동사의 단어들을 가지고 50문장 연습하기 - 27. mémoriser les noms, pratiquer 50 phrases avec les 10 verbes essentiels
2470. 시스템 - système
2471. 드론 - drone
2472. 로봇 - robot
2473. 프로젝트 - projet
2474. 팀 - équipe
2475. 회사 - entreprise
2476. 가게 - magasin
2477. 사이트 - site
2478. 카페 - café
2479. 주문 - commande
2480. 신청 - application
2481. 문제 - problème
2482. 기술 - technologie
2483. 능력 - capacité

2484. 경험 - expérience
2485. 지식 - connaissance
2486. 사업 - métier
2487. 영역 - domaine
2488. 시장 - marché
2489. 비용 - dépenses
2490. 규모 - Échelle
2491. 지출 - dépenses
2492. 매출 - vente
2493. 노력 - Effort
2494. 효율 - Efficacité
2495. 제어하다 - à Contrôler
2496. 나는 시스템을 제어했다. - J'ai contrôlé le système.
2497. 너는 드론을 제어한다. - Vous contrôlez le drone.
2498. 우리는 로봇을 제어할 것이다. - Nous contrôlerons le robot.
2499. 드론 조종해 봤어? - Avez-vous déjà piloté un drone ?
2500. 아니, 안 해봤어. - Non, je ne l'ai jamais fait.
2501. 관리하다 - gérer
2502. 나는 프로젝트를 관리했다. - J'ai géré le projet.
2503. 너는 팀을 관리한다. - Vous gérez l'équipe.
2504. 그는 회사를 관리할 것이다. - Il gérera l'entreprise.
2505. 팀 잘 돼가? - Comment va l'équipe ?
2506. 네, 잘 돼. - Oui, elle va bien.
2507. 운영하다 - Diriger
2508. 나는 가게를 운영했다. - Je gérais le magasin.
2509. 너는 사이트를 운영한다. - Vous dirigez le site.
2510. 그녀는 카페를 운영할 것이다. - Elle s'occupera du café.
2511. 사이트 잘 운영돼? - Le site fonctionne-t-il bien ?
2512. 예, 잘 돼. - Oui, il fonctionne bien.
2513. 처리하다 - traiter
2514. 나는 주문을 처리했다. - J'ai traité la commande.
2515. 너는 신청을 처리한다. - Vous traitez la demande.
2516. 우리는 문제를 처리할 것이다. - Nous nous occupons du problème.
2517. 신청 처리됐어? - Avez-vous traité la demande ?

2518. 네, 처리됐어. - Oui, elle est traitée.
2519. 처리하다 - traiter
2520. 나는 주문을 처리했다. - J'ai traité la commande.
2521. 너는 신청을 처리한다. - Vous traitez la demande.
2522. 그는 문제를 처리할 것이다. - Il s'occupera du problème.
2523. 신청 처리됐어? - Avez-vous traité la demande ?
2524. 됐어. - C'est fait.
2525. 발전하다 - Progresser
2526. 그녀는 기술을 발전시켰다. - Elle a développé ses compétences.
2527. 우리는 능력을 발전시킨다. - Nous développons nos capacités.
2528. 당신들은 시스템을 발전시킬 것이다. - Vous ferez progresser le système.
2529. 기술 좋아졌니? - Avez-vous amélioré vos compétences ?
2530. 네, 좋아. - Oui, c'est bien.
2531. 성장하다 - grandir
2532. 그들은 빠르게 성장했다. - Ils ont grandi vite.
2533. 나는 경험을 성장시킨다. - J'acquiers de l'expérience.
2534. 너는 지식을 성장시킬 것이다. - Vous allez acquérir des connaissances.
2535. 경험 많아졌어? - As-tu acquis de l'expérience ?
2536. 많아. - J'en ai beaucoup.
2537. 확장하다 - développer
2538. 나는 사업을 확장했다. - J'ai développé mon activité.
2539. 너는 영역을 확장한다. - Vous allez étendre votre territoire.
2540. 그는 시장을 확장할 것이다. - Il va étendre le marché.
2541. 시장 크니? - Le marché est-il grand ?
2542. 네, 크다. - Oui, il est grand.
2543. 축소하다 - Réduire
2544. 그녀는 비용을 축소했다. - Elle a réduit ses coûts.
2545. 우리는 규모를 축소한다. - Nous réduisons nos dépenses.
2546. 당신들은 지출을 축소할 것이다. - Vous allez réduire vos dépenses.
2547. 비용 줄었어? - Avez-vous réduit les coûts ?
2548. 네, 줄었어. - Oui, ils ont diminué.
2549. 증가하다 - augmenter

2550. 그들은 매출을 증가시켰다. - Ils ont augmenté leurs ventes.
2551. 나는 노력을 증가시킨다. - J'augmente mes efforts.
2552. 너는 효율을 증가시킬 것이다. - Vous allez augmenter votre efficacité.
2553. 매출 올랐어? - Les ventes ont-elles augmenté ?
2554. 네, 올랐어. - Oui, elles ont augmenté.
2555. 28. 명사 단어들 외우기, 필수 10개 동사의 단어들을 가지고 50문장 연습하기 - 28. mémoriser les noms, pratiquer 50 phrases avec les 10 verbes essentiels
2556. 오류 - erreur
2557. 리스크 - risque
2558. 부채 - ventilateur
2559. 앱 - application
2560. 소프트웨어 - logiciel
2561. 기술 - technologie
2562. 기계 - machine
2563. 아이디어 - idée
2564. 제품 - produit
2565. 예술작품 - œuvre d'art
2566. 콘텐츠 - contenu
2567. 비전 - vision
2568. 해결책 - solution
2569. 정보 - information
2570. 답 - réponse
2571. 우주 - univers
2572. 신세계 - nouveau monde
2573. 바다 - océan
2574. 시장 - marché
2575. 사건 - événement
2576. 현상 - phénomène
2577. 도움 - aider
2578. 지원 - soutien
2579. 협력 - Coopération
2580. 계획 - plan
2581. 전략 - stratégie

2582. 제안 - proposition
2583. 조건 - condition
2584. 요청 - demande
2585. 감소하다 - réduire
2586. 나는 오류를 감소시켰다. - J'ai réduit les erreurs.
2587. 너는 리스크를 감소시킨다. - Vous réduisez le risque.
2588. 그는 부채를 감소시킬 것이다. - Il va réduire la dette.
2589. 리스크 적어졌어? - Moins de risques ?
2590. 적어. - Moins.
2591. 개발하다 - Développer
2592. 그녀는 앱을 개발했다. - Elle a développé une application.
2593. 우리는 소프트웨어를 개발한다. - Nous développons des logiciels.
2594. 당신들은 기술을 개발할 것이다. - Vous allez développer des technologies.
2595. 앱 나왔어? - L'application est-elle sortie ?
2596. 나왔어. - Elle est sortie.
2597. 발명하다 - Inventer
2598. 그들은 기계를 발명했다. - Ils ont inventé une machine.
2599. 나는 아이디어를 발명한다. - J'invente une idée.
2600. 너는 제품을 발명할 것이다. - Vous allez inventer un produit.
2601. 기계 새로운 거야? - La machine est-elle nouvelle ?
2602. 새로워. - Nouvelle.
2603. 창조하다 - Créer
2604. 나는 예술작품을 창조했다. - Je crée une œuvre d'art.
2605. 너는 콘텐츠를 창조한다. - Vous allez créer un contenu.
2606. 그는 비전을 창조할 것이다. - Il créera une vision.
2607. 콘텐츠 재밌어? - Le contenu est-il drôle ?
2608. 재밌어. - Il est amusant.
2609. 찾아내다 - trouver
2610. 그녀는 해결책을 찾아냈다. - Elle a trouvé une solution.
2611. 우리는 정보를 찾아낸다. - Nous trouvons des informations.
2612. 당신들은 답을 찾아낼 것이다. - Vous trouverez la réponse.
2613. 정보 찾았어? - Avez-vous trouvé l'information ?
2614. 찾았어. - Je l'ai trouvée.

2615. 탐사하다 - explorer
2616. 그들은 우주를 탐사했다. - Ils ont exploré l'univers.
2617. 나는 신세계를 탐사한다. - J'explore de nouveaux mondes.
2618. 너는 바다를 탐사할 것이다. - Tu vas explorer l'océan.
2619. 우주 멋져? - L'espace, c'est cool ?
2620. 멋져. - C'est cool.
2621. 조사하다 - enquêter
2622. 나는 시장을 조사했다. - J'ai enquêté sur le marché.
2623. 너는 사건을 조사한다. - Vous allez enquêter sur l'affaire.
2624. 그는 현상을 조사할 것이다. - Il va enquêter sur le phénomène.
2625. 사건 해결됐어? - L'affaire est-elle résolue ?
2626. 해결돼. - Elle est résolue.
2627. 청하다 - Demander
2628. 그녀는 도움을 청했다. - Elle a demandé de l'aide.
2629. 우리는 지원을 청한다. - Nous demandons de l'aide.
2630. 당신들은 협력을 청할 것이다. - On vous demandera de coopérer.
2631. 도움 필요해? - Avez-vous besoin d'aide ?
2632. 필요해. - J'en ai besoin.
2633. 제안하다 - Proposer
2634. 그들은 계획을 제안했다. - Ils ont proposé un plan.
2635. 나는 아이디어를 제안한다. - Je propose une idée.
2636. 너는 전략을 제안할 것이다. - Vous allez proposer une stratégie.
2637. 아이디어 있어? - Avez-vous une idée ?
2638. 있어. - J'en ai une.
2639. 승낙하다 - Accepter
2640. 나는 제안을 승낙했다. - J'accepte la proposition.
2641. 너는 조건을 승낙한다. - Vous acceptez les conditions.
2642. 그는 요청을 승낙할 것이다. - Il accepte la demande.
2643. 조건 괜찮아? - Les conditions sont-elles acceptables ?
2644. 괜찮아. - Je suis d'accord.
2645. 29. 명사 단어들 외우기, 필수 10개 동사의 단어들을 가지고 50문장 연습하기 - 29. Mémorisez les noms, pratiquez 50 phrases avec les 10 verbes requis.
2646. 문제 - problème

2647. 주제 - sujet
2648. 해결책 - solution
2649. 의견 - opinion
2650. 친구 - ami(e)
2651. 여행 - voyage
2652. 부모님 - parents
2653. 조언 - conseil
2654. 위험 - danger
2655. 소식 - Nouvelles
2656. 정보 - informations
2657. 변화 - changement
2658. 사랑 - amour
2659. 마음 - esprit
2660. 진심 - sincérité
2661. 문서 - document
2662. 이미지 - image
2663. 자료 - données
2664. 표 - graphique
2665. 보고서 - rapport
2666. 그래프 - graphique
2667. 부분 - emploi à temps partiel
2668. 문장 - phrase
2669. 영상 - vidéo
2670. 장면 - scène
2671. 답 - réponse
2672. 장소 - lieu
2673. 주소 - adresse
2674. 토론하다 - discuter
2675. 그는 어제 문제에 대해 토론했다. - Il a discuté du problème hier.
2676. 그녀는 지금 중요한 주제를 토론한다. - Elle discute maintenant de sujets importants.
2677. 우리는 내일 해결책을 토론할 것이다. - Nous discuterons de la solution demain.
2678. 의견 있어? - Avez-vous une opinion ?

2679. 네, 있어. - Oui, j'en ai une.
2680. 설득하다 - persuader
2681. 그녀는 친구를 여행 가기로 설득했다. - Elle a convaincu son ami de partir en voyage.
2682. 나는 지금 부모님을 설득한다. - Je suis en train de convaincre mes parents.
2683. 너는 내일 그들을 설득할 것이다. - Vous les persuaderez demain.
2684. 설득됐어? - Convaincu ?
2685. 응, 됐어. - Oui, je suis convaincu.
2686. 조언하다 - conseiller
2687. 그들은 나에게 좋은 조언을 해주었다. - Ils m'ont donné de bons conseils.
2688. 나는 지금 친구에게 조언한다. - Je conseille mon ami maintenant.
2689. 너는 내일 조언을 할 것이다. - Vous donnerez des conseils demain.
2690. 조언 필요해? - Avez-vous besoin d'un conseil ?
2691. 필요해, 고마워. - J'en ai besoin, merci.
2692. 경고하다 - avertir
2693. 그녀는 위험에 대해 경고했다. - Elle l'a prévenu du danger.
2694. 우리는 지금 위험을 경고한다. - Nous l'avertissons du danger maintenant.
2695. 당신들은 내일 그들을 경고할 것이다. - Vous les préviendrez demain.
2696. 경고 들었어? - Avez-vous entendu l'avertissement ?
2697. 네, 들었어. - Oui, j'ai entendu.
2698. 알리다 - informer
2699. 그는 어제 소식을 알렸다. - Il a fait connaître la nouvelle hier.
2700. 그녀는 지금 정보를 알린다. - Elle informe l'information maintenant.
2701. 우리는 내일 변화를 알릴 것이다. - Nous annoncerons le changement demain.
2702. 소식 알아? - Connaissez-vous la nouvelle ?
2703. 아니, 몰라. - Non, je ne sais pas.
2704. 고백하다 - avouer
2705. 그녀는 그에게 사랑을 고백했다. - Elle lui a avoué son amour.
2706. 나는 지금 마음을 고백한다. - J'avoue mon cœur maintenant.
2707. 너는 내일 진심을 고백할 것이다. - Vous confesserez votre cœur

demain.
2708. 고백할 거야? - Allez-vous vous confesser ?
2709. 응, 할 거야. - Oui, je le ferai.
2710. 붙여넣다 - coller
2711. 그는 문서에 이미지를 붙여넣었다. - Il a collé l'image dans le document.
2712. 그녀는 지금 자료에 표를 붙여넣는다. - Elle est en train de coller un tableau dans le document.
2713. 우리는 내일 보고서에 그래프를 붙여넣을 것이다. - Nous collerons le graphique dans le rapport demain.
2714. 완성됐어? - Avez-vous terminé ?
2715. 거의 다 됐어. - J'ai presque fini.
2716. 잘라내다 - découper
2717. 그들은 불필요한 부분을 잘라냈다. - Ils ont coupé les parties inutiles.
2718. 나는 지금 문서에서 문장을 잘라낸다. - Je découpe les phrases du document maintenant.
2719. 너는 내일 영상에서 장면을 잘라낼 것이다. - Demain, vous découperez des scènes de la vidéo.
2720. 줄일 필요 있어? - Avez-vous besoin de couper quelque chose ?
2721. 응, 있어. - Oui, j'en ai besoin.
2722. 검색하다 - Chercher
2723. 그녀는 정보를 검색했다. - Elle a cherché des informations.
2724. 나는 지금 자료를 검색한다. - Je suis en train de chercher des informations.
2725. 너는 내일 답을 검색할 것이다. - Vous chercherez des réponses demain.
2726. 정보 찾고 있어? - Cherchez-vous des informations ?
2727. 찾고 있어. - Je les cherche.
2728. 찾아보다 - Chercher
2729. 그는 옛 친구를 찾아보았다. - Il a cherché son vieil ami.
2730. 그녀는 지금 문서를 찾아본다. - Elle est en train de chercher le document.
2731. 우리는 내일 그 장소를 찾아볼 것이다. - Nous chercherons l'endroit demain.

2732. 주소 찾았어? - Avez-vous trouvé l'adresse ?
2733. 아직 못 찾았어. - Non, je ne l'ai pas encore trouvée.
2734. 30. 명사 단어들 외우기, 필수 10개 동사의 단어들을 가지고 50문장 연습하기 - 30. mémoriser les noms, pratiquer 50 phrases avec les 10 verbes essentiels
2735. 리더 - chef
2736. 메뉴 - menu
2737. 색상 - couleur
2738. 프로젝트 - projet
2739. 계획 - plan
2740. 아이디어 - idée
2741. 스케줄 - programme
2742. 예약 - réservation
2743. 보안 - sécurité
2744. 비밀번호 - mot de passe
2745. 규칙 - règle
2746. 입장 - Entrée
2747. 영향력 - Influence
2748. 제한 - limite
2749. 프로세스 - processus
2750. 시스템 - système
2751. 웹사이트 - Site web
2752. 기능 - fonction
2753. 계정 - compte
2754. 서비스 - service
2755. 알림 - alarme
2756. 옵션 - option
2757. 컴퓨터 - ordinateur
2758. 인터넷 - Internet
2759. 기기 - appareil
2760. 부분 - emploi à temps partiel
2761. 요소 - Élément
2762. 구성 - composition
2763. 선택하다 - choisir

2764. 그들은 새 리더를 선택했다. - Ils ont choisi un nouveau lecteur.
2765. 나는 지금 메뉴를 선택한다. - Je choisis le menu maintenant.
2766. 너는 내일 색상을 선택할 것이다. - Vous choisirez une couleur demain.
2767. 쉽게 고를 수 있어? - Est-ce facile à choisir ?
2768. 네, 쉬워. - Oui, c'est facile.
2769. 구상하다 - envisager
2770. 그녀는 새 프로젝트를 구상했다. - Elle a conçu un nouveau projet.
2771. 나는 지금 계획을 구상한다. - Je conçois un plan maintenant.
2772. 우리는 내일 아이디어를 구상할 것이다. - Nous aurons une idée demain.
2773. 아이디어 있어? - Avez-vous des idées ?
2774. 응, 많아. - Oui, j'en ai beaucoup.
2775. 변경하다 - changer
2776. 그는 계획을 변경했다. - Il a changé ses plans.
2777. 그녀는 지금 스케줄을 변경한다. - Elle change son emploi du temps maintenant.
2778. 당신들은 내일 예약을 변경할 것이다. - Vous changerez de date demain.
2779. 날짜 바꿀래? - Voulez-vous changer la date ?
2780. 그래, 바꿀래. - Oui, je vais la changer.
2781. 강화하다 - Renforcer
2782. 그들은 보안을 강화했다. - Ils ont renforcé la sécurité.
2783. 나는 지금 비밀번호를 강화한다. - Je renforce mon mot de passe maintenant.
2784. 너는 내일 규칙을 강화할 것이다. - Vous renforcerez les règles demain.
2785. 보안 더 필요해? - Avez-vous besoin de plus de sécurité ?
2786. 네, 필요해. - Oui, j'en ai besoin.
2787. 약화하다 - affaiblir
2788. 그녀는 입장을 약화시켰다. - Elle a affaibli sa position.
2789. 우리는 지금 영향력을 약화시킨다. - Nous affaiblissons notre influence maintenant.
2790. 당신들은 내일 제한을 약화시킬 것이다. - Vous affaiblirez les

restrictions demain.
2791. 영향 줄어들었어? - Moins d'influence ?
2792. 응, 줄었어. - Oui, elle a diminué.
2793. 최적화하다 - Optimiser
2794. 그는 프로세스를 최적화했다. - Il a optimisé le processus.
2795. 그녀는 지금 시스템을 최적화한다. - Elle optimise le système maintenant.
2796. 우리는 내일 웹사이트를 최적화할 것이다. - Nous optimiserons le site web demain.
2797. 성능 좋아졌어? - Les performances sont-elles meilleures ?
2798. 많이 좋아졌어. - Elle est bien meilleure.
2799. 활성화하다 - activer
2800. 그들은 기능을 활성화했다. - Ils ont activé la fonction.
2801. 나는 지금 계정을 활성화한다. - J'active le compte maintenant.
2802. 너는 내일 서비스를 활성화할 것이다. - Vous activerez le service demain.
2803. 작동하나요? - Est-ce que ça marche ?
2804. 응, 잘 돼. - Oui, cela fonctionne.
2805. 비활성화하다 - Désactiver
2806. 그녀는 알림을 비활성화했다. - Elle a désactivé les notifications.
2807. 우리는 지금 옵션을 비활성화한다. - Nous désactivons l'option maintenant.
2808. 당신들은 내일 기능을 비활성화할 것이다. - Vous désactiverez la fonction demain.
2809. 더 이상 안 나와? - Elle ne sortira plus ?
2810. 아니, 안 나와. - Non, elle ne le sera plus.
2811. 연결하다 - connecter
2812. 나는 컴퓨터를 연결했다. - J'ai connecté mon ordinateur.
2813. 너는 인터넷을 연결한다. - Vous connectez l'Internet.
2814. 그는 기기를 연결할 것이다. - Il va connecter l'appareil.
2815. 연결 됐어? - Êtes-vous connecté ?
2816. 됐어. - C'est fait.
2817. 분리하다 - Séparer
2818. 그녀는 두 부분을 분리했다. - Elle a séparé les deux parties.

2819. 우리는 요소들을 분리한다. - Nous séparons les éléments.
2820. 당신들은 구성을 분리할 것이다. - Vous allez séparer la composition.
2821. 분리해야 해? - Doit-on séparer ?
2822. 해야 해. - Il le faut.
2823. 31. 명사 단어들 외우기, 필수 10개 동사의 단어들을 가지고 50문장 연습하기 - 31. mémoriser les noms, pratiquer 50 phrases avec les 10 verbes essentiels
2824. 가구 - le mobilier
2825. 모델 - modèle
2826. 장난감 - jouet
2827. 기계 - machine
2828. 구조 - structure
2829. 시스템 - système
2830. 선물 - cadeau
2831. 상품 - Marchandises
2832. 박스 - boîte
2833. 편지 - lettre
2834. 패키지 - paquet
2835. 상자 - Boîte
2836. 볼륨 - volume
2837. 뚜껑 - Couvercle
2838. 핸들 - poignée
2839. 페이지 - Page
2840. 채널 - canal
2841. 장 - page
2842. 종이 - papier
2843. 천 - tissu
2844. 나무 - arbre
2845. 국물 - soupe
2846. 음료 - boisson
2847. 소스 - sauce
2848. 요리 - cuisine
2849. 스무디 - smoothie
2850. 케이크 - gâteau

2851. 목욕 - bain
2852. 온천 - Spa
2853. 조립하다 - assembler
2854. 그들은 가구를 조립했다. - Ils ont monté les meubles.
2855. 나는 모델을 조립한다. - Je monte la maquette.
2856. 너는 장난감을 조립할 것이다. - Tu assembleras le jouet.
2857. 도와줄까? - Veux-tu que je t'aide ?
2858. 좋아. - D'accord.
2859. 해체하다 - Démonter
2860. 그녀는 기계를 해체했다. - Elle a démonté la machine.
2861. 우리는 구조를 해체한다. - Nous démontons la structure.
2862. 당신들은 시스템을 해체할 것이다. - Vous allez démanteler le système.
2863. 해체 필요해? - Avez-vous besoin de démanteler ?
2864. 필요해. - J'en ai besoin.
2865. 포장하다 - Emballer
2866. 나는 선물을 포장했다. - J'ai emballé le cadeau.
2867. 너는 상품을 포장한다. - Vous allez emballer les marchandises.
2868. 그는 박스를 포장할 것이다. - Il emballera les boîtes.
2869. 끝났어? - Tu as fini ?
2870. 아직. - Pas encore.
2871. 개봉하다 - Ouvrir
2872. 그녀는 편지를 개봉했다. - Elle a ouvert la lettre.
2873. 우리는 패키지를 개봉한다. - Nous déballons le paquet.
2874. 당신들은 상자를 개봉할 것이다. - Vous allez ouvrir la boîte.
2875. 열어볼까? - On l'ouvre ?
2876. 열어봐. - Ouvrez-la.
2877. 돌리다 - tourner
2878. 그들은 볼륨을 돌렸다. - Ils ont tourné le volume.
2879. 나는 뚜껑을 돌린다. - Je tourne le couvercle.
2880. 너는 핸들을 돌릴 것이다. - Vous tournerez la poignée.
2881. 돌려야 돼? - Dois-je la tourner ?
2882. 응, 돼. - Oui, vous pouvez.
2883. 넘기다 - tourner
2884. 그녀는 페이지를 넘겼다. - Elle a tourné la page.

2885. 우리는 채널을 넘긴다. - Nous tournons la chaîne.
2886. 당신들은 장을 넘길 것이다. - Vous tournerez le chapitre.
2887. 넘길까? - On le tourne ?
2888. 넘겨. - Retourner.
2889. 자르다 - Couper
2890. 나는 종이를 자르다. - Je coupe le papier.
2891. 너는 천을 자른다. - Vous coupez le tissu.
2892. 그는 나무를 자를 것이다. - Il coupera le bois.
2893. 자를까? - On coupe ?
2894. 자르자. - Coupons.
2895. 저다 - Remuer
2896. 그녀는 국물을 저었다. - Elle a remué le bouillon.
2897. 우리는 음료를 젓는다. - Nous remuons la boisson.
2898. 당신들은 소스를 저을 것이다. - Vous allez remuer la sauce.
2899. 더 저을까? - On remue encore un peu ?
2900. 응, 저어. - Oui, remuez.
2901. 맛보다 - Goûter
2902. 그들은 새 요리를 맛보았다. - Ils ont goûté le nouveau plat.
2903. 나는 스무디를 맛본다. - Je goûte le smoothie.
2904. 너는 케이크를 맛볼 것이다. - Vous allez goûter le gâteau.
2905. 맛있어? - Est-il délicieux ?
2906. 맛있어. - Il est délicieux.
2907. 목욕하다 - se baigner
2908. 그녀는 긴 목욕을 했다. - Elle a pris un long bain.
2909. 우리는 온천에서 목욕한다. - Nous nous baignons dans les sources d'eau chaude.
2910. 당신들은 집에서 목욕할 것이다. - Vous vous baignerez à la maison.
2911. 뜨거워? - C'est chaud ?
2912. 적당해. - C'est juste ce qu'il faut.
2913. 32. 명사 단어들 외우기, 필수 10개 동사의 단어들을 가지고 50문장 연습하기 - 32. mémoriser les noms, pratiquer 50 phrases avec les mots des 10 verbes essentiels
2914. 샤워 - se doucher
2915. 드레스 - habiller

2916. 유니폼 - uniforme
2917. 옷 - vêtements
2918. 잠옷 - pyjama
2919. 신발 - chaussures
2920. 코트 - manteau
2921. 파티복 - vêtements de fête
2922. 운동복 - Vêtements de sport
2923. 머리 - tête
2924. 고양이 - chat
2925. 말 - mot
2926. 방 - chambre
2927. 트리 - arbre
2928. 집 - maison
2929. 문서 - document
2930. 보고서 - rapport
2931. 이메일 - courriel
2932. 그림 - peinture
2933. 스케치 - croquis
2934. 만화 - bande dessinée
2935. 길 - route
2936. 눈길 - ligne de vision
2937. 정글 - jungle
2938. 샤워하다 - prendre une douche
2939. 나는 아침에 샤워했다. - J'ai pris une douche le matin.
2940. 너는 지금 샤워한다. - Tu te douches maintenant.
2941. 그는 저녁에 샤워할 것이다. - Il se douchera le soir.
2942. 빨리 할까? - On fait vite ?
2943. 빨리 해. - Faites vite.
2944. 입다 - Mettre
2945. 그녀는 드레스를 입었다. - Elle a mis la robe.
2946. 우리는 유니폼을 입는다. - Nous portons des uniformes.
2947. 당신들은 새 옷을 입을 것이다. - Vous allez porter de nouveaux vêtements.
2948. 예뻐? - C'est joli ?

2949. 예뻐. - C'est joli.
2950. 벗다 - enlever
2951. 그들은 잠옷을 벗었다. - Ils ont enlevé leur pyjama.
2952. 나는 신발을 벗는다. - J'enlève mes chaussures.
2953. 너는 코트를 벗을 것이다. - Vous allez enlever votre manteau.
2954. 춥지 않아? - Tu n'as pas froid ?
2955. 괜찮아. - Moi, ça va.
2956. 갈아입다 - changer
2957. 그녀는 파티복으로 갈아입었다. - Elle a mis ses vêtements de fête.
2958. 우리는 운동복으로 갈아입는다. - Nous allons mettre nos vêtements de sport.
2959. 당신들은 편안한 옷으로 갈아입을 것이다. - Vous allez mettre des vêtements confortables.
2960. 빨리 할 수 있어? - Pouvez-vous le faire rapidement ?
2961. 할 수 있어. - Je peux le faire.
2962. 빗다 - peigner
2963. 나는 머리를 빗었다. - Je me suis peigné les cheveux.
2964. 너는 고양이를 빗는다. - Tu brosses le chat.
2965. 그는 말을 빗을 것이다. - Il va peigner le cheval.
2966. 도와줄까? - Tu veux que je t'aide ?
2967. 좋아. - D'accord.
2968. 꾸미다 - Décorer
2969. 그녀는 방을 꾸몄다. - Elle a décoré sa chambre.
2970. 우리는 트리를 꾸민다. - Nous décorons l'arbre.
2971. 당신들은 집을 꾸밀 것이다. - Vous allez décorer la maison.
2972. 예쁘게 할까? - On la rend jolie ?
2973. 그래, 예쁘게. - Oui, joliment.
2974. 단장하다 - s'habiller
2975. 그들은 축제에 맞춰 단장했다. - Ils se sont habillés pour la fête.
2976. 나는 면접에 맞춰 단장한다. - Je m'habille pour un entretien d'embauche.
2977. 너는 결혼식에 맞춰 단장할 것이다. - Tu vas t'habiller pour le mariage.
2978. 준비 됐어? - Es-tu prêt ?

2979. 됐어. - Je suis prêt.
2980. 교정하다 - relire
2981. 그녀는 문서를 교정했다. - Elle a relu le document.
2982. 우리는 보고서를 교정한다. - Nous avons relu le rapport.
2983. 당신들은 이메일을 교정할 것이다. - Vous allez relire l'e-mail.
2984. 오류 있어? - Des erreurs ?
2985. 없어. - Non.
2986. 채색하다 - Colorier
2987. 나는 그림에 채색했다. - J'ai colorié l'image.
2988. 너는 스케치를 채색한다. - Vous allez colorier le croquis.
2989. 그는 만화를 채색할 것이다. - Il va colorier le dessin animé.
2990. 끝났어? - Vous avez terminé ?
2991. 거의. - Presque.
2992. 헤치다 - couvrir
2993. 그녀는 길을 헤쳤다. - Elle a fait une haie sur son chemin.
2994. 우리는 눈길을 헤친다. - Nous déneigeons.
2995. 당신들은 정글을 헤칠 것이다. - Vous réussirez à traverser la jungle.
2996. 힘들어? - Dur ?
2997. 좀 힘들어. - C'est un peu dur.
2998. 33. 명사 단어들 외우기, 필수 10개 동사의 단어들을 가지고 50문장 연습하기 - 33. Mémorisez les noms, faites 50 phrases avec les mots des 10 verbes essentiels
2999. 팬케이크 - crêpe
3000. 책장 - étagère
3001. 매트 - paillasson
3002. 공원 - parc
3003. 해변 - plage
3004. 산길 - chemin de montagne
3005. 줄넘기 - corde à sauter
3006. 장애물 - obstacle
3007. 역사 - histoire
3008. 수학 - mathématique
3009. 과학 - science
3010. 기술 - technologie

3011. 레시피 - recette
3012. 노래 - chanter
3013. 시 - ville
3014. 공식 - officiel
3015. 단어 - mot
3016. 시장 - marché
3017. 문화 - culture
3018. 생태계 - écosystème
3019. 우주 - univers
3020. 인간 마음 - esprit humain
3021. 심해 - mer profonde
3022. 방법 - méthode
3023. 화학 반응 - réaction chimique
3024. 생물학적 실험 - expérience biologique
3025. 제품 - produit
3026. 능력 - capacité
3027. 뒤집다 - retourner
3028. 그들은 팬케이크를 뒤집었다. - Ils ont retourné les crêpes.
3029. 나는 책장을 뒤집는다. - Je retourne la bibliothèque.
3030. 너는 매트를 뒤집을 것이다. - Vous allez retourner le tapis.
3031. 잘 됐어? - Est-ce que ça s'est bien passé ?
3032. 잘 됐어. - Ça s'est bien passé.
3033. 뛰다 - courir
3034. 그녀는 공원을 뛰었다. - Elle a couru dans le parc.
3035. 우리는 해변을 뛴다. - Nous avons couru sur la plage.
3036. 당신들은 산길을 뛸 것이다. - Vous allez courir sur les sentiers de montagne.
3037. 피곤해? - Es-tu fatiguée ?
3038. 아니, 괜찮아. - Non, ça va.
3039. 점프하다 - Sauter
3040. 나는 높이 점프했다. - J'ai sauté haut.
3041. 너는 줄넘기를 점프한다. - Tu vas sauter à la corde.
3042. 그는 장애물을 점프할 것이다. - Il va sauter la haie.
3043. 할 수 있어? - Tu peux le faire ?

3044. 할 수 있어. - Je peux le faire.
3045. 공부하다 - étudier
3046. 그녀는 역사를 공부했다. - Elle a étudié l'histoire.
3047. 우리는 수학을 공부한다. - Nous étudions les mathématiques.
3048. 당신들은 과학을 공부할 것이다. - Vous allez étudier les sciences.
3049. 어려워? - Est-ce difficile ?
3050. 조금 어려워. - Un peu difficile.
3051. 익히다 - maîtriser
3052. 그들은 새로운 기술을 익혔다. - Ils ont maîtrisé une nouvelle compétence.
3053. 나는 레시피를 익힌다. - Je maîtrise une recette.
3054. 너는 노래를 익힐 것이다. - Vous maîtriserez la chanson.
3055. 쉬워? - Est-ce que c'est facile ?
3056. 쉬워. - C'est facile.
3057. 암기하다 - Mémoriser
3058. 그녀는 시를 암기했다. - Elle a mémorisé le poème.
3059. 우리는 공식을 암기한다. - Nous mémorisons des formules.
3060. 당신들은 단어를 암기할 것이다. - Vous mémoriserez les mots.
3061. 외웠어? - L'avez-vous mémorisé ?
3062. 외웠어. - Je l'ai mémorisé.
3063. 연구하다 - étudier
3064. 나는 시장을 연구했다. - J'ai étudié le marché.
3065. 너는 문화를 연구한다. - Vous étudiez la culture.
3066. 그는 생태계를 연구할 것이다. - Il étudiera l'écosystème.
3067. 발견했어? - L'avez-vous trouvé ?
3068. 발견했어. - Je l'ai trouvé.
3069. 탐구하다 - explorer
3070. 그녀는 우주를 탐구했다. - Elle a exploré l'univers.
3071. 우리는 인간 마음을 탐구한다. - Nous explorons l'esprit humain.
3072. 당신들은 심해를 탐구할 것이다. - Vous allez explorer les profondeurs de la mer.
3073. 무엇을 탐구해? - Explorer quoi ?
3074. 심해를 탐구해. - Explorer les profondeurs de la mer.
3075. 실험하다 - expérimenter

3076. 나는 새로운 방법을 실험했다. - J'ai expérimenté une nouvelle méthode.
3077. 너는 화학 반응을 실험한다. - Vous expérimenterez les réactions chimiques.
3078. 그는 생물학적 실험을 할 것이다. - Il va faire une expérience biologique.
3079. 성공했어? - Avez-vous réussi ?
3080. 네, 성공했어. - Oui, c'est réussi.
3081. 시험하다 - tester
3082. 그들은 제품을 시험했다. - Ils ont testé le produit.
3083. 나는 내 능력을 시험한다. - Je teste mes capacités.
3084. 너는 새 기술을 시험할 것이다. - Vous allez tester vos nouvelles compétences.
3085. 어때? - Comment cela se passe-t-il ?
3086. 잘 작동해. - Cela fonctionne bien.
3087. 34. 명사 단어들 외우기, 필수 10개 동사의 단어들을 가지고 50문장 연습하기 - 34. mémoriser les noms, pratiquer 50 phrases avec les 10 verbes essentiels
3088. 친구 - ami(e)
3089. 대화 - conversation
3090. 주제 - sujet
3091. 세계 평화 - paix dans le monde
3092. 팀 - équipe
3093. 가족 - famille
3094. 다국어 - multilingue
3095. 질문 - question
3096. 퀴즈 - Quiz
3097. 인터뷰 질문 - questions d'entretien
3098. 사건 - Événement
3099. 독립 기념일 - quatrième
3100. 업적 - Réalisations
3101. 졸업 - diplômé
3102. 승진 - promotion
3103. 생일 - anniversaire

3104. 영웅 - héros
3105. 역사적 사건 - incident historique
3106. 인물 - Personnage
3107. 사람 - personne
3108. 학생 - étudiant
3109. 노력 - effort
3110. 성취 - réussite
3111. 성공 - succès
3112. 실수 - erreur
3113. 부정적 행동 - comportement négatif
3114. 불공정 - injuste
3115. 대화하다 - à l'envers
3116. 그녀는 친구와 깊은 대화를 했다. - Elle a eu une conversation profonde avec son ami.
3117. 우리는 중요한 주제에 대해 대화한다. - Nous parlons de sujets importants.
3118. 당신들은 세계 평화에 대해 대화할 것이다. - Vous allez parler de la paix dans le monde.
3119. 흥미로워? - Intéressant ?
3120. 매우 흥미로워. - Très intéressant.
3121. 소통하다 - Communiquer
3122. 나는 팀과 효과적으로 소통했다. - J'ai communiqué efficacement avec mon équipe.
3123. 너는 가족과 소통한다. - Vous communiquez avec votre famille.
3124. 그는 다국어로 소통할 것이다. - Il communiquera en plusieurs langues.
3125. 쉬워? - Est-ce facile ?
3126. 노력이 필요해. - Il faut faire des efforts.
3127. 답하다 - pour répondre
3128. 그들은 내 질문에 답했다. - Ils ont répondu à ma question.
3129. 나는 퀴즈에 답한다. - Je réponds au quiz.
3130. 너는 인터뷰 질문에 답할 것이다. - Vous répondrez aux questions de l'entretien.
3131. 준비됐어? - Êtes-vous prêt(e) ?

3132. 예, 준비됐어. - Oui, je suis prêt.
3133. 기념하다 - commémorer
3134. 그녀는 중요한 사건을 기념했다. - Elle a commémoré un événement important.
3135. 우리는 독립 기념일을 기념한다. - Nous célébrons le jour de l'indépendance.
3136. 당신들은 업적을 기념할 것이다. - Vous allez célébrer une réussite.
3137. 언제야? - Quand est-ce que c'est ?
3138. 내일이야. - Demain.
3139. 경축하다 - célébrer
3140. 나는 졸업을 경축했다. - J'ai fêté mon diplôme.
3141. 너는 승진을 경축한다. - Tu vas fêter ta promotion.
3142. 그는 생일을 경축할 것이다. - Il va fêter son anniversaire.
3143. 파티 할 거야? - Vous allez faire la fête ?
3144. 그래, 파티할 거야. - Oui, nous allons faire la fête.
3145. 추모하다 - Mémoriser
3146. 그녀는 영웅을 추모했다. - Elle a commémoré le héros.
3147. 우리는 역사적 사건을 추모한다. - Nous commémorons les événements historiques.
3148. 당신들은 위대한 인물을 추모할 것이다. - Vous allez commémorer une grande personne.
3149. 슬픈 날이야? - Est-ce un jour triste ?
3150. 네, 매우 슬퍼. - Oui, très triste.
3151. 위로하다 - consoler
3152. 나는 친구를 위로했다. - J'ai consolé mon ami.
3153. 너는 슬픈 이를 위로한다. - Vous réconfortez la personne triste.
3154. 그는 가족을 위로할 것이다. - Il consolera sa famille.
3155. 괜찮아졌어? - Vous sentez-vous mieux ?
3156. 조금 나아졌어. - Je me sens un peu mieux.
3157. 격려하다 - Encourager
3158. 그들은 서로를 격려했다. - Ils se sont encouragés mutuellement.
3159. 나는 너를 격려한다. - Je t'encourage.
3160. 너는 팀을 격려할 것이다. - Vous allez encourager l'équipe.
3161. 힘낼래? - Voulez-vous encourager l'équipe ?

3162. 네, 힘낼게! - Oui, je vous encourage !
3163. 칭찬하다 - Louer
3164. 그녀는 학생의 노력을 칭찬했다. - Elle a félicité l'élève pour ses efforts.
3165. 우리는 성취를 칭찬한다. - Nous faisons l'éloge des réalisations.
3166. 당신들은 성공을 칭찬할 것이다. - Vous ferez l'éloge de votre réussite.
3167. 잘했어? - Tu as bien travaillé ?
3168. 너무 잘했어! - Tu as très bien réussi !
3169. 비난하다 - Critiquer
3170. 나는 실수를 비난했다. - J'ai blâmé l'erreur.
3171. 너는 부정적 행동을 비난한다. - Vous condamnerez un comportement négatif.
3172. 그는 불공정을 비난할 것이다. - Il condamnera l'injustice.
3173. 그게 맞아? - Est-ce bien ?
3174. 아니, 잘못됐어. - Non, c'est mal.
3175. 35. 명사 단어들 외우기, 필수 10개 동사의 단어들을 가지고 50문장 연습하기 - 35. mémoriser les noms, pratiquer 50 phrases avec les 10 verbes essentiels.
3176. 정책 - politique
3177. 아이디어 - idée
3178. 계획 - plan
3179. 동료 - collègue
3180. 리더 - chef
3181. 파트너 - partenaire
3182. 경고 - avertissement
3183. 조언 - conseil
3184. 위험 - danger
3185. 변경사항 - Changements
3186. 결정 - décision
3187. 결과 - résultat
3188. 회의 일정 - calendrier des réunions
3189. 이벤트 - événement
3190. 변경 - changement

3191. 데이터 - données
3192. 시스템 - système
3193. 기계 - machine
3194. 스케줄 - programme
3195. 전략 - stratégie
3196. 규칙 - règle
3197. 방침 - politique
3198. 기회 - opportunité
3199. 자원 - ressource
3200. 정보 - information
3201. 계약 - contrat
3202. 멤버십 - Adhésion
3203. 라이선스 - Licences
3204. 비판하다 - critiquer
3205. 그들은 정책을 비판했다. - Ils ont critiqué la politique.
3206. 나는 아이디어를 비판한다. - Je critique l'idée.
3207. 너는 계획을 비판할 것이다. - Vous critiquerez le plan.
3208. 개선 필요해? - Faut-il l'améliorer ?
3209. 네, 필요해. - Oui, il en a besoin.
3210. 신뢰하다 - Faire confiance
3211. 그녀는 동료를 신뢰했다. - Elle a fait confiance à son collègue.
3212. 우리는 리더를 신뢰한다. - Nous faisons confiance à nos dirigeants.
3213. 당신들은 파트너를 신뢰할 것이다. - Vous ferez confiance à votre partenaire.
3214. 믿을 수 있어? - Pouvez-vous leur faire confiance ?
3215. 물론이야. - Bien sûr.
3216. 주의하다 - Tenir compte
3217. 나는 경고를 주의했다. - J'ai tenu compte de l'avertissement.
3218. 너는 조언을 주의한다. - Vous tenez compte du conseil.
3219. 그는 위험을 주의할 것이다. - Il se méfiera du danger.
3220. 조심해야 해? - Dois-je être prudent ?
3221. 예, 조심해. - Oui, soyez prudent.
3222. 통보하다 - notifier
3223. 그들은 변경사항을 통보했다. - Ils ont notifié le changement.

3224. 나는 결정을 통보한다. - J'informerai de la décision.
3225. 너는 결과를 통보할 것이다. - Vous informerez du résultat.
3226. 알려줄 거야? - Vous m'informerez ?
3227. 네, 알려줄게. - Oui, je vous informerai.
3228. 공지하다 - annoncer
3229. 그녀는 회의 일정을 공지했다. - Elle a annoncé la réunion.
3230. 우리는 이벤트를 공지한다. - Nous annoncerons l'événement.
3231. 당신들은 변경을 공지할 것이다. - Vous annoncerez le changement.
3232. 언제 시작해? - Quand cela commence-t-il ?
3233. 내일 시작해. - Nous commençons demain.
3234. 조작하다 - Manipuler
3235. 나는 데이터를 조작했다. - J'ai manipulé les données.
3236. 너는 시스템을 조작한다. - Vous manipulez le système.
3237. 그는 기계를 조작할 것이다. - Il manipulera la machine.
3238. 쉬워? - Est-ce facile ?
3239. 아니, 어려워. - Non, c'est difficile.
3240. 조정하다 - Coordonner
3241. 그들은 계획을 조정했다. - Ils ont coordonné leurs plans.
3242. 나는 스케줄을 조정한다. - J'ajuste le programme.
3243. 너는 전략을 조정할 것이다. - Vous adapterez votre stratégie.
3244. 변경됐어? - A-t-elle changé ?
3245. 네, 변경됐어. - Oui, elle a changé.
3246. 적용하다 - Appliquer
3247. 그녀는 규칙을 적용했다. - Elle a appliqué la règle.
3248. 우리는 정책을 적용한다. - Nous appliquons la politique.
3249. 당신들은 방침을 적용할 것이다. - Vous appliquerez la politique.
3250. 필요해? - En avez-vous besoin ?
3251. 네, 필요해. - Oui, j'en ai besoin.
3252. 활용하다 - Utiliser
3253. 나는 기회를 활용했다. - J'ai utilisé l'opportunité.
3254. 너는 자원을 활용한다. - Vous utiliserez les ressources.
3255. 그는 정보를 활용할 것이다. - Il utilisera l'information.
3256. 유용해? - Utile ?
3257. 매우 유용해. - C'est très utile.

3258. 갱신하다 - renouveler
3259. 그들은 계약을 갱신했다. - Ils ont renouvelé le contrat.
3260. 나는 멤버십을 갱신한다. - Je renouvelle mon adhésion.
3261. 너는 라이선스를 갱신할 것이다. - Vous allez renouveler votre licence.
3262. 필요한 거야? - En avez-vous besoin ?
3263. 예, 필요해. - Oui, j'en ai besoin.
3264. 36. 명사 단어들 외우기, 필수 10개 동사의 단어들을 가지고 50문장 연습하기 - 36. mémoriser les noms, pratiquer 50 phrases avec les 10 verbes essentiels
3265. 소프트웨어 - logiciel
3266. 시스템 - système
3267. 하드웨어 - matériel
3268. 파일 - fichier
3269. 아이콘 - icône
3270. 이미지 - image
3271. 그룹 - groupe
3272. 경로 - Route
3273. 계획 - plan
3274. 위험 - danger
3275. 루틴(습관) - routine (habitude)
3276. 지루함 - ennui
3277. 문제 - problème
3278. 책임 - responsabilité
3279. 현장 - site
3280. 도둑 - voleur
3281. 꿈 - rêve
3282. 목표 - cible
3283. 고양이 - chat
3284. 행복 - bonheur
3285. 성공 - succès
3286. 순간 - Moment
3287. 기회 - occasion
3288. 장면 - scène
3289. 변화 - changement

3290. 상황 - situation
3291. 필요 - nécessaire
3292. 업그레이드하다 - de mettre à jour
3293. 그녀는 소프트웨어를 업그레이드했다. - Elle a mis à jour son logiciel.
3294. 우리는 시스템을 업그레이드한다. - Nous mettons le système à niveau.
3295. 당신들은 하드웨어를 업그레이드할 것이다. - Vous allez mettre à jour le matériel.
3296. 더 좋아질까? - Sera-t-il meilleur ?
3297. 분명히 그래. - J'en suis sûr.
3298. 드래그하다 - Faire glisser
3299. 나는 파일을 드래그했다. - J'ai fait glisser un fichier.
3300. 너는 아이콘을 드래그한다. - Vous avez fait glisser une icône.
3301. 그는 이미지를 드래그할 것이다. - Il fera glisser des images.
3302. 쉬운 일이야? - C'est facile ?
3303. 네, 매우 쉬워. - Oui, très facile.
3304. 이탈하다 - s'écarter
3305. 그들은 그룹에서 이탈했다. - Ils se sont écartés du groupe.
3306. 나는 경로에서 이탈한다. - Je dévie du chemin.
3307. 너는 계획에서 이탈할 것이다. - Vous allez dévier du plan.
3308. 계획 변경해? - Changer le plan ?
3309. 네, 변경해. - Oui, le changer.
3310. 탈출하다 - s'échapper
3311. 그녀는 위험에서 탈출했다. - Elle a échappé au danger.
3312. 우리는 루틴에서 탈출한다. - Nous échappons à la routine.
3313. 당신들은 지루함에서 탈출할 것이다. - Vous échapperez à l'ennui.
3314. 벗어날 수 있어? - Pouvez-vous vous échapper ?
3315. 예, 벗어날 수 있어. - Oui, vous pouvez vous échapper.
3316. 도망치다 - fuir
3317. 나는 문제에서 도망쳤다. - Je fuis les problèmes.
3318. 너는 책임에서 도망친다. - Vous fuyez les responsabilités.
3319. 그는 현장에서 도망칠 것이다. - Il va fuir la scène.
3320. 두려워? - Avez-vous peur ?
3321. 아니, 두렵지 않아. - Non, je n'ai pas peur.

3322. 추격하다 - Poursuivre
3323. 그들은 도둑을 추격했다. - Ils ont poursuivi le voleur.
3324. 나는 꿈을 추격한다. - Je poursuis mes rêves.
3325. 너는 목표를 추격할 것이다. - Vous poursuivrez votre objectif.
3326. 따라잡을 수 있어? - Peux-tu me rattraper ?
3327. 네, 할 수 있어. - Oui, je le peux.
3328. 쫓다 - Poursuivre
3329. 그녀는 고양이를 쫓았다. - Elle a poursuivi le chat.
3330. 우리는 행복을 쫓는다. - Nous poursuivons le bonheur.
3331. 당신들은 성공을 쫓을 것이다. - Vous poursuivrez le succès.
3332. 성공할까? - Réussirez-vous ?
3333. 네, 분명히 성공해. - Oui, vous y parviendrez.
3334. 포착하다 - saisir
3335. 나는 순간을 포착했다. - J'ai saisi le moment.
3336. 너는 기회를 포착한다. - Vous saisissez l'occasion.
3337. 그는 장면을 포착할 것이다. - Il va saisir la scène.
3338. 멋진 사진이야? - C'est une belle photo ?
3339. 네, 정말 멋져. - Oui, elle est très belle.
3340. 감지하다 - Sentir
3341. 나는 변화를 감지했다. - J'ai senti un changement.
3342. 너는 위험을 감지한다. - Vous sentez le danger.
3343. 그는 기회를 감지할 것이다. - Il sentira une opportunité.
3344. 뭔가 느껴져? - Vous sentez quelque chose ?
3345. 네, 뭔가 느껴져. - Oui, je sens quelque chose.
3346. 인지하다 - percevoir
3347. 그녀는 문제를 인지했다. - Elle a perçu un problème.
3348. 우리는 상황을 인지한다. - Nous percevons une situation.
3349. 당신들은 필요를 인지할 것이다. - Vous reconnaîtrez le besoin.
3350. 알고 있어? - Reconnaissez-vous ?
3351. 네, 알고 있어. - Oui, je suis conscient.
3352. 37. 명사 단어들 외우기, 필수 10개 동사의 단어들을 가지고 50문장 연습하기 - 37. Mémorisez les noms, pratiquez 50 phrases avec les 10 verbes essentiels.
3353. 핵심 - essentiel

3354. 진실 - vérité
3355. 해결책 - solution
3356. 발표 - présentation
3357. 기타 - etc
3358. 스피치(말) - discours (mots)
3359. 영어 - anglais
3360. 코딩 - codage
3361. 요리 - cuisine
3362. 게임 - jeu
3363. 악기 - instrument
3364. 기술 - technologie
3365. 환경 - environnement
3366. 변화 - changement
3367. 도전 - défi
3368. 규칙 - règle
3369. 조건 - condition
3370. 기준 - norme
3371. 칼 - couteau
3372. 배트 - batte
3373. 막대기 - barre
3374. 공 - balle
3375. 종이비행기 - avion en papier
3376. 주사위 - dé
3377. 손 - main
3378. 기회 - opportunité
3379. 아기 - bébé
3380. 강아지 - chiot
3381. 책 - livre
3382. 파악하다 - saisir
3383. 우리는 핵심을 파악했다. - Nous saisissons l'essentiel.
3384. 당신들은 진실을 파악한다. - Vous, vous saisissez la vérité.
3385. 그들은 해결책을 파악할 것이다. - Ils trouveront la solution.
3386. 이해했어? - Vous comprenez ?
3387. 네, 이해했어. - Oui, je comprends.

3388. 연습하다 - Pratiquer
3389. 나는 발표를 연습했다. - J'ai pratiqué ma présentation.
3390. 너는 기타를 연습한다. - Vous vous entraînez à la guitare.
3391. 그는 스피치를 연습할 것이다. - Il va s'entraîner à faire son discours.
3392. 열심히 하고 있니? - Tu t'entraînes dur ?
3393. 응, 열심히 해. - Oui, je m'entraîne beaucoup.
3394. 숙달하다 - maîtriser
3395. 그녀는 영어를 숙달했다. - Elle maîtrise l'anglais.
3396. 우리는 코딩을 숙달한다. - Nous maîtrisons le codage.
3397. 당신들은 요리를 숙달할 것이다. - Vous maîtriserez la cuisine.
3398. 잘하게 됐어? - Tu es devenu bon dans ce domaine ?
3399. 네, 잘하게 됐어. - Oui, je l'ai maîtrisée.
3400. 마스터하다 - maîtriser
3401. 우리는 게임을 마스터했다. - Nous avons maîtrisé le jeu.
3402. 당신들은 악기를 마스터한다. - Vous maîtrisez un instrument.
3403. 그들은 기술을 마스터할 것이다. - Ils maîtriseront une compétence.
3404. 전문가야? - Êtes-vous un expert ?
3405. 네, 전문가야. - Oui, ce sont des experts.
3406. 적응하다 - s'adapter
3407. 나는 새 환경에 적응했다. - Je me suis adapté au nouvel environnement.
3408. 너는 변화에 적응한다. - Vous vous adaptez au changement.
3409. 그는 도전에 적응할 것이다. - Il s'adaptera au défi.
3410. 괜찮아지고 있어? - Est-ce que tu t'améliores ?
3411. 네, 괜찮아지고 있어. - Oui, je m'améliore.
3412. 순응하다 - se conformer
3413. 그녀는 규칙에 순응했다. - Elle s'est conformée aux règles.
3414. 우리는 조건에 순응한다. - Nous nous conformons aux conditions.
3415. 당신들은 기준에 순응할 것이다. - Vous vous conformerez aux normes.
3416. 쉽게 따라가? - Vous suivez facilement ?
3417. 응, 쉽게 따라가. - Oui, je suis facilement.
3418. 휘두르다 - manier
3419. 나는 칼을 휘두렀다. - J'ai manié l'épée.

3420. 너는 배트를 휘두른다. - Vous maniez la batte.
3421. 그는 막대기를 휘두를 것이다. - Il maniera le bâton.
3422. 잘 할 수 있어? - Pouvez-vous bien le faire ?
3423. 네, 잘 할 수 있어. - Oui, je peux le faire.
3424. 던지다 - lancer
3425. 그녀는 공을 던졌다. - Elle a lancé la balle.
3426. 우리는 종이비행기를 던진다. - Nous lançons des avions en papier.
3427. 당신들은 주사위를 던질 것이다. - Vous allez lancer les dés.
3428. 멀리 갈까? - Ira-t-il loin ?
3429. 응, 멀리 갈 거야. - Oui, il ira loin.
3430. 잡다 - attraper
3431. 그는 공을 잡았다. - Il a attrapé la balle.
3432. 너는 손을 잡는다. - Vous vous tenez la main.
3433. 그녀는 기회를 잡을 것이다. - Elle va tenter sa chance.
3434. 공 잡을래? - Vas-tu attraper le ballon ?
3435. 네, 잡을게. - Oui, je l'attraperai.
3436. 눕히다 - coucher
3437. 나는 아기를 눕혔다. - J'ai couché le bébé.
3438. 우리는 강아지를 눕힌다. - Nous avons posé le chiot.
3439. 당신들은 책을 눕힐 것이다. - Tu vas poser le livre.
3440. 아기 재울래? - Veux-tu mettre le bébé au lit ?
3441. 네, 지금 할게. - Oui, je vais le faire maintenant.
3442. 38. 명사 단어들 외우기, 필수 10개 동사의 단어들을 가지고 50문장 연습하기 - 38. mémoriser les noms, pratiquer 50 phrases avec les 10 verbes essentiels
3443. 인형 - poupée
3444. 모형 - modèle
3445. 자전거 - bicyclette
3446. 음식 - nourriture
3447. 책 - livre
3448. 차 - voiture
3449. 창문 - fenêtre
3450. 문 - porte
3451. 상자 - boîte

3452. 가방 - sac
3453. 불 - feu
3454. 컴퓨터 - ordinateur
3455. 텔레비전 - télévision
3456. 라디오 - radio
3457. 등 - etc.
3458. 엔진 - moteur
3459. 방 - salle
3460. 길 - route
3461. 화면 - écran
3462. 눈 - œil
3463. 그림 - peinture
3464. 감정 - émotion
3465. 실력 - compétence
3466. 성과 - résultat
3467. 세우다 - mettre en place
3468. 그녀는 인형을 세웠다. - Elle a installé la poupée.
3469. 그들은 모형을 세운다. - Ils ont installé une maquette.
3470. 나는 자전거를 세울 것이다. - Je vais installer un vélo.
3471. 모형 세울까? - Nous installons une maquette ?
3472. 좋아, 세우자. - D'accord, installons-la.
3473. 덮다 - couvrir
3474. 우리는 음식을 덮었다. - Nous avons couvert la nourriture.
3475. 당신은 책을 덮는다. - Vous couvrez le livre.
3476. 그들은 차를 덮을 것이다. - Ils couvriront la voiture.
3477. 이불 덮을래? - Voulez-vous couvrir l'édredon ?
3478. 아니, 괜찮아. - Non, c'est très bien.
3479. 열다 - ouvrir
3480. 그녀는 창문을 열었다. - Elle a ouvert la fenêtre.
3481. 나는 문을 연다. - J'ouvre la porte.
3482. 우리는 상자를 열 것이다. - Nous allons ouvrir la boîte.
3483. 문 열까? - Dois-je ouvrir la porte ?
3484. 네, 열어줘. - Oui, ouvrez-moi la porte.
3485. 닫다 - Fermer

3486. 그는 책을 닫았다. - Il a fermé le livre.
3487. 그녀는 상자를 닫는다. - Elle ferme la boîte.
3488. 너는 가방을 닫을 것이다. - Vous fermerez le sac.
3489. 창문 닫을래? - Tu fermeras la fenêtre ?
3490. 네, 닫을게. - Oui, je la ferme.
3491. 켜다 - Allumer
3492. 우리는 불을 켰다. - Nous avons allumé la lumière.
3493. 당신들은 컴퓨터를 켠다. - Vous, vous allumez l'ordinateur.
3494. 그들은 텔레비전을 켤 것이다. - Ils vont allumer la télévision.
3495. 불 켤까? - On allume la lumière ?
3496. 좋아, 켜자. - D'accord, on l'allume.
3497. 끄다 - éteindre
3498. 나는 라디오를 껐다. - J'ai éteint la radio.
3499. 그녀는 등을 끈다. - Elle a éteint la lumière.
3500. 그는 차의 엔진을 끌 것이다. - Il va éteindre le moteur de la voiture.
3501. 등 끌래? - Voulez-vous éteindre la lumière ?
3502. 네, 끌게. - Oui, je l'éteins.
3503. 밝히다 - éclairer
3504. 그녀는 방을 밝혔다. - Elle a éclairé la pièce.
3505. 우리는 등을 밝힌다. - Nous allumons les lumières.
3506. 당신들은 길을 밝힐 것이다. - Vous allez éclairer le chemin.
3507. 더 밝게 할까? - On l'éclaire un peu plus ?
3508. 그래, 좋아. - Oui, d'accord.
3509. 어둡게 하다 - Assombrir
3510. 그는 화면을 어둡게 했다. - Il a assombri l'écran.
3511. 너는 방을 어둡게 한다. - Vous assombrissez la pièce.
3512. 그녀는 불빛을 어둡게 할 것이다. - Elle va tamiser les lumières.
3513. 조명 낮출까? - Voulez-vous que j'assombrisse les lumières ?
3514. 네, 부탁해. - Oui, je vous en prie.
3515. 가리다 - couvrir
3516. 나는 눈을 가렸다. - J'ai couvert mes yeux.
3517. 우리는 창문을 가린다. - Nous couvrons les fenêtres.
3518. 그들은 그림을 가릴 것이다. - Ils vont recouvrir le tableau.
3519. 이걸로 가릴까? - On le couvre avec ça ?

3520. 좋아, 그게 좋겠어. - D'accord, ce serait bien.
3521. 보이다 - Montrer
3522. 그녀는 감정을 보였다. - Elle a montré son émotion.
3523. 그는 실력을 보인다. - Il fait preuve d'habileté.
3524. 너는 성과를 보일 것이다. - Vous ferez preuve de performance.
3525. 잘 보였어? - Est-ce que j'ai fait bonne figure ?
3526. 응, 완벽해. - Oui, c'est parfait.
3527. 39. 명사 단어들 외우기, 필수 10개 동사의 단어들을 가지고 50문장 연습하기 - 39. mémoriser les noms, pratiquer 50 phrases avec les mots des 10 verbes essentiels
3528. 요리 - cuisine
3529. 음료 - boisson
3530. 디저트 - dessert
3531. 천 - tissu
3532. 표면 - surface
3533. 소재 - Matériau
3534. 마음 - esprit
3535. 주제 - sujet
3536. 문제 - problème
3537. 피아노 - piano
3538. 드럼 - tambour
3539. 기타 - etc.
3540. 문 - porte
3541. 탁자 - table
3542. 어깨 - épaule
3543. 벌레 - punaise
3544. 머리 - tête
3545. 등 - etc.
3546. 눈 - œil
3547. 손 - main
3548. 팔 - huit
3549. 창문 - fenêtre
3550. 거울 - miroir
3551. 바닥 - plancher

3552. 마당 - cour
3553. 길 - route
3554. 침대 - lit
3555. 소파 - Canapé
3556. 해먹 - hamac
3557. 맛보다 - pour goûter
3558. 우리는 새로운 요리를 맛보았다. - Nous avons goûté un nouveau plat.
3559. 당신들은 음료를 맛본다. - Vous goûtez une boisson.
3560. 그들은 디저트를 맛볼 것이다. - Ils vont goûter le dessert.
3561. 맛 좀 볼래? - Voulez-vous goûter ?
3562. 네, 감사해. - Oui, merci.
3563. 만지다 - toucher
3564. 그는 부드러운 천을 만졌다. - Il a touché le tissu doux.
3565. 그녀는 표면을 만진다. - Elle touche la surface.
3566. 나는 새로운 소재를 만질 것이다. - Je vais toucher un nouveau matériau.
3567. 이거 만져도 돼? - Puis-je toucher ceci ?
3568. 네, 괜찮아. - Oui, c'est possible.
3569. 건드리다 - toucher
3570. 나는 그의 마음을 건드렸다. - J'ai touché son cœur.
3571. 우리는 주제를 건드린다. - Nous abordons un sujet.
3572. 당신들은 문제를 건드릴 것이다. - Vous toucherez le sujet.
3573. 이걸 건드려도 될까? - Puis-je toucher ceci ?
3574. 아니, 말아줘. - Non, s'il vous plaît, ne le faites pas.
3575. 치다 - frapper
3576. 그녀는 피아노를 쳤다. - Elle a joué du piano.
3577. 그는 드럼을 친다. - Il joue de la batterie.
3578. 너는 기타를 칠 것이다. - Vous jouerez de la guitare.
3579. 음악 칠까? - On joue de la musique ?
3580. 좋아, 시작해. - D'accord, allez-y.
3581. 두드리다 - Frapper
3582. 그녀는 문을 두드렸다. - Elle a frappé à la porte.
3583. 우리는 탁자를 두드린다. - Nous frappons sur la table.
3584. 그들은 어깨를 두드릴 것이다. - Ils vous tapent sur l'épaule.

3585. 더 두드려 볼까? - On frappe encore ?
3586. 아니, 됐어. - Non, merci.
3587. 긁다 - gratter
3588. 나는 벌레 물린 곳을 긁었다. - J'ai gratté la piqûre d'insecte.
3589. 그는 머리를 긁는다. - Il se gratte la tête.
3590. 그녀는 등을 긁을 것이다. - Elle va se gratter le dos.
3591. 여기 긁어줄까? - Voulez-vous que je gratte ici ?
3592. 네, 부탁해. - Oui, s'il vous plaît.
3593. 문지르다 - frotter
3594. 그녀는 눈을 문지렀다. - Elle se frotte les yeux.
3595. 우리는 손을 문지른다. - On se frotte les mains.
3596. 너는 팔을 문지를 것이다. - Tu vas frotter ton bras.
3597. 더 문지를까? - On se frotte encore ?
3598. 아니, 괜찮아. - Non, c'est bon.
3599. 닦다 - essuyer
3600. 그는 창문을 닦았다. - Il a essuyé la vitre.
3601. 그녀는 거울을 닦는다. - Elle essuie le miroir.
3602. 우리는 바닥을 닦을 것이다. - Nous allons passer la serpillière.
3603. 이제 닦을까? - On passe la serpillière maintenant ?
3604. 좋아, 해줘. - D'accord, faites-le.
3605. 쓸다 - Balayer
3606. 나는 바닥을 쓸었다. - J'ai balayé le sol.
3607. 당신들은 마당을 쓴다. - Vous balayez la cour.
3608. 그들은 길을 쓸 것이다. - Ils vont balayer le chemin.
3609. 계속 쓸까? - Dois-je continuer à balayer ?
3610. 네, 계속해. - Oui, continuez.
3611. 눕다 - s'allonger
3612. 그녀는 침대에 누웠다. - Elle s'est allongée sur le lit.
3613. 너는 소파에 눕는다. - Tu t'allonges sur le canapé.
3614. 그는 해먹에 누울 것이다. - Il va s'allonger dans le hamac.
3615. 이제 누울까? - On s'allonge maintenant ?
3616. 응, 편해. - Oui, je suis bien installé.
3617. 40. 명사 단어들 외우기, 필수 10개 동사의 단어들을 가지고 50문장 연습하기 - 40. mémoriser les noms, pratiquer 50 phrases avec les mots des

10 verbes essentiels
3618. 새벽 - l'aube
3619. 잠 - dormir
3620. 꿈 - rêve
3621. 손 - main
3622. 얼굴 - visage
3623. 발 - pied
3624. 물 - eau
3625. 샤워 - douche
3626. 아이 - enfant
3627. 친구 - ami(e)
3628. 사람 - personne
3629. 기금 - fonds
3630. 옷 - vêtements
3631. 돈 - argent
3632. 책 - livre
3633. 장난감 - jouet
3634. 컴퓨터 - ordinateur
3635. 프로젝트 - projet
3636. 학생 - étudiant
3637. 이벤트 - événement
3638. 깨다 - Réveil
3639. 우리는 새벽에 깼다. - Nous nous sommes réveillés à l'aube.
3640. 그는 잠에서 깬다. - Il se réveille de son sommeil.
3641. 그녀는 꿈에서 깰 것이다. - Elle va se réveiller de son rêve.
3642. 벌써 깼어? - Es-tu déjà réveillé ?
3643. 아니, 아직이야. - Non, pas encore.
3644. 잠들다 - S'endormir
3645. 그는 빠르게 잠들었다. - Il s'est endormi rapidement.
3646. 그녀는 조용히 잠든다. - Elle s'endort tranquillement.
3647. 우리는 일찍 잠들 것이다. - Nous allons nous coucher tôt.
3648. 잘 수 있을까? - Pouvez-vous dormir ?
3649. 응, 잘 수 있어. - Oui, je peux dormir.
3650. 씻다 - laver

3651. 나는 얼굴을 씻었다. - Je me suis lavé le visage.
3652. 당신들은 손을 씻는다. - Tu te laves les mains.
3653. 그들은 발을 씻을 것이다. - Ils vont se laver les pieds.
3654. 손 씻었어? - Tu t'es lavé les mains ?
3655. 네, 씻었어. - Oui, je les ai lavées.
3656. 목욕하다 - se baigner
3657. 그녀는 긴 목욕을 했다. - Elle a pris un long bain.
3658. 우리는 따뜻한 물에 목욕한다. - Nous nous baignons dans de l'eau chaude.
3659. 너는 편안하게 목욕할 것이다. - Vous allez prendre un bain relaxant.
3660. 목욕할 시간이야? - C'est l'heure du bain ?
3661. 그래, 지금이야. - Oui, c'est l'heure.
3662. 샤워하다 - prendre une douche
3663. 그는 아침에 샤워했다. - Il a pris une douche le matin.
3664. 그녀는 빠르게 샤워한다. - Elle prend une douche rapide.
3665. 우리는 저녁에 샤워할 것이다. - Nous prendrons une douche le soir.
3666. 샤워 해야 하나? - Dois-je prendre une douche ?
3667. 응, 해야 해. - Oui, il le faut.
3668. 달래다 - apaiser
3669. 나는 울고 있는 아이를 달랬다. - J'ai apaisé l'enfant qui pleurait.
3670. 그는 친구를 달랜다. - Il réconfortera son ami.
3671. 그녀는 슬픈 사람을 달랠 것이다. - Elle réconfortera la personne triste.
3672. 조금 달랠까? - Dois-je l'apaiser ?
3673. 네, 부탁해. - Oui, je vous en prie.
3674. 미소짓다 - sourire
3675. 그녀는 따뜻하게 미소지었다. - Elle a souri chaleureusement.
3676. 우리는 서로에게 미소짓는다. - Nous nous sourions.
3677. 너는 행복을 느끼며 미소질 것이다. - Vous souriez de bonheur.
3678. 미소질래? - Allez-vous sourire ?
3679. 응, 물론이지. - Oui, bien sûr.
3680. 기부하다 - faire un don
3681. 그녀는 기금을 기부했다. - Elle a fait don des fonds.
3682. 우리는 옷을 기부한다. - Nous donnons des vêtements.

3683. 당신들은 돈을 기부할 것이다. - Vous allez donner de l'argent.
3684. 기부 할래? - Voulez-vous faire un don ?
3685. 네, 할래. - Oui, je vais le faire.
3686. 기증하다 - faire un don
3687. 나는 책을 기증했다. - J'ai donné les livres.
3688. 너는 장난감을 기증한다. - Vous donnerez un jouet.
3689. 그는 컴퓨터를 기증할 것이다. - Il va donner son ordinateur.
3690. 책 줄까? - Dois-je lui donner le livre ?
3691. 네, 줘. - Oui, donnez-le.
3692. 후원하다 - Sponsoriser
3693. 그들은 프로젝트를 후원했다. - Ils ont parrainé le projet.
3694. 나는 학생을 후원한다. - Je parraine un étudiant.
3695. 너는 이벤트를 후원할 것이다. - Vous allez parrainer un événement.
3696. 후원할래? - Voulez-vous parrainer ?
3697. 네, 할래. - Oui, je le ferai.
3698. 41. 명사 단어들 외우기, 필수 10개 동사의 단어들을 가지고 50문장 연습하기 - 41. mémoriser les noms, faire 50 phrases avec les 10 verbes essentiels
3699. 친구 - ami(e)
3700. 팀 - équipe
3701. 프로그램 - programme
3702. 동료 - collègue
3703. 파트너 - partenaire
3704. 조직 - groupe
3705. 목표 - cible
3706. 커뮤니티 - communauté
3707. 회의 - réunion
3708. 워크숍(공동 연수) - Atelier (formation commune)
3709. 세미나 - séminaire
3710. 파티 - fête
3711. 모임 - classe
3712. 이벤트 - événement
3713. 프로젝트 - projet
3714. 논의 - Argument

3715. 결정 - décision
3716. 분쟁 - litige
3717. 협상 - Négociation
3718. 문제해결 - résolution de problèmes
3719. 대화 - conversation
3720. 논쟁 - argumentation
3721. 계획 - plan
3722. 작업 - travail
3723. 집중 - Concentration
3724. 싸움 - lutte
3725. 오해 - malentendu
3726. 지원하다 - soutenir
3727. 그녀는 친구를 지원했다. - Elle a soutenu son ami.
3728. 우리는 팀을 지원한다. - Nous soutenons l'équipe.
3729. 당신들은 프로그램을 지원할 것이다. - Vous soutiendrez le programme.
3730. 도울까? - Voulez-vous m'aider ?
3731. 네, 도와줘. - Oui, aidez-moi.
3732. 협력하다 - Coopérer
3733. 나는 동료와 협력했다. - J'ai collaboré avec un collègue.
3734. 너는 파트너와 협력한다. - Vous coopérez avec votre partenaire.
3735. 그는 조직과 협력할 것이다. - Il va coopérer avec l'organisation.
3736. 같이 할래? - Voulez-vous vous joindre à nous ?
3737. 네, 할래. - Oui, je le ferai.
3738. 협동하다 - Coopérer
3739. 그들은 공동의 목표를 위해 협동했다. - Ils ont coopéré pour atteindre un objectif commun.
3740. 나는 팀과 협동한다. - Je collabore avec l'équipe.
3741. 너는 커뮤니티와 협동할 것이다. - Vous allez collaborer avec la communauté.
3742. 협력할까? - Allons-nous coopérer ?
3743. 네, 해. - Oui, je le ferai.
3744. 참석하다 - assister
3745. 그녀는 회의에 참석했다. - Elle a assisté à la réunion.

3746. 우리는 워크숍에 참석한다. - Nous assisterons à l'atelier.
3747. 당신들은 세미나에 참석할 것이다. - Vous assisterez au séminaire.
3748. 갈까? - On y va ?
3749. 네, 가자. - Oui, allons-y.
3750. 불참하다 - S'absenter
3751. 나는 파티에 불참했다. - Je n'ai pas assisté à la fête.
3752. 너는 모임에 불참한다. - Vous manquerez la réunion.
3753. 그는 이벤트에 불참할 것이다. - Il sera absent de l'événement.
3754. 안 갈래? - Tu ne veux pas y aller ?
3755. 네, 안 갈래. - Non, je n'y vais pas.
3756. 관여하다 - Être impliqué dans
3757. 그들은 프로젝트에 관여했다. - Ils étaient impliqués dans le projet.
3758. 나는 논의에 관여한다. - Je suis impliqué dans la discussion.
3759. 너는 결정에 관여할 것이다. - Vous serez impliqué dans la décision.
3760. 참여할래? - Serez-vous impliqué ?
3761. 네, 할래. - Oui, je le ferai.
3762. 개입하다 - intervenir
3763. 그녀는 분쟁에 개입했다. - Elle est intervenue dans la dispute.
3764. 우리는 협상에 개입한다. - Nous intervenons dans la négociation.
3765. 당신들은 문제해결에 개입할 것이다. - Vous interviendrez dans le problème.
3766. 도울까? - Dois-je vous aider ?
3767. 네, 도와줘. - Oui, aidez-moi.
3768. 참견하다 - intervenir
3769. 나는 그들의 대화에 참견했다. - Je suis intervenu dans leur conversation.
3770. 너는 논쟁에 참견한다. - Vous intervenez dans la discussion.
3771. 그는 계획에 참견할 것이다. - Il va s'immiscer dans le plan.
3772. 끼어들까? - Dois-je vous interrompre ?
3773. 아니, 말아줘. - Non, je vous en prie.
3774. 방해하다 - interrompre
3775. 그들은 작업을 방해했다. - Ils ont interrompu le travail.
3776. 나는 집중을 방해한다. - Je suis une distraction.
3777. 너는 회의를 방해할 것이다. - Vous allez perturber la réunion.

3778. 멈출까? - Pouvons-nous arrêter ?
3779. 네, 멈춰. - Oui, arrêtez.
3780. 저지하다 - contrecarrer
3781. 그녀는 계획을 저지했다. - Elle a contrecarré le plan.
3782. 우리는 싸움을 저지한다. - Nous allons arrêter le combat.
3783. 당신들은 오해를 저지할 것이다. - Vous allez arrêter le malentendu.
3784. 막을까? - Arrêter ?
3785. 네, 막아. - Oui, arrêtez.
3786. 42. 명사 단어들 외우기, 필수 10개 동사의 단어들을 가지고 50문장 연습하기 - 42. mémoriser les noms, pratiquer 50 phrases avec les 10 verbes essentiels
3787. 길 - route
3788. 진입 - entrer
3789. 문제 - problème
3790. 출구 - sortir
3791. 소리 - son
3792. 소음 - bruit
3793. 광고 - publicité
3794. 속도 - vitesse
3795. 사용 - utilisation
3796. 접근 - Accès
3797. 시간 - heure
3798. 조건 - condition
3799. 선택 - sélectionner
3800. 가능성 - Possibilité
3801. 규칙 - règle
3802. 행동 - action
3803. 자유 - liberté
3804. 감정 - émotion
3805. 충동 - impulsion
3806. 성장 - croissance
3807. 정보 - information
3808. 사실 - effectivement
3809. 증거 - preuve

3810. 패턴 - modèle
3811. 위험 - danger
3812. 기회 - opportunité
3813. 상황 - situation
3814. 개념 - concept
3815. 진실 - vérité
3816. 중요성 - importance
3817. 가치 - valeur
3818. 막다 - bloquer
3819. 그는 길을 막았다. - Il a bloqué le passage.
3820. 그녀는 진입을 막는다. - Elle bloque l'entrée.
3821. 우리는 문제를 막을 것이다. - Nous allons mettre fin au problème.
3822. 출구 막혔나요? - La sortie est-elle bloquée ?
3823. 네, 막혔어요. - Oui, elle est bloquée.
3824. 차단하다 - Bloquer
3825. 그녀는 소리를 차단했다. - Elle a bloqué le son.
3826. 우리는 소음을 차단한다. - Nous allons bloquer le bruit.
3827. 당신들은 광고를 차단할 것이다. - Vous allez bloquer les publicités.
3828. 소음 차단 됐나요? - Le bruit est-il bloqué ?
3829. 네, 됐어요. - Oui, c'est bon.
3830. 제한하다 - limiter
3831. 그는 속도를 제한했다. - Il a limité sa vitesse.
3832. 그녀는 사용을 제한한다. - Elle limite son utilisation.
3833. 우리는 접근을 제한할 것이다. - Nous allons limiter l'accès.
3834. 시간 제한 있나요? - Y a-t-il une limite de temps ?
3835. 네, 있어요. - Oui, il y en a une.
3836. 제약하다 - contraindre
3837. 그녀는 조건을 제약했다. - Elle a limité les conditions.
3838. 우리는 선택을 제약한다. - Nous limitons le choix.
3839. 당신들은 가능성을 제약할 것이다. - Vous contraindrez les possibilités.
3840. 조건 제약 있나요? - Contraignez-vous les conditions ?
3841. 네, 있어요. - Oui, il y en a.
3842. 구속하다 - contraindre
3843. 그는 규칙을 구속했다. - Il a contraint les règles.

3844. 그녀는 행동을 구속한다. - Elle contraint le comportement.
3845. 우리는 자유를 구속할 것이다. - Nous allons contraindre la liberté.
3846. 자유 구속됐나요? - La liberté rachetée ?
3847. 네, 됐어요. - Oui, c'est cela.
3848. 억제하다 - restreindre
3849. 그녀는 감정을 억제했다. - Elle réfrène ses émotions.
3850. 우리는 충동을 억제한다. - Nous restreindrons les impulsions.
3851. 당신들은 성장을 억제할 것이다. - Vous freinerez votre croissance.
3852. 감정 억제되나요? - Réprimez-vous vos émotions ?
3853. 네, 되요. - Oui, elles le sont.
3854. 검증하다 - vérifier
3855. 그는 정보를 검증했다. - Il a vérifié l'information.
3856. 그녀는 사실을 검증한다. - Elle vérifie les faits.
3857. 우리는 증거를 검증할 것이다. - Nous allons vérifier les preuves.
3858. 사실 검증됐나요? - Avez-vous vérifié les faits ?
3859. 네, 됐어요. - Oui, c'est bon.
3860. 식별하다 - Identifier
3861. 그녀는 패턴을 식별했다. - Elle a identifié un modèle.
3862. 우리는 위험을 식별한다. - Nous identifions les risques.
3863. 당신들은 기회를 식별할 것이다. - Vous, vous identifiez les opportunités.
3864. 위험 식별됐나요? - Risque identifié ?
3865. 네, 됐어요. - Oui, c'est bon.
3866. 이해하다 - Comprendre
3867. 그는 문제를 이해했다. - Il comprend le problème.
3868. 그녀는 상황을 이해한다. - Elle comprend la situation.
3869. 우리는 개념을 이해할 것이다. - Nous allons comprendre le concept.
3870. 상황 이해돼요? - Comprenez-vous la situation ?
3871. 네, 이해돼요. - Oui, je comprends.
3872. 깨닫다 - réaliser
3873. 그녀는 진실을 깨달았다. - Elle s'est rendu compte de la vérité.
3874. 우리는 중요성을 깨닫는다. - Nous réalisons l'importance.
3875. 당신들은 가치를 깨달을 것이다. - Vous vous rendrez compte de la valeur.

3876. 진실 깨달았나요? - Avez-vous réalisé la vérité ?
3877. 네, 깨달았어요. - Oui, je m'en suis rendu compte.
3878. 43. 명사 단어들 외우기, 필수 10개 동사의 단어들을 가지고 50문장 연습하기 - 43. mémoriser les noms, pratiquer 50 phrases avec les mots des 10 verbes essentiels
3879. 변화 - changer
3880. 실수 - erreur
3881. 기회 - opportunité
3882. 규칙 - règle
3883. 세부사항 - Détail
3884. 절차 - procédure
3885. 기술 - technologie
3886. 발표 - présentation
3887. 공연 - spectacle
3888. 언어 - langage
3889. 전략 - stratégie
3890. 게임 - jeu
3891. 악기 - instrument
3892. 분야 - domaine
3893. 집 - maison
3894. 프로젝트 - projet
3895. 시스템 - système
3896. 팀 - équipe
3897. 네트워크 - réseau
3898. 관계 - relation
3899. 영상 - vidéo
3900. 콘텐츠 - contenu
3901. 제품 - produit
3902. 물건 - chose
3903. 아이디어 - idée
3904. 에너지 - énergie
3905. 기계 - machine
3906. 시설 - installation
3907. 알아차리다 - remarquer

3908. 그는 변화를 알아차렸다. - Il a remarqué le changement.
3909. 그녀는 실수를 알아차린다. - Elle remarque les erreurs.
3910. 우리는 기회를 알아차릴 것이다. - Nous reconnaîtrons l'opportunité.
3911. 실수 알아차렸나요? - Avez-vous remarqué l'erreur ?
3912. 네, 알아차렸어요. - Oui, je l'ai remarquée.
3913. 숙지하다 - Se familiariser avec
3914. 그녀는 규칙을 숙지했다. - Elle s'est familiarisée avec les règles.
3915. 우리는 세부사항을 숙지한다. - Nous nous familiarisons avec les détails.
3916. 당신들은 절차를 숙지할 것이다. - Vous vous familiariserez avec la procédure.
3917. 규칙 숙지됐나요? - Connaissez-vous les règles ?
3918. 네, 숙지됐어요. - Oui, je les connais.
3919. 연습하다 - pratiquer
3920. 그는 기술을 연습했다. - Il a pratiqué la technique.
3921. 그녀는 발표를 연습한다. - Elle a répété sa présentation.
3922. 우리는 공연을 연습할 것이다. - Nous allons répéter le spectacle.
3923. 발표 연습했나요? - Avez-vous répété votre présentation ?
3924. 네, 연습했어요. - Oui, nous nous sommes entraînés.
3925. 숙달하다 - maîtriser
3926. 그녀는 언어를 숙달했다. - Elle a maîtrisé la langue.
3927. 우리는 기술을 숙달한다. - Nous maîtrisons une compétence.
3928. 당신들은 전략을 숙달할 것이다. - Vous maîtriserez la stratégie.
3929. 기술 숙달됐나요? - Avez-vous maîtrisé la compétence ?
3930. 네, 숙달됐어요. - Oui, je l'ai maîtrisée.
3931. 마스터하다 - maîtriser
3932. 그는 게임을 마스터했다. - Il a maîtrisé le jeu.
3933. 그녀는 악기를 마스터한다. - Elle maîtrise l'instrument.
3934. 우리는 분야를 마스터할 것이다. - Nous allons maîtriser la discipline.
3935. 악기 마스터했나요? - As-tu maîtrisé l'instrument ?
3936. 네, 마스터했어요. - Oui, je l'ai maîtrisé.
3937. 설계하다 - Concevoir
3938. 그녀는 집을 설계했다. - Elle a conçu la maison.
3939. 우리는 프로젝트를 설계한다. - Nous allons concevoir un projet.

3940. 당신들은 시스템을 설계할 것이다. - Vous allez concevoir un système.
3941. 프로젝트 설계됐나요? - Le projet est-il conçu ?
3942. 네, 설계됐어요. - Oui, il est conçu.
3943. 구축하다 - Construire
3944. 그는 팀을 구축했다. - Il a constitué une équipe.
3945. 그녀는 네트워크를 구축한다. - Elle construit un réseau.
3946. 우리는 관계를 구축할 것이다. - Nous allons construire une relation.
3947. 네트워크 구축됐나요? - Le réseau est-il construit ?
3948. 네, 구축됐어요. - Oui, il est construit.
3949. 제작하다 - Produire
3950. 그녀는 영상을 제작했다. - Elle a produit une vidéo.
3951. 우리는 콘텐츠를 제작한다. - Nous allons produire du contenu.
3952. 당신들은 제품을 제작할 것이다. - Vous allez créer un produit.
3953. 콘텐츠 제작됐나요? - Le contenu est-il construit ?
3954. 네, 제작됐어요. - Oui, il a été produit.
3955. 생산하다 - produire
3956. 그는 물건을 생산했다. - Il a produit des choses.
3957. 그녀는 아이디어를 생산한다. - Elle produit des idées.
3958. 우리는 에너지를 생산할 것이다. - Nous allons produire de l'énergie.
3959. 아이디어 생산되나요? - Les idées sont-elles produites ?
3960. 네, 생산돼요. - Oui, elles sont produites.
3961. 보수하다 - Réparer
3962. 그녀는 집을 보수했다. - Elle a réparé la maison.
3963. 우리는 기계를 보수한다. - Nous réparons les machines.
3964. 당신들은 시설을 보수할 것이다. - Vous allez remettre l'installation en état.
3965. 기계 보수됐나요? - La machine est-elle réparée ?
3966. 네, 보수됐어요. - Oui, elle a été réparée.
3967. 44. 명사 단어들 외우기, 필수 10개 동사의 단어들을 가지고 50문장 연습하기 - 44. mémoriser les noms, faire 50 phrases avec les 10 verbes essentiels
3968. 차 - voiture
3969. 장비 - équipement
3970. 시스템 - système

3971. 창문 - fenêtre
3972. 바닥 - sol
3973. 가구 - meubles
3974. 마당 - cour
3975. 방 - pièce
3976. 거리 - distance
3977. 테이블 - table
3978. 유리 - verre
3979. 집 - maison
3980. 축제 - festival
3981. 풍경 - vue
3982. 아이디어 - idée
3983. 디자인 - design
3984. 옷 - vêtements
3985. 웹사이트 - Site web
3986. 앱 - application
3987. 나무 - arbre
3988. 돌 - rocher
3989. 얼음 - glace
3990. 시 - ville
3991. 음악 - musique
3992. 이야기 - histoire
3993. 산 - montagne
3994. 계단 - escaliers
3995. 봉우리 - sommets
3996. 정비하다 - entretenir
3997. 그는 차를 정비했다. - Il a entretenu sa voiture.
3998. 그녀는 장비를 정비한다. - Elle entretient le matériel.
3999. 우리는 시스템을 정비할 것이다. - Nous allons réviser le système.
4000. 장비 정비됐나요? - Le matériel a-t-il été entretenu ?
4001. 네, 정비됐어요. - Oui, il a été révisé.
4002. 닦다 - essuyer
4003. 그녀는 창문을 닦았다. - Elle a lavé les vitres.
4004. 우리는 바닥을 닦는다. - Nous passons la serpillière.

4005. 당신들은 가구를 닦을 것이다. - Vous, vous lustrerez les meubles.
4006. 바닥 닦았나요? - Tu as passé la serpillière ?
4007. 네, 닦았어요. - Oui, j'ai passé la serpillière.
4008. 쓸다 - Balayer
4009. 그는 마당을 쓸었다. - Il a balayé la cour.
4010. 그녀는 방을 쓴다. - Elle balaie la pièce.
4011. 우리는 거리를 쓸 것이다. - Nous allons balayer la rue.
4012. 방 쓸었나요? - Avez-vous balayé la pièce ?
4013. 네, 쓸었어요. - Oui, je l'ai balayée.
4014. 문지르다 - frotter
4015. 그녀는 테이블을 문지렀다. - Elle a frotté la table.
4016. 우리는 유리를 문지른다. - Nous avons frotté le verre.
4017. 당신들은 바닥을 문지를 것이다. - Vous allez frotter le sol.
4018. 유리 문지렀나요? - Avez-vous frotté le verre ?
4019. 네, 문지렀어요. - Oui, je l'ai frotté.
4020. 장식하다 - décorer
4021. 그녀는 방을 장식했다. - Elle a décoré la chambre.
4022. 우리는 집을 장식한다. - Nous décorons la maison.
4023. 당신들은 축제를 장식할 것이다. - Vous allez décorer le festival.
4024. 장식 좋아해? - Aimes-tu décorer ?
4025. 네, 좋아해. - Oui, j'aime bien.
4026. 스케치하다 - dessiner
4027. 그는 풍경을 스케치했다. - Il a dessiné le paysage.
4028. 우리는 아이디어를 스케치한다. - Nous esquissons des idées.
4029. 그들은 새로운 디자인을 스케치할 것이다. - Ils vont esquisser un nouveau projet.
4030. 그림 그리기 좋아해? - Aimez-vous dessiner ?
4031. 응, 좋아해. - Oui, j'aime bien.
4032. 디자인하다 - dessiner
4033. 그녀는 옷을 디자인했다. - Elle a dessiné les vêtements.
4034. 우리는 웹사이트를 디자인한다. - Nous concevons des sites Internet.
4035. 당신들은 새로운 앱을 디자인할 것이다. - Vous allez concevoir une nouvelle application.
4036. 디자인 재밌어? - Est-ce que le design est amusant ?

4037. 네, 재밌어. - Oui, c'est amusant.
4038. 조각하다 - sculpter
4039. 그는 나무를 조각했다. - Il a sculpté le bois.
4040. 우리는 돌을 조각한다. - Nous sculptons la pierre.
4041. 그들은 얼음을 조각할 것이다. - Ils vont sculpter la glace.
4042. 조각하기 어려워? - Est-ce difficile de sculpter ?
4043. 아니, 쉬워. - Non, c'est facile.
4044. 창작하다 - Créer
4045. 그녀는 시를 창작했다. - Elle a créé un poème.
4046. 우리는 음악을 창작한다. - Nous créons de la musique.
4047. 당신들은 이야기를 창작할 것이다. - Vous allez créer une histoire.
4048. 창작 즐거워? - Aimez-vous créer ?
4049. 응, 즐거워. - Oui, j'aime bien.
4050. 오르다 - grimper
4051. 그는 산을 올랐다. - Il a escaladé la montagne.
4052. 우리는 계단을 오른다. - Nous montons les escaliers.
4053. 그들은 높은 봉우리를 오를 것이다. - Ils vont escalader un haut sommet.
4054. 등산 좋아해? - Aimes-tu grimper ?
4055. 네, 좋아해. - Oui, j'aime bien.
4056. 45. 명사 단어들 외우기, 필수 10개 동사의 단어들을 가지고 50문장 연습하기 - 45. Mémorisez les noms, pratiquez 50 phrases avec les 10 verbes essentiels.
4057. 영어 실력 - compétence en anglais
4058. 기술 - technologie
4059. 통신 - communication
4060. 계획 - plan
4061. 방향 - direction
4062. 생각 - pensée
4063. 디자인 - conception
4064. 구조 - structure
4065. 아이디어 - idée
4066. 부품 - partie
4067. 재료 - ingrédient

4068. 시스템 - système
4069. 일정 - programme
4070. 프로젝트 - projet
4071. 알람 - alarme
4072. 규칙 - règle
4073. 비밀번호 - mot de passe
4074. 기기 - appareil
4075. 컴퓨터 - ordinateur
4076. 설정 - réglage
4077. 데이터 - données
4078. 기계 - machine
4079. 프로그램 - programme
4080. 장치 - Appareil
4081. 앱 - app
4082. 기능 - fonction
4083. 향상하다 - améliorer
4084. 그녀는 영어 실력을 향상시켰다. - Elle a amélioré son anglais.
4085. 우리는 기술을 향상시킨다. - Nous améliorons nos compétences.
4086. 당신들은 통신을 향상시킬 것이다. - Vous allez améliorer votre communication.
4087. 실력 늘었어? - Avez-vous amélioré vos compétences ?
4088. 응, 늘었어. - Oui, je me suis amélioré.
4089. 변화하다 - changer
4090. 나는 계획을 변화했다. - J'ai changé mes plans.
4091. 너는 방향을 변화한다. - Vous changerez de direction.
4092. 그는 생각을 변화할 것이다. - Il va changer d'avis.
4093. 계획 바꿀래? - Voulez-vous changer vos plans ?
4094. 네, 바꿀래. - Oui, je veux changer.
4095. 변형하다 - transformer
4096. 그녀는 디자인을 변형했다. - Elle a transformé le projet.
4097. 우리는 구조를 변형한다. - Nous allons transformer la structure.
4098. 당신들은 아이디어를 변형할 것이다. - Vous allez transformer l'idée.
4099. 디자인 바뀌었어? - Avez-vous changé le projet ?
4100. 네, 바뀌었어. - Oui, il a changé.

4101. 대체하다 - substituer
4102. 그들은 부품을 대체했다. - Ils ont remplacé des pièces.
4103. 나는 재료를 대체한다. - Je remplace le matériau.
4104. 너는 시스템을 대체할 것이다. - Vous remplacerez le système.
4105. 부품 바꿀까? - Devons-nous remplacer les pièces ?
4106. 네, 바꿀까. - Oui, je vais le remplacer.
4107. 조율하다 - Coordonner
4108. 그녀는 계획을 조율했다. - Elle a coordonné le plan.
4109. 우리는 일정을 조율한다. - Nous coordonnerons le calendrier.
4110. 당신들은 프로젝트를 조율할 것이다. - Vous coordonnerez le projet.
4111. 일정 맞출 수 있어? - Pouvez-vous respecter le calendrier ?
4112. 네, 맞출 수 있어. - Oui, je peux le faire.
4113. 설정하다 - Mettre en place
4114. 그들은 시스템을 설정했다. - Ils ont mis en place le système.
4115. 나는 알람을 설정한다. - Je règle l'alarme.
4116. 너는 규칙을 설정할 것이다. - Vous fixez les règles.
4117. 알람 켤까? - Dois-je mettre l'alarme en marche ?
4118. 네, 켤까. - Oui, mettons-la en marche.
4119. 재설정하다 - réinitialiser
4120. 그녀는 비밀번호를 재설정했다. - Elle a réinitialisé son mot de passe.
4121. 우리는 기기를 재설정한다. - Nous avons réinitialisé l'appareil.
4122. 당신들은 계획을 재설정할 것이다. - Vous allez réinitialiser le plan.
4123. 다시 시작할까? - On recommence ?
4124. 네, 시작할까. - Oui, recommençons.
4125. 초기화하다 - initialiser
4126. 그들은 컴퓨터를 초기화했다. - Ils ont réinitialisé l'ordinateur.
4127. 나는 설정을 초기화한다. - Je vais initialiser les paramètres.
4128. 너는 데이터를 초기화할 것이다. - Vous allez initialiser vos données.
4129. 전부 지울까? - Voulez-vous tout effacer ?
4130. 네, 지울까. - Oui, effaçons tout.
4131. 가동하다 - démarrer
4132. 그녀는 기계를 가동했다. - Elle a démarré la machine.
4133. 우리는 시스템을 가동한다. - Nous allons démarrer le système.
4134. 당신들은 프로그램을 가동할 것이다. - Vous allez lancer le programme.

4135. 시작할 시간이야? - C'est l'heure de démarrer ?
4136. 네, 시작할 시간이야. - Oui, il est temps de commencer.
4137. 작동하다 - faire fonctionner
4138. 그들은 장치를 작동했다. - Ils ont fait fonctionner l'appareil.
4139. 나는 앱을 작동한다. - Je vais faire fonctionner l'application.
4140. 너는 기능을 작동할 것이다. - Vous ferez fonctionner la fonction.
4141. 잘 되고 있어? - Comment cela se passe-t-il ?
4142. 네, 잘 되고 있어. - Oui, ça se passe bien.
4143. 46. 명사 단어들 외우기, 필수 10개 동사의 단어들을 가지고 50문장 연습하기 - 46. mémoriser les noms, pratiquer 50 phrases avec les 10 verbes essentiels
4144. 공부 - étudier
4145. 작업 - travailler
4146. 프로그램 - programme
4147. 프로젝트 - projet
4148. 회의 - réunion
4149. 시스템 - système
4150. 연습 - pratique
4151. 논의 - Argument
4152. 계획 - plan
4153. 대화 - conversation
4154. 이야기 - histoire
4155. 이벤트 - événement
4156. 아이디어 - idée
4157. 전략 - stratégie
4158. 꿈 - rêve
4159. 목표 - objectif
4160. 작품 - travail
4161. 보고서 - rapport
4162. 과제 - mission
4163. 준비 - Préparation
4164. 과정 - Processus
4165. 재개하다 - reprendre
4166. 그녀는 공부를 재개했다. - Elle a repris ses études.

4167. 우리는 작업을 재개한다. - Nous reprenons notre travail.
4168. 당신들은 프로그램을 재개할 것이다. - Vous allez reprendre le programme.
4169. 다시 시작할까? - Nous reprenons ?
4170. 네, 시작하자. - Oui, reprenons.
4171. 재시작하다 - redémarrer
4172. 그는 프로젝트를 재시작했다. - Il a redémarré le projet.
4173. 우리는 회의를 재시작한다. - Nous redémarrons la réunion.
4174. 당신들은 시스템을 재시작할 것이다. - Vous allez redémarrer le système.
4175. 다시 할 준비 됐어? - Êtes-vous prêt à recommencer ?
4176. 네, 준비 됐어. - Oui, je suis prêt.
4177. 계속하다 - Continuer
4178. 그녀는 연습을 계속했다. - Elle a continué à s'entraîner.
4179. 우리는 논의를 계속한다. - Nous continuons la discussion.
4180. 당신들은 계획을 계속할 것이다. - Vous allez poursuivre le plan.
4181. 계속 진행해도 돼? - Pouvons-nous continuer ?
4182. 네, 계속해. - Oui, allez-y.
4183. 이어가다 - continuer
4184. 그들은 회의를 이어갔다. - Ils ont continué la réunion.
4185. 우리는 프로젝트를 이어간다. - Nous continuons le projet.
4186. 당신들은 대화를 이어갈 것이다. - Vous allez poursuivre la conversation.
4187. 더 할 말 있어? - Vous avez d'autres questions ?
4188. 아니, 괜찮아. - Non, merci.
4189. 진행하다 - poursuivre
4190. 그녀는 계획을 진행했다. - Elle a poursuivi le projet.
4191. 우리는 작업을 진행한다. - Nous allons poursuivre la tâche.
4192. 당신들은 프로그램을 진행할 것이다. - Vous allez poursuivre le programme.
4193. 잘 되고 있어? - Comment cela se passe-t-il ?
4194. 네, 잘 되고 있어. - Oui, ça se passe bien.
4195. 전개하다 - développer
4196. 그는 이야기를 전개했다. - Il a développé l'histoire.

4197. 우리는 계획을 전개한다. - Nous développons un plan.
4198. 당신들은 이벤트를 전개할 것이다. - Vous allez dérouler un événement.
4199. 어떻게 될까? - Comment cela se passera-t-il ?
4200. 잘 될 거야. - Cela se passera bien.
4201. 구현하다 - Mettre en œuvre
4202. 그녀는 아이디어를 구현했다. - Elle a mis en œuvre l'idée.
4203. 우리는 전략을 구현한다. - Nous allons mettre en œuvre la stratégie.
4204. 당신들은 시스템을 구현할 것이다. - Vous allez mettre en œuvre le système.
4205. 실행 가능해? - Pouvez-vous le faire ?
4206. 네, 가능해. - Oui, c'est possible.
4207. 실현하다 - Réaliser
4208. 그들은 꿈을 실현했다. - Ils ont réalisé leur rêve.
4209. 우리는 목표를 실현한다. - Nous réalisons nos objectifs.
4210. 당신들은 계획을 실현할 것이다. - Vous réaliserez vos projets.
4211. 꿈 이뤄질까? - Mes rêves se réaliseront-ils ?
4212. 네, 이뤄질 거야. - Oui, ils se réaliseront.
4213. 완성하다 - Terminer
4214. 그녀는 작품을 완성했다. - Elle a terminé son travail.
4215. 우리는 보고서를 완성한다. - Nous allons terminer le rapport.
4216. 당신들은 프로젝트를 완성할 것이다. - Vous allez terminer le projet.
4217. 다 됐어? - Avez-vous terminé ?
4218. 네, 다 됐어. - Oui, j'ai terminé.
4219. 완료하다 - compléter
4220. 그는 과제를 완료했다. - Il a terminé son travail.
4221. 우리는 준비를 완료한다. - Nous terminerons les préparatifs.
4222. 당신들은 과정을 완료할 것이다. - Vous allez terminer le cours.
4223. 끝났어? - Avez-vous terminé ?
4224. 네, 끝났어. - Oui, j'ai terminé.
4225. 47. 명사 단어들 외우기, 필수 10개 동사의 단어들을 가지고 50문장 연습하기 - 47. mémoriser les noms, pratiquer 50 phrases avec les mots des 10 verbes essentiels
4226. 회의 - réunion

4227. 세션(시간, 기간) - séance (heure, durée)
4228. 서비스 - service
4229. 프로젝트 - projet
4230. 논의 - Argument
4231. 작업 - travail
4232. 연구 - recherche
4233. 프로그램 - programme
4234. 기계 - machine
4235. 계획 - plan
4236. 프로세스(처리기) - processus (gestionnaire)
4237. 활동 - activité
4238. 결정 - décision
4239. 발표 - présentation
4240. 공부 - étude
4241. 노래 - chanter
4242. 게임 - jeu
4243. 기록 - enregistrer
4244. 사진 - image
4245. 문서 - document
4246. 경험 - expérience
4247. 지식 - connaissance
4248. 자원 - ressource
4249. 종료하다 - fin(quitter)
4250. 그들은 회의를 종료했다. - Ils ont mis fin à la réunion.
4251. 우리는 세션을 종료한다. - Nous mettons fin à la session.
4252. 당신들은 서비스를 종료할 것이다. - Vous allez arrêter le service.
4253. 이제 끝낼까? - Nous terminons maintenant ?
4254. 네, 끝내자. - Oui, finissons-en.
4255. 마무리하다 - finaliser
4256. 그녀는 프로젝트를 마무리했다. - Elle a finalisé le projet.
4257. 우리는 논의를 마무리한다. - Nous concluons notre discussion.
4258. 당신들은 작업을 마무리할 것이다. - Vous allez terminer votre travail.
4259. 모두 정리됐어? - Est-ce que tout est organisé ?
4260. 네, 정리됐어. - Oui, tout est organisé.

4261. 개시하다 - initier
4262. 그는 연구를 개시했다. - Il a ouvert l'étude.
4263. 우리는 회의를 개시한다. - Nous ouvrons la réunion.
4264. 당신들은 프로그램을 개시할 것이다. - Vous allez initier un programme.
4265. 시작해도 괜찮아? - Sommes-nous prêts ?
4266. 네, 시작해. - Oui, allez-y.
4267. 발동하다 - activer
4268. 그녀는 기계를 발동했다. - Elle a activé la machine.
4269. 우리는 계획을 발동한다. - Nous allons déclencher un plan.
4270. 당신들은 프로세스를 발동할 것이다. - Vous allez déclencher le processus.
4271. 작동할까? - Cela fonctionnera-t-il ?
4272. 네, 작동할 거야. - Oui, cela fonctionnera.
4273. 정지하다 - Arrêter
4274. 그들은 작업을 정지했다. - Ils ont arrêté la tâche.
4275. 우리는 활동을 정지한다. - Nous arrêtons une activité.
4276. 당신들은 프로젝트를 정지할 것이다. - Vous allez arrêter le projet.
4277. 멈출 시간이야? - Est-il temps d'arrêter ?
4278. 네, 멈출 시간이야. - Oui, il est temps d'arrêter.
4279. 보류하다 - Mettre en suspens
4280. 그녀는 결정을 보류했다. - Elle a mis sa décision en suspens.
4281. 우리는 계획을 보류한다. - Nous avons mis le plan en attente.
4282. 당신들은 발표를 보류할 것이다. - Vous allez mettre la présentation en attente.
4283. 조금 기다릴까? - Nous attendons ?
4284. 네, 기다리겠습니다. - Oui, nous attendons.
4285. 중단하다 - Interrompre
4286. 나는 공부를 중단했다. - J'ai interrompu mon étude.
4287. 너는 노래를 중단한다. - Vous allez arrêter de chanter.
4288. 그는 게임을 중단할 것이다. - Il va arrêter de jouer.
4289. 멈출까? - S'arrêtera-t-il ?
4290. 아니, 안 멈출 거야. - Non, je ne m'arrêterai pas.
4291. 중지하다 - arrêter

4292. 그녀는 작업을 중지했다. - Elle a arrêté de travailler.
4293. 우리는 회의를 중지한다. - Nous annulons la réunion.
4294. 당신들은 프로젝트를 중지할 것이다. - Vous allez arrêter le projet.
4295. 중지할까? - On arrête ?
4296. 아니, 안 할 거야. - Non, nous n'arrêterons pas.
4297. 보관하다 - Garder
4298. 그들은 기록을 보관했다. - Ils ont tenu des registres.
4299. 나는 사진을 보관한다. - Je garde des photos.
4300. 너는 문서를 보관할 것이다. - Vous garderez des documents.
4301. 보관해둘까? - Dois-je les conserver ?
4302. 아니, 안 해도 돼. - Non, ce n'est pas nécessaire.
4303. 축적하다 - Accumuler
4304. 그녀는 경험을 축적했다. - Elle a accumulé de l'expérience.
4305. 우리는 지식을 축적한다. - Nous accumulons des connaissances.
4306. 당신들은 자원을 축적할 것이다. - Vous accumulerez des ressources.
4307. 축적할까? - Devons-nous accumuler ?
4308. 아니, 필요 없어. - Non, ce n'est pas nécessaire.
4309. 48. 명사 단어들 외우기, 필수 10개 동사의 단어들을 가지고 50문장 연습하기 - 48. mémoriser les noms, pratiquer 50 phrases avec les mots des 10 verbes essentiels
4310. 용기 - courage
4311. 능력 - capacité
4312. 진심 - sincérité
4313. 구덩이 - fosse
4314. 정원 - jardin
4315. 채널 - canal
4316. 휴식 - repos
4317. 휴가 - vacances
4318. 창문 - fenêtre
4319. 장난감 - jouet
4320. 장벽 - barrière
4321. 저녁 - dîner
4322. 식사 - repas
4323. 평화 - paix

4324. 변화 - changer
4325. 음식 - nourriture
4326. 책 - livre
4327. 우산 - parapluie
4328. 기회 - opportunité
4329. 쓰레기 - poubelle
4330. 선물 - cadeau
4331. 위험 - danger
4332. 논쟁 - argument
4333. 책임 - responsabilité
4334. 보이다 - montrer
4335. 나는 용기를 보였다. - Je fais preuve de courage
4336. 너는 능력을 보인다. - Vous faites preuve de compétence
4337. 그는 진심을 보일 것이다. - Il fera preuve de sincérité.
4338. 보여줄까? - Dois-je la montrer ?
4339. 아니, 괜찮아. - Non, c'est bon.
4340. 소리치다 - crier
4341. 그녀는 기쁨을 소리쳤다. - Elle a crié de joie.
4342. 우리는 승리를 소리친다. - Nous crions victoire.
4343. 당신들은 이름을 소리칠 것이다. - Vous allez crier votre nom.
4344. 소리쳐도 돼? - Je peux crier ?
4345. 아니, 조용히 해. - Non, taisez-vous.
4346. 파다 - à DIG
4347. 그들은 구덩이를 팠다. - Ils ont creusé une fosse.
4348. 나는 정원을 파낸다. - Je creuse un jardin.
4349. 너는 채널을 파낼 것이다. - Vous allez creuser un canal.
4350. 계속 파도 될까? - Dois-je continuer à creuser ?
4351. 아니, 그만 파. - Non, arrêtez de creuser.
4352. 쉬다 - Se reposer
4353. 그녀는 잠시 쉬었다. - Elle s'est reposée un moment.
4354. 우리는 휴식을 취한다. - Nous faisons une pause.
4355. 당신들은 휴가를 취할 것이다. - Vous allez prendre des vacances.
4356. 잠깐 쉴까? - On fait une pause ?
4357. 아니, 계속할게. - Non, je continue.

4358. 부수다 - casser
4359. 그는 창문을 부쉈다. - Il a cassé la fenêtre.
4360. 그녀는 장난감을 부수고 있다. - Elle casse ses jouets.
4361. 우리는 장벽을 부술 것이다. - Nous allons briser la barrière.
4362. 부술까요? - On la casse ?
4363. 그래, 부셔요. - Oui, cassons-la.
4364. 요리하다 - cuisiner
4365. 나는 저녁을 요리했다. - J'ai préparé le dîner.
4366. 너는 요리하고 있다. - Vous cuisinez.
4367. 그는 식사를 요리할 것이다. - Il va cuisiner le repas.
4368. 뭐 요리할까? - Que dois-je cuisiner ?
4369. 간단한 거로 해. - Quelque chose de simple.
4370. 원하다 - vouloir
4371. 그녀는 휴식을 원했다. - Elle voulait se reposer.
4372. 우리는 평화를 원한다. - Nous voulons la paix.
4373. 당신들은 변화를 원할 것이다. - Vous voulez un changement.
4374. 무엇을 원해요? - Que voulez-vous ?
4375. 조용한 시간이요. - Un peu de calme.
4376. 가져오다 - Apporter
4377. 그들은 음식을 가져왔다. - Ils ont apporté de la nourriture.
4378. 나는 책을 가져온다. - J'apporte un livre.
4379. 너는 우산을 가져올 것이다. - Vous apporterez le parapluie.
4380. 가져올까요? - Dois-je l'apporter ?
4381. 네, 부탁해요. - Oui, je vous en prie.
4382. 가져가다 - Prends-le.
4383. 그녀는 기회를 가져갔다. - Elle a tenté sa chance.
4384. 우리는 쓰레기를 가져간다. - Nous prenons les ordures.
4385. 당신들은 선물을 가져갈 것이다. - Vous prendrez le cadeau.
4386. 가져갈게요? - Vous le prenez ?
4387. 좋아요, 가져가세요. - D'accord, prenez-le.
4388. 회피하다 - éviter
4389. 나는 위험을 회피했다. - J'ai évité le danger.
4390. 너는 논쟁을 회피하고 있다. - Vous évitez l'argument.
4391. 그는 책임을 회피할 것이다. - Il évitera la responsabilité.

4392. 회피해야 하나요? - Dois-je éviter ?
4393. 아니요, 마주해요. - Non, il faut faire face.
4394. 49. 명사 단어들 외우기, 필수 10개 동사의 단어들을 가지고 50문장 연습하기 - 49. mémoriser les noms, faire 50 phrases avec les mots des 10 verbes essentiels
4395. 기쁨 - plaisir
4396. 어려움 - difficulté
4397. 성공 - succès
4398. 추위 - froid
4399. 성취감 - réussite
4400. 도움 - aide
4401. 지원 - soutien
4402. 협력 - Coopération
4403. 결과 - résultat
4404. 여행 - voyage
4405. 실패 - échec
4406. 어둠 - obscurité
4407. 위험 - danger
4408. 문제 - problème
4409. 슬픔 - tristesse
4410. 과학 - science
4411. 예술 - art
4412. 취미 - hobby
4413. 주말 - week-end
4414. 선생님 - professeur
4415. 부모님 - parents
4416. 리더 - chef
4417. 상황 - situation
4418. 경험하다 - à Expérimenter
4419. 그녀는 기쁨을 경험했다. - Elle a éprouvé de la joie.
4420. 우리는 어려움을 경험하고 있다. - Nous rencontrons des difficultés.
4421. 당신들은 성공을 경험할 것이다. - Vous allez connaître le succès.
4422. 경험해 볼래요? - Voulez-vous en faire l'expérience ?
4423. 예, 해보고 싶어요. - Oui, j'aimerais essayer.

4424. 느끼다 - ressentir
4425. 그는 기쁨을 느꼈다. - Il a ressenti de la joie.
4426. 나는 추위를 느낀다. - J'ai froid.
4427. 너는 성취감을 느낄 것이다. - Vous aurez le sentiment d'avoir accompli quelque chose.
4428. 행복해요? - Êtes-vous heureux ?
4429. 네, 매우 그래요. - Oui, très heureux.
4430. 약속하다 - Promettre
4431. 그녀는 도움을 약속했다. - Elle a promis de nous aider.
4432. 우리는 지원을 약속한다. - Nous promettons notre soutien.
4433. 당신들은 협력을 약속할 것이다. - Vous promettez de coopérer.
4434. 늦지 않겠죠? - Vous ne serez pas en retard, n'est-ce pas ?
4435. 아니요, 시간 맞출게요. - Non, je serai à l'heure.
4436. 기대하다 - s'attendre à
4437. 그들은 좋은 결과를 기대했다. - Ils s'attendaient à un bon résultat.
4438. 나는 여행을 기대한다. - Je m'attends à voyager.
4439. 너는 성공을 기대할 것이다. - Vous vous attendez à un succès.
4440. 설레나요? - Êtes-vous enthousiaste ?
4441. 네, 정말로요. - Oui, vraiment.
4442. 두려워하다 - Avoir peur
4443. 나는 실패를 두려워했다. - J'avais peur de l'échec.
4444. 너는 어둠을 두려워한다. - Vous avez peur de l'obscurité.
4445. 그는 위험을 두려워할 것이다. - Il a peur du risque.
4446. 겁나나요? - Tu as peur ?
4447. 조금요, 괜찮아요. - Un peu, mais ça va.
4448. 웃어대다 - se moquer
4449. 그녀는 문제를 웃어넘겼다. - Elle s'est moquée de son problème.
4450. 우리는 슬픔을 웃어낸다. - Nous rions de nos chagrins.
4451. 당신들은 어려움을 웃어넘길 것이다. - Vous rirez de vos difficultés.
4452. 웃을 수 있어요? - Pouvez-vous rire ?
4453. 네, 물론이죠. - Oui, bien sûr.
4454. 관심가지다 - s'intéresser à
4455. 그는 과학에 관심을 가졌다. - Il s'intéressait à la science.
4456. 나는 예술에 관심을 가진다. - Je m'intéresse à l'art.

4457. 너는 새 취미에 관심을 가질 것이다. - Vous serez intéressé par un nouveau hobby.
4458. 관심 있어요? - Êtes-vous intéressé ?
4459. 네, 많이요. - Oui, beaucoup.
4460. 휴식하다 - se détendre
4461. 그들은 주말에 휴식했다. - Ils se sont reposés pendant le week-end.
4462. 나는 지금 휴식한다. - Je me repose maintenant.
4463. 너는 여행 후 휴식할 것이다. - Vous vous reposerez après le voyage.
4464. 쉬고 싶어요? - Voulez-vous vous reposer ?
4465. 예, 필요해요. - Oui, j'en ai besoin.
4466. 존경하다 - honorer
4467. 나는 선생님을 존경했다. - Je respectais mon professeur.
4468. 너는 부모님을 존경한다. - Tu respectes tes parents.
4469. 그는 리더를 존경할 것이다. - Il respectera le chef.
4470. 존경해요? - Respectez-vous ?
4471. 네, 존경해요. - Oui, je les admire.
4472. 절망하다 - désespérer
4473. 그녀는 실패에 절망했다. - Elle a désespéré de l'échec.
4474. 우리는 상황을 절망한다. - Nous désespérons de la situation.
4475. 당신들은 결과에 절망할 것이다. - Vous désespérerez du résultat.
4476. 희망이 있어? - Y a-t-il de l'espoir ?
4477. 네, 여전히 있어. - Oui, il y en a encore.
4478. 50. 명사 단어들 외우기, 필수 10개 동사의 단어들을 가지고 50문장 연습하기 - 50. mémoriser les noms, pratiquer 50 phrases avec les 10 verbes essentiels
4479. 대회 - Compétition
4480. 경기 - match
4481. 시합 - match
4482. 도전 - défi
4483. 시험 - test
4484. 어린 시절 - Enfance
4485. 추억 - mémoire
4486. 순간 - Moment
4487. 도움 - aide

4488. 정보 - d'information
4489. 지원 - soutien
4490. 조심 - prudent
4491. 성실 - Sincérité
4492. 주의 - prudence
4493. 사업 - entreprise
4494. 집 - maison
4495. 작업 - travail
4496. 자격 - Qualification
4497. 기술 - technologie
4498. 능력 - compétence
4499. 강좌 - conférence
4500. 프로그램 - programme
4501. 관계 - relation
4502. 건강 - santé
4503. 균형 - équilibre
4504. 전통 - tradition
4505. 환경 - environnement
4506. 문화 - culture
4507. 승리하다 - gagner
4508. 그는 대회에서 승리했다. - Il a gagné la compétition.
4509. 나는 경기를 승리한다. - Je gagne le match.
4510. 너는 시합을 승리할 것이다. - Tu vas gagner le match.
4511. 기분 좋아요? - Vous vous sentez bien ?
4512. 네, 매우 좋아요. - Oui, je me sens très bien.
4513. 패배하다 - Perdre
4514. 그들은 경기에서 패배했다. - Ils ont perdu le match.
4515. 나는 도전에서 패배한다. - Je perds le défi.
4516. 너는 시험에서 패배할 것이다. - Vous allez perdre le test.
4517. 괜찮아요? - Est-ce que ça va ?
4518. 네, 괜찮아요. - Oui, ça va.
4519. 회상하다 - se souvenir
4520. 나는 어린 시절을 회상했다. - Je me suis souvenu de mon enfance.
4521. 너는 좋은 추억을 회상한다. - Vous vous remémorez de bons

souvenirs.
4522. 그는 행복한 순간을 회상할 것이다. - Il se souviendra des moments heureux.
4523. 추억 나눌래? - Voulez-vous vous remémorer ?
4524. 네, 좋아요. - Oui, avec plaisir.
4525. 구하다 - demander de l'aide
4526. 그녀는 도움을 구했다. - Elle a demandé de l'aide.
4527. 우리는 정보를 구한다. - Nous recherchons des informations.
4528. 당신들은 지원을 구할 것이다. - Vous chercherez du soutien.
4529. 도와줄까요? - Dois-je vous aider ?
4530. 네, 부탁해요. - Oui, je vous en prie.
4531. 당부하다 - demander
4532. 그는 조심을 당부했다. - Il a demandé de la prudence.
4533. 나는 성실을 당부한다. - Je demande de la sincérité.
4534. 너는 주의를 당부할 것이다. - Vous demanderez la prudence.
4535. 약속해요? - Vous promettez ?
4536. 네, 약속해요. - Oui, je le promets.
4537. 계약하다 - Contracter
4538. 그들은 사업에 계약했다. - Ils ont passé un contrat avec l'entreprise.
4539. 나는 집을 계약한다. - Je passe un contrat pour une maison.
4540. 너는 작업을 계약할 것이다. - Vous allez passer un contrat pour un emploi.
4541. 성공할까요? - Cela marchera-t-il ?
4542. 네, 분명해요. - Oui, j'en suis sûr.
4543. 인증하다 - Certifier
4544. 그녀는 자격을 인증했다. - Elle a certifié ses qualifications.
4545. 우리는 기술을 인증한다. - Nous certifions des compétences.
4546. 당신들은 능력을 인증할 것이다. - Vous certifierez vos compétences.
4547. 준비됐나요? - Êtes-vous prêt ?
4548. 네, 완벽해요. - Oui, parfaitement.
4549. 등록하다 - s'inscrire
4550. 나는 강좌에 등록했다. - Je suis inscrit à un cours.
4551. 너는 대회에 등록한다. - Vous vous inscrivez à la compétition.
4552. 그는 프로그램에 등록할 것이다. - Il s'inscrit au programme.

4553. 참여할래? - Voulez-vous vous inscrire ?
4554. 네, 신나요. - Oui, je suis enthousiaste.
4555. 유지하다 - Maintenir
4556. 그들은 관계를 유지했다. - Ils ont maintenu leur relation.
4557. 나는 건강을 유지한다. - Je maintiens ma santé.
4558. 너는 균형을 유지할 것이다. - Vous maintiendrez l'équilibre.
4559. 쉽나요? - Est-ce facile ?
4560. 네, 쉬어요. - Oui, c'est facile.
4561. 보존하다 - préserver
4562. 그녀는 전통을 보존했다. - Elle a préservé la tradition.
4563. 우리는 환경을 보존한다. - Nous préservons l'environnement.
4564. 당신들은 문화를 보존할 것이다. - Vous préserverez la culture.
4565. 중요하죠? - C'est important, n'est-ce pas ?
4566. 네, 매우 중요해요. - Oui, c'est très important.
4567. 51. 명사 단어들 외우기, 필수 10개 동사의 단어들을 가지고 50문장 연습하기 - 51. mémoriser les noms, pratiquer 50 phrases avec les 10 verbes essentiels
4568. 차 - voiture
4569. 옷 - vêtements
4570. 신발 - chaussures
4571. 자동차 - automobile
4572. 방 - chambre
4573. 집 - maison
4574. 제품 - produit
4575. 앱 - application
4576. 게임 - jeu
4577. 계획 - plan
4578. 정보 - information
4579. 사실 - en fait
4580. 편지 - lettre
4581. 상품 - Produits
4582. 초대장 - invitation
4583. 신호 - signal
4584. 데이터 - données

4585. 메시지 - message
4586. 뉴스 - nouvelles
4587. 프로그램 - programme
4588. 쇼 - émission
4589. 영화 - film
4590. 음악 - musique
4591. 콘서트 - concert
4592. 조건 - condition
4593. 계약 - contrat
4594. 가격 - prix
4595. 목표 - objectif
4596. 방침 - politique
4597. 세척하다 - laver
4598. 그는 차를 세척했다. - Il a lavé la voiture.
4599. 나는 옷을 세척한다. - Je lave mes vêtements.
4600. 너는 신발을 세척할 것이다. - Tu vas laver tes chaussures.
4601. 깨끗해졌나요? - Sont-elles propres ?
4602. 네, 반짝반짝해요. - Oui, elles sont brillantes.
4603. 개조하다 - Rénover
4604. 그는 자동차를 개조했다. - Il a rénové la voiture.
4605. 나는 방을 개조한다. - Je vais rénover la chambre.
4606. 너는 집을 개조할 것이다. - Vous allez rénover la maison.
4607. 새로워 보이나요? - A-t-elle l'air neuve ?
4608. 네, 완전히 달라요. - Oui, elle est complètement différente.
4609. 출시하다 - Lancer
4610. 그녀는 새 제품을 출시했다. - Elle a lancé un nouveau produit.
4611. 우리는 앱을 출시한다. - Nous lançons une application.
4612. 당신들은 게임을 출시할 것이다. - Vous allez lancer un jeu.
4613. 관심 있어요? - Êtes-vous intéressé ?
4614. 네, 궁금해요. - Oui, je suis intéressé.
4615. 비밀하다 - Être secret
4616. 그들은 계획을 비밀했다. - Ils ont gardé leurs plans secrets.
4617. 나는 정보를 비밀한다. - Je garde les informations secrètes.
4618. 너는 사실을 비밀할 것이다. - Vous garderez le fait secret.

4619. 알고 싶어요? - Voulez-vous savoir ?
4620. 아니요, 괜찮아요. - Non, merci.
4621. 발송하다 - envoyer
4622. 그녀는 편지를 발송했다. - Elle a expédié la lettre.
4623. 우리는 상품을 발송한다. - Nous expédions les marchandises.
4624. 당신들은 초대장을 발송할 것이다. - Vous allez envoyer des invitations.
4625. 받았어요? - L'avez-vous reçu ?
4626. 네, 잘 받았어요. - Oui, je l'ai bien reçu.
4627. 송출하다 - transmettre
4628. 그는 신호를 송출했다. - Il a transmis un signal.
4629. 나는 데이터를 송출한다. - J'envoie des données.
4630. 너는 메시지를 송출할 것이다. - Vous allez diffuser un message.
4631. 작동하나요? - Est-ce que ça marche ?
4632. 네, 잘 되요. - Oui, cela fonctionne.
4633. 방송하다 - Diffuser
4634. 그들은 뉴스를 방송했다. - Ils diffusent les nouvelles.
4635. 나는 프로그램을 방송한다. - Je diffuse un programme.
4636. 너는 쇼를 방송할 것이다. - Vous allez diffuser une émission.
4637. 볼래요? - Voulez-vous regarder ?
4638. 네, 흥미로워요. - Oui, c'est intéressant.
4639. 스트리밍하다 - Diffuser
4640. 그녀는 영화를 스트리밍했다. - Elle a regardé un film en streaming.
4641. 우리는 음악을 스트리밍한다. - Nous diffusons de la musique en continu.
4642. 당신들은 콘서트를 스트리밍할 것이다. - Vous allez regarder un concert en streaming.
4643. 즐기나요? - Cela vous plaît-il ?
4644. 네, 많이요. - Oui, beaucoup.
4645. 협상하다 - négocier
4646. 그는 조건을 협상했다. - Il a négocié les conditions.
4647. 나는 계약을 협상한다. - Je négocie le contrat.
4648. 너는 가격을 협상할 것이다. - Vous négocierez le prix.
4649. 합의했나요? - Sommes-nous parvenus à un accord ?

4650. 네, 도달했어요. - Oui, nous sommes parvenus à un accord.
4651. 합의하다 - se mettre d'accord
4652. 그들은 목표에 합의했다. - Ils se sont mis d'accord sur l'objectif.
4653. 나는 방침에 합의한다. - Je me mettrai d'accord sur une politique.
4654. 너는 계획에 합의할 것이다. - Vous vous mettrez d'accord sur le plan.
4655. 만족해요? - Êtes-vous satisfaits ?
4656. 네, 완전히요. - Oui, tout à fait.
4657. 52. 명사 단어들 외우기, 필수 10개 동사의 단어들을 가지고 50문장 연습하기 - 52. mémoriser les noms, pratiquer 50 phrases avec les 10 verbes essentiels
4658. 프로젝트 - projet
4659. 발전 - développement
4660. 성공 - succès
4661. 사진 - image
4662. 아이디어 - idée
4663. 경험 - expérience
4664. 건물 - bâtiment
4665. 회의실 - salle de réunion
4666. 도서관 - bibliothèque
4667. 파티 - fête
4668. 회의 - réunion
4669. 강당 - auditorium
4670. 목록 - liste
4671. 보고서 - rapport
4672. 계획 - plan
4673. 명단 - liste
4674. 주제 - sujet
4675. 옵션 - option
4676. 시험 - test
4677. 비상사태 - Urgence
4678. 경쟁 - concourir
4679. 예산 - budget
4680. 기대 - attente

4681. 목표 - objectif
4682. 극한 - limite
4683. 한계 - Limite
4684. 정상 - normal
4685. 합의 - accord
4686. 결론 - conclusion
4687. 기여하다 - contribuer
4688. 그녀는 프로젝트에 기여했다. - Elle a contribué au projet.
4689. 우리는 발전에 기여한다. - Nous contribuons au développement.
4690. 당신들은 성공에 기여할 것이다. - Vous contribuerez au succès.
4691. 도움됐나요? - Est-ce que cela a aidé ?
4692. 네, 많이요. - Oui, beaucoup.
4693. 공유하다 - Partager
4694. 그는 사진을 공유했다. - Il a partagé la photo.
4695. 나는 아이디어를 공유한다. - Je partage mes idées.
4696. 너는 경험을 공유할 것이다. - Vous allez partager votre expérience.
4697. 보여줄래요? - Voulez-vous me montrer ?
4698. 네, 기꺼이요. - Oui, avec plaisir.
4699. 출입하다 - Entrer et sortir
4700. 그들은 건물에 출입했다. - Ils sont entrés dans le bâtiment.
4701. 나는 회의실에 출입한다. - J'entre dans la salle de conférence.
4702. 너는 도서관에 출입할 것이다. - Vous allez entrer dans la bibliothèque.
4703. 허용되나요? - Est-ce que c'est autorisé ?
4704. 네, 가능해요. - Oui, vous pouvez.
4705. 퇴장하다 - Partir
4706. 그녀는 파티에서 퇴장했다. - Elle a quitté la fête.
4707. 우리는 회의에서 퇴장한다. - Nous quittons la réunion.
4708. 당신들은 강당에서 퇴장할 것이다. - Vous pouvez quitter l'auditorium.
4709. 끝났나요? - Vous avez terminé ?
4710. 네, 끝났어요. - Oui, c'est terminé.
4711. 포함하다 - Inclure
4712. 그는 목록에 이름을 포함했다. - Il a inclus les noms dans la liste.
4713. 나는 보고서에 결과를 포함한다. - J'inclus les résultats dans le

rapport.
4714. 너는 계획에 이 아이디어를 포함할 것이다. - Vous inclurez l'idée dans votre plan.
4715. 필요해요? - Est-ce nécessaire ?
4716. 네, 중요해요. - Oui, c'est important.
4717. 배제하다 - exclure
4718. 그들은 명단에서 그를 배제했다. - Ils l'ont exclu de la liste.
4719. 나는 논의에서 주제를 배제한다. - J'exclus le sujet de la discussion.
4720. 너는 제안에서 그 옵션을 배제할 것이다. - Vous allez exclure l'option de la proposition.
4721. 제외되나요? - Exclure ?
4722. 네, 그렇게 결정했어요. - Oui, c'est ce que nous avons décidé.
4723. 대비하다 - préparer
4724. 그녀는 시험에 대비했다. - Elle s'est préparée à l'examen.
4725. 우리는 비상사태에 대비한다. - Nous nous préparons aux urgences.
4726. 당신들은 경쟁에 대비할 것이다. - Vous allez vous préparer pour le concours.
4727. 준비됐나요? - Êtes-vous prêt ?
4728. 네, 완벽해요. - Oui, je suis parfait.
4729. 초과하다 - dépasser
4730. 그는 예산을 초과했다. - Il a dépassé le budget.
4731. 나는 기대를 초과한다. - Je dépasse les attentes.
4732. 너는 목표를 초과할 것이다. - Vous dépasserez votre objectif.
4733. 문제 있나요? - Y a-t-il un problème ?
4734. 아니요, 괜찮아요. - Non, ça va.
4735. 미치다 - Être fou
4736. 그는 극한에 미쳤다. - Il est fou à l'extrême.
4737. 나는 한계에 미친다. - Je suis fou à la limite.
4738. 너는 목표에 미칠 것이다. - Vous serez fou avec vos objectifs.
4739. 미쳤어? - Êtes-vous fou ?
4740. 아니, 정상이야. - Non, c'est normal.
4741. 도달하다 - atteindre
4742. 그녀는 정상에 도달했다. - Elle a atteint le sommet.
4743. 우리는 합의에 도달한다. - Nous parvenons à un accord.

4744. 당신들은 결론에 도달할 것이다. - Vous parviendrez à une conclusion.
4745. 도착했니? - Sommes-nous arrivés ?
4746. 네, 여기야. - Oui, nous y sommes.
4747. 53. 명사 단어들 외우기, 필수 10개 동사의 단어들을 가지고 50문장 연습하기 - 53. Mémoriser les noms, faire 50 phrases avec les 10 verbes essentiels.
4748. 자원 - ressource
4749. 정보 - information
4750. 지지 - soutien
4751. 미래 - futur
4752. 가능성 - possibilité
4753. 세계 - monde
4754. 새로운 것 - nouvelle chose
4755. 해결 - résoudre
4756. 변화 - changer
4757. 목표 - objectif
4758. 계획 - plan
4759. 시험 - tester
4760. 사업 - entreprise
4761. 노력 - effort
4762. 프로젝트 - projet
4763. 결정 - décision
4764. 방향 - direction
4765. 선택 - choisir
4766. 경고 - avertissement
4767. 위험 - danger
4768. 조언 - conseil
4769. 세부사항 - Détail
4770. 결과 - résultat
4771. 작업 - travail
4772. 공부 - étude
4773. 공원 - parc
4774. 생각 - pensée
4775. 감정 - émotion

4776. 확보하다 - sécuriser
4777. 그들은 자원을 확보했다. - Ils ont sécurisé des ressources.
4778. 나는 정보를 확보한다. - J'obtiens des informations.
4779. 너는 지지를 확보할 것이다. - Vous obtiendrez du soutien.
4780. 준비됐니? - Êtes-vous prêt ?
4781. 네, 다 됐어. - Oui, je suis prêt.
4782. 상상하다 - Imaginer
4783. 그녀는 미래를 상상했다. - Elle a imaginé l'avenir.
4784. 우리는 가능성을 상상한다. - Nous imaginons des possibilités.
4785. 당신들은 세계를 상상할 것이다. - Vous imaginerez le monde.
4786. 꿈꿔? - Vous rêvez ?
4787. 네, 가끔. - Oui, parfois.
4788. 시도하다 - essayer
4789. 그는 새로운 것을 시도했다. - Il a essayé quelque chose de nouveau.
4790. 나는 해결을 시도한다. - J'essaie de résoudre un problème.
4791. 너는 변화를 시도할 것이다. - Vous allez essayer de changer.
4792. 해봤어? - Avez-vous essayé ?
4793. 아직 안 해. - Je n'ai pas encore essayé.
4794. 실패하다 - Échouer
4795. 그들은 목표에 실패했다. - Ils ont échoué dans leur objectif.
4796. 나는 계획에 실패한다. - J'ai échoué dans mon plan.
4797. 너는 시험에 실패할 것이다. - Vous allez échouer au test.
4798. 실패했니? - Avez-vous échoué ?
4799. 네, 아쉽게도. - Oui, hélas.
4800. 성공하다 - Réussir
4801. 그녀는 사업에서 성공했다. - Elle a réussi dans les affaires.
4802. 우리는 노력에서 성공한다. - Nous réussissons dans nos entreprises.
4803. 당신들은 프로젝트에서 성공할 것이다. - Vous réussirez le projet.
4804. 성공했어? - Vous avez réussi ?
4805. 네, 됐어! - Oui, c'est fait !
4806. 확신하다 - être sûr
4807. 그는 결정에 확신했다. - Il était sûr de sa décision.
4808. 나는 방향에 확신한다. - Je suis sûr de la direction.
4809. 너는 선택에 확신할 것이다. - Vous serez sûr de votre choix.

4810. 확실해? - Êtes-vous sûr ?
4811. 네, 확실해. - Oui, je suis sûr.
4812. 무시하다 - ignorer
4813. 그들은 경고를 무시했다. - Ils ont ignoré l'avertissement.
4814. 나는 위험을 무시한다. - J'ignore le risque.
4815. 너는 조언을 무시할 것이다. - Vous allez ignorer le conseil.
4816. 무시해? - Ignorer ?
4817. 아니, 들어. - Non, écoutez.
4818. 주목하다 - remarquer
4819. 그녀는 변화에 주목했다. - Elle a remarqué le changement.
4820. 우리는 세부사항에 주목한다. - Nous prêtons attention aux détails.
4821. 당신들은 결과에 주목할 것이다. - Vous remarquerez les résultats.
4822. 보고 있니? - Vous êtes attentif ?
4823. 네, 주목해. - Oui, je fais attention.
4824. 집중하다 - Se concentrer
4825. 그는 작업에 집중했다. - Il s'est concentré sur sa tâche.
4826. 나는 목표에 집중한다. - Je me concentre sur l'objectif.
4827. 너는 공부에 집중할 것이다. - Vous vous concentrerez sur vos études.
4828. 집중돼? - Êtes-vous concentré ?
4829. 네, 잘 돼. - Oui, ça se passe bien.
4830. 흩어지다 - disperser
4831. 그들은 공원에서 흩어졌다. - Ils se sont dispersés dans le parc.
4832. 나는 생각에 흩어진다. - Je suis dispersé dans mes pensées.
4833. 너는 감정에 흩어질 것이다. - Tu seras dispersé dans tes sentiments.
4834. 헤어졌어? - Avez-vous rompu ?
4835. 네, 이제 그래. - Oui, je le suis maintenant.
4836. 54. 명사 단어들 외우기, 필수 10개 동사의 단어들을 가지고 50문장 연습하기 - 54. Mémoriser les noms, faire 50 phrases avec les 10 verbes essentiels.
4837. 자원 - ressource
4838. 관심 - intérêt
4839. 투자 - investir
4840. 데이터 - données

4841. 시스템 - système
4842. 노력 - effort
4843. 색상 - couleur
4844. 재료 - ingrédient
4845. 아이디어 - idée
4846. 문제 - problème
4847. 과정 - procédure
4848. 절차 - procédure
4849. 계획 - plan
4850. 상황 - situation
4851. 설명 - explication
4852. 작업 - travail
4853. 생각 - réflexion
4854. 보고서 - rapport
4855. 내용 - détail
4856. 결과 - résultat
4857. 용어 - Termes
4858. 목적 - objectif
4859. 개념 - concept
4860. 주장 - opinion
4861. 의견 - opinion
4862. 결론 - conclusion
4863. 이론 - théorie
4864. 가설 - hypothèse
4865. 분산하다 - disperser
4866. 그들은 자원을 분산했다. - Ils ont dispersé leurs ressources.
4867. 우리는 관심을 분산한다. - Nous diversifions notre attention.
4868. 당신들은 투자를 분산할 것이다. - Vous allez diversifier vos investissements.
4869. 관심 있어? - Cela vous intéresse ?
4870. 조금 있어. - J'en ai quelques-uns.
4871. 통합하다 - Intégrer
4872. 그녀는 데이터를 통합했다. - Elle a consolidé les données.
4873. 우리는 시스템을 통합한다. - Nous intégrons les systèmes.

4874. 당신들은 노력을 통합할 것이다. - Vous intégrerez vos efforts.
4875. 쉬웠어? - Est-ce que c'était facile ?
4876. 아니, 어려웠어. - Non, c'était difficile.
4877. 혼합하다 - mélanger
4878. 그는 색상을 혼합했다. - Il a mélangé les couleurs.
4879. 나는 재료를 혼합한다. - Je mélange les ingrédients.
4880. 너는 아이디어를 혼합할 것이다. - Vous mélangerez des idées.
4881. 잘 됐어? - Est-ce que ça s'est bien passé ?
4882. 네, 잘 됐어. - Oui, cela s'est bien passé.
4883. 단순화하다 - Simplifier
4884. 그들은 문제를 단순화했다. - Ils ont simplifié le problème.
4885. 우리는 과정을 단순화한다. - Nous simplifions le processus.
4886. 당신들은 절차를 단순화할 것이다. - Vous allez simplifier le processus.
4887. 필요해? - En avez-vous besoin ?
4888. 네, 필요해. - Oui, j'en ai besoin.
4889. 복잡하게 하다 - Compliquer
4890. 그녀는 계획을 복잡하게 했다. - Elle a compliqué le plan.
4891. 나는 상황을 복잡하게 한다. - Je complique la situation.
4892. 너는 설명을 복잡하게 할 것이다. - Vous allez compliquer l'explication.
4893. 문제 있어? - Y a-t-il un problème ?
4894. 아니, 괜찮아. - Non, ça va.
4895. 간소화하다 - simplifier
4896. 그는 절차를 간소화했다. - Il a simplifié la procédure.
4897. 나는 작업을 간소화한다. - Je simplifie la tâche.
4898. 너는 생각을 간소화할 것이다. - Vous allez simplifier votre pensée.
4899. 도움 돼? - Est-ce que cela aide ?
4900. 네, 도움 돼. - Oui, cela aide.
4901. 요약하다 - Résumer
4902. 그들은 보고서를 요약했다. - Ils ont résumé le rapport.
4903. 우리는 내용을 요약한다. - Nous résumons le contenu.
4904. 당신들은 결과를 요약할 것이다. - Vous résumerez les résultats.
4905. 간단해? - C'est simple ?
4906. 응, 간단해. - Oui, c'est simple.
4907. 정의하다 - Définir

4908. 그녀는 용어를 정의했다. - Elle a défini les termes.
4909. 나는 목적을 정의한다. - Je définis l'objectif.
4910. 너는 개념을 정의할 것이다. - Vous définirez le concept.
4911. 이해했어? - Vous comprenez ?
4912. 네, 이해했어. - Oui, je comprends.
4913. 반박하다 - Réfuter
4914. 그는 주장을 반박했다. - Il a réfuté l'argument.
4915. 나는 의견을 반박한다. - Je réfute l'opinion.
4916. 너는 결론을 반박할 것이다. - Vous réfuterez la conclusion.
4917. 확실해? - Êtes-vous sûr ?
4918. 네, 확실해. - Oui, j'en suis sûr.
4919. 논박하다 - réfuter
4920. 그들은 이론을 논박했다. - Ils ont réfuté la théorie.
4921. 우리는 가설을 논박한다. - Nous réfutons l'hypothèse.
4922. 당신들은 주장을 논박할 것이다. - Vous réfuterez l'affirmation.
4923. 가능해? - Est-ce possible ?
4924. 어렵지만 가능해. - C'est difficile, mais c'est possible.
4925. 55. 명사 단어들 외우기, 필수 10개 동사의 단어들을 가지고 50문장 연습하기 - 55. mémoriser les noms, pratiquer 50 phrases avec les mots des 10 verbes essentiels
4926. 문헌 - littérature
4927. 연구 - recherche
4928. 전문가 - expert
4929. 사건 - événement
4930. 이슈 - question
4931. 사실 - en fait
4932. 행복 - bonheur
4933. 목표 - objectif
4934. 성공 - succès
4935. 기술 - technologie
4936. 학문 - Bourse d'études
4937. 경력 - carrière
4938. 발전 - Développement
4939. 계획 - plan

4940. 집 - maison
4941. 사무실 - bureau
4942. 공간 - espace
4943. 작품 - Travail
4944. 데이터 - données
4945. 디자인 - conception
4946. 실수 - erreur
4947. 과정 - procédure
4948. 패턴 - modèle
4949. 스타일 - style
4950. 방식 - méthode
4951. 기법 - technique
4952. 동작 - mouvement
4953. 말투 - discours
4954. 절차 - procédure
4955. 인용하다 - de citer
4956. 그녀는 문헌을 인용했다. - Elle a cité la littérature.
4957. 나는 연구를 인용한다. - Je cite une étude.
4958. 너는 전문가를 인용할 것이다. - Vous allez citer un expert.
4959. 필요한 거야? - Est-ce nécessaire ?
4960. 네, 필요해. - Oui, c'est nécessaire.
4961. 언급하다 - mentionner
4962. 그는 사건을 언급했다. - Il a évoqué l'affaire.
4963. 나는 이슈를 언급한다. - Je fais référence à la question.
4964. 너는 사실을 언급할 것이다. - Vous mentionnerez le fait.
4965. 언급됐어? - Mentionné ?
4966. 네, 언급됐어. - Oui, il a été mentionné.
4967. 추구하다 - poursuivre
4968. 그들은 행복을 추구했다. - Ils poursuivaient le bonheur.
4969. 우리는 목표를 추구한다. - Nous poursuivons des objectifs.
4970. 당신들은 성공을 추구할 것이다. - Vous poursuivrez le succès.
4971. 성공했어? - Avez-vous réussi ?
4972. 아직은 모르겠어. - Je ne le sais pas encore.
4973. 진보하다 - Progresser

4974. 그녀는 기술에서 진보했다. - Elle a progressé en technologie.
4975. 나는 학문에서 진보한다. - Je progresse dans mes études.
4976. 너는 경력에서 진보할 것이다. - Vous allez progresser dans votre carrière.
4977. 어떻게 됐어? - Comment cela se passe-t-il ?
4978. 잘 되고 있어. - Ça va bien.
4979. 후퇴하다 - Régresser
4980. 그는 발전에서 후퇴했다. - Il a reculé devant l'avancement.
4981. 나는 계획에서 후퇴한다. - Je recule devant le plan.
4982. 너는 목표에서 후퇴할 것이다. - Tu vas reculer par rapport à l'objectif.
4983. 괜찮아? - Est-ce que ça va ?
4984. 괜찮아, 다시 해볼게. - C'est bon, je vais réessayer.
4985. 리모델링하다 - remodeler
4986. 그들은 집을 리모델링했다. - Ils ont remodelé la maison.
4987. 우리는 사무실을 리모델링한다. - Nous remodelons le bureau.
4988. 당신들은 공간을 리모델링할 것이다. - Vous allez remodeler votre espace.
4989. 비쌌어? - C'était cher ?
4990. 네, 좀 비쌌어. - Oui, c'était un peu cher.
4991. 복제하다 - reproduire
4992. 그녀는 작품을 복제했다. - Elle a fait reproduire son œuvre d'art.
4993. 나는 데이터를 복제한다. - Je reproduis les données.
4994. 너는 디자인을 복제할 것이다. - Vous reproduirez le dessin.
4995. 허락됐어? - En avez-vous le droit ?
4996. 네, 허락됐어. - Oui, j'ai le droit.
4997. 반복하다 - Répéter
4998. 그는 실수를 반복했다. - Il a répété son erreur.
4999. 나는 과정을 반복한다. - Je répète le processus.
5000. 너는 패턴을 반복할 것이다. - Vous répéterez le modèle.
5001. 배웠어? - Avez-vous appris ?
5002. 네, 배웠어. - Oui, j'ai appris.
5003. 모방하다 - Imiter
5004. 그들은 스타일을 모방했다. - Ils ont imité le style.

5005. 우리는 방식을 모방한다. - Nous imitons les méthodes.
5006. 당신들은 기법을 모방할 것이다. - Vous copierez la technique.
5007. 좋았어? - C'était bien ?
5008. 응, 괜찮았어. - Oui, c'était bien.
5009. 따라하다 - Imiter
5010. 그녀는 동작을 따라했다. - Elle a copié les mouvements.
5011. 나는 말투를 따라한다. - J'imite le ton de la voix.
5012. 너는 절차를 따라할 것이다. - Vous suivrez la procédure.
5013. 쉬웠어? - C'était facile ?
5014. 응, 쉬웠어. - Oui, c'était facile.
5015. 56. 명사 단어들 외우기, 필수 10개 동사의 단어들을 가지고 50문장 연습하기 - 56. Mémorisez les noms, pratiquez 50 phrases avec les 10 verbes essentiels
5016. 정보 - information
5017. 아이 - enfant
5018. 환경 - environnement
5019. 시장 - marché
5020. 행동 - action
5021. 프로세스 - processus
5022. 위험 - danger
5023. 오류 - erreur
5024. 실패 - échec
5025. 질병 - maladie
5026. 사고 - accident
5027. 문제 - problème
5028. 아이디어 - idée
5029. 시스템 - système
5030. 의견 - opinion
5031. 자원 - ressource
5032. 데이터 - données
5033. 옵션 - option
5034. 후보 - candidat
5035. 보상 - compensation
5036. 비용 - dépense

5037. 권리 - droit
5038. 계획 - plan
5039. 제안 - proposition
5040. 주장 - opinion
5041. 포지션 - position
5042. 영역 - domaine
5043. 보호하다 - protéger
5044. 그는 정보를 보호했다. - Il a protégé l'information.
5045. 나는 아이를 보호한다. - Je protège l'enfant.
5046. 너는 환경을 보호할 것이다. - Vous allez protéger l'environnement.
5047. 중요해? - Est-ce important ?
5048. 네, 매우 중요해. - Oui, c'est très important.
5049. 감시하다 - surveiller
5050. 그들은 시장을 감시했다. - Ils ont surveillé le marché.
5051. 우리는 행동을 감시한다. - Nous surveillons les comportements.
5052. 당신들은 프로세스를 감시할 것이다. - Vous surveillerez le processus.
5053. 필요했어? - Était-ce nécessaire ?
5054. 네, 필요했어. - Oui, c'était nécessaire.
5055. 경계하다 - être sur ses gardes
5056. 그녀는 위험을 경계했다. - Elle était à l'affût du danger.
5057. 나는 오류를 경계한다. - Je suis à l'affût des erreurs.
5058. 너는 실패를 경계할 것이다. - Vous vous méfiez de l'échec.
5059. 조심해야 해? - Dois-je être prudent ?
5060. 네, 조심해야 해. - Oui, vous devez être prudent.
5061. 예방하다 - prévenir
5062. 그녀는 질병을 예방했다. - Elle a prévenu la maladie.
5063. 우리는 사고를 예방한다. - Nous prévenons les accidents.
5064. 당신들은 문제를 예방할 것이다. - Vous éviterez les ennuis.
5065. 감기 걸렸어? - Avez-vous un rhume ?
5066. 아니, 괜찮아. - Non, je vais bien.
5067. 혁신하다 - Innover
5068. 그는 프로세스를 혁신했다. - Il a innové un procédé.
5069. 나는 아이디어를 혁신한다. - J'innove des idées.
5070. 너는 시스템을 혁신할 것이다. - Vous allez innover un système.

5071. 새로워? - Nouveau ?
5072. 응, 새로워. - Oui, nouveau.
5073. 교환하다 - échanger
5074. 그녀는 정보를 교환했다. - Elle a échangé des informations.
5075. 우리는 의견을 교환한다. - Nous échangeons des opinions.
5076. 당신들은 자원을 교환할 것이다. - Vous allez échanger des ressources.
5077. 바꿨어? - Avez-vous échangé ?
5078. 응, 바꿨어. - Oui, j'ai échangé.
5079. 선별하다 - passer au crible
5080. 그는 데이터를 선별했다. - Il a passé au crible les données.
5081. 나는 옵션을 선별한다. - Je vais passer au crible les options.
5082. 너는 후보를 선별할 것이다. - Vous sélectionnerez les candidats.
5083. 선택했어? - Avez-vous choisi ?
5084. 네, 했어. - Oui, j'ai choisi.
5085. 청구하다 - Réclamer
5086. 그녀는 보상을 청구했다. - Elle a réclamé son indemnité.
5087. 우리는 비용을 청구한다. - Nous réclamerons des frais.
5088. 당신들은 권리를 청구할 것이다. - Vous ferez valoir vos droits.
5089. 비싸? - C'est cher ?
5090. 아니, 적당해. - Non, c'est abordable.
5091. 동조하다 - sympathiser
5092. 그는 의견에 동조했다. - Il a sympathisé avec l'opinion.
5093. 나는 계획에 동조한다. - Je suis d'accord avec le plan.
5094. 너는 제안에 동조할 것이다. - Vous sympathiserez avec la proposition.
5095. 동의해? - Êtes-vous d'accord ?
5096. 응, 동의해. - Oui, je suis d'accord.
5097. 방어하다 - défendre
5098. 그녀는 주장을 방어했다. - Elle a défendu sa demande.
5099. 우리는 포지션을 방어한다. - Nous défendons la position.
5100. 당신들은 영역을 방어할 것이다. - Vous allez défendre votre territoire.
5101. 준비됐어? - Êtes-vous prêt ?
5102. 네, 준비됐어. - Oui, je suis prêt.

5103. 57. 명사 단어들 외우기, 필수 10개 동사의 단어들을 가지고 50문장 연습하기 - 57. Mémorisez les noms, faites 50 phrases avec les 10 verbes nécessaires.
5104. 오류 - erreur
5105. 변화 - changement
5106. 위험 - danger
5107. 기술 - technologie
5108. 방법 - méthode
5109. 지식 - connaissance
5110. 학생들 - étudiants
5111. 주제 - sujet
5112. 서류 - document
5113. 방 - salle
5114. 일정 - programme
5115. 정책 - Politique
5116. 계획 - plan
5117. 규칙 - règle
5118. 목표 - objectif
5119. 프로젝트 - projet
5120. 꿈 - rêve
5121. 결과 - résultat
5122. 성공 - succès
5123. 예약 - réservation
5124. 주문 - commande
5125. 규정 - Règle
5126. 시스템 - système
5127. 프로그램 - programme
5128. 병 - partie
5129. 상처 - blessure
5130. 조건 - condition
5131. 탐지하다 - détecter
5132. 그는 오류를 탐지했다. - Il a détecté une erreur.
5133. 나는 변화를 탐지한다. - Je détecte un changement.
5134. 너는 위험을 탐지할 것이다. - Vous détecterez un danger.

5135. 봤어? - Avez-vous vu cela ?
5136. 응, 봤어. - Oui, je l'ai vu.
5137. 학습하다 - Apprendre
5138. 그녀는 기술을 학습했다. - Elle a appris la technique.
5139. 우리는 방법을 학습한다. - Nous apprenons les méthodes.
5140. 당신들은 지식을 학습할 것이다. - Vous apprendrez la connaissance.
5141. 이해해? - Vous comprenez ?
5142. 네, 이해해. - Oui, je comprends.
5143. 교육하다 - Éduquer
5144. 그는 학생들을 교육했다. - Il a éduqué les étudiants.
5145. 나는 주제를 교육한다. - J'éduque le sujet.
5146. 너는 기술을 교육할 것이다. - Vous éduquerez les compétences.
5147. 잘 가르쳐? - Bien enseigner ?
5148. 응, 잘 가르쳐. - Oui, bien enseigner.
5149. 정돈하다 - organiser
5150. 그녀는 서류를 정돈했다. - Elle met de l'ordre dans ses papiers.
5151. 우리는 방을 정돈한다. - Nous organisons notre chambre.
5152. 당신들은 일정을 정돈할 것이다. - Vous allez organiser votre emploi du temps.
5153. 깨끗해? - Est-ce que c'est propre ?
5154. 네, 깨끗해. - Oui, c'est propre.
5155. 시행하다 - faire respecter
5156. 그는 정책을 시행했다. - Il a appliqué la politique.
5157. 나는 계획을 시행한다. - Je fais respecter le plan.
5158. 너는 규칙을 시행할 것이다. - Vous appliquerez les règles.
5159. 작동해? - Est-ce que ça marche ?
5160. 응, 작동해. - Oui, cela fonctionne.
5161. 성취하다 - Accomplir
5162. 그녀는 목표를 성취했다. - Elle a atteint son objectif.
5163. 우리는 프로젝트를 성취한다. - Nous allons réaliser le projet.
5164. 당신들은 꿈을 성취할 것이다. - Vous allez réaliser votre rêve.
5165. 성공했어? - Avez-vous réussi ?
5166. 네, 성공했어. - Oui, j'ai réussi.
5167. 달성하다 - accomplir

5168. 그는 결과를 달성했다. - Il a obtenu le résultat.
5169. 나는 목표를 달성한다. - J'atteins mon but.
5170. 너는 성공을 달성할 것이다. - Vous allez réussir.
5171. 됐어? - Est-ce que c'est fait ?
5172. 응, 됐어. - Oui, c'est fait.
5173. 취소하다 - Annuler
5174. 그녀는 계획을 취소했다. - Elle a annulé ses projets.
5175. 우리는 예약을 취소한다. - Nous annulons la réservation.
5176. 당신들은 주문을 취소할 것이다. - Vous allez annuler la commande.
5177. 멈췄어? - Est-ce que ça s'est arrêté ?
5178. 네, 멈췄어. - Oui, elle s'est arrêtée.
5179. 폐지하다 - abolir
5180. 그는 규정을 폐지했다. - Il a supprimé le règlement.
5181. 나는 시스템을 폐지한다. - Je supprime le système.
5182. 너는 프로그램을 폐지할 것이다. - Vous allez abolir le programme.
5183. 없어졌어? - Est-il supprimé ?
5184. 응, 없어졌어. - Oui, il est supprimé.
5185. 치료하다 - guérir
5186. 그녀는 병을 치료했다. - Elle a été guérie de sa maladie.
5187. 우리는 상처를 치료한다. - Nous guérissons les blessures.
5188. 당신들은 조건을 치료할 것이다. - Vous allez guérir la maladie.
5189. 나았어? - Vous allez mieux ?
5190. 네, 나았어. - Oui, je vais mieux.
5191. 58. 명사 단어들 외우기, 필수 10개 동사의 단어들을 가지고 50문장 연습하기 - 58. Mémorisez les noms, pratiquez 50 phrases avec les 10 verbes essentiels
5192. 데이터 - données
5193. 시스템 - système
5194. 기능 - fonction
5195. 중요 파일 - fichiers importants
5196. 자료 - données
5197. 잡지 - magazine
5198. 뉴스레터 - bulletin d'information
5199. 채널 - canal

5200. 계약 - contrat
5201. 멤버십 - adhésion
5202. 서비스 - service
5203. 클럽 - club
5204. 조직 - groupe
5205. 그룹 - groupe
5206. 인터넷 - Internet
5207. 사이트 - site
5208. 계정 - compte
5209. 앱 - application
5210. 플랫폼 - plateforme
5211. 웹사이트 - Site web
5212. 정책 - Politique
5213. 결정 - décision
5214. 조치 - action
5215. 조정 - ajustement
5216. 정확한 정보 - information précise
5217. 적절한 조치 - action appropriée
5218. 복원하다 - restaurer
5219. 그는 데이터를 복원했다. - Il a restauré les données.
5220. 나는 시스템을 복원한다. - Je vais restaurer le système.
5221. 너는 기능을 복원할 것이다. - Vous allez restaurer la fonctionnalité.
5222. 돌아왔어? - Êtes-vous de retour ?
5223. 응, 돌아왔어. - Oui, je suis de retour.
5224. 백업하다 - sauvegarder
5225. 그는 데이터를 백업했다. - Il a sauvegardé ses données.
5226. 그녀는 중요 파일을 백업한다. - Elle sauvegarde ses fichiers importants.
5227. 우리는 자료를 백업할 것이다. - Nous allons sauvegarder les données.
5228. 자료 안전해? - Les données sont-elles en sécurité ?
5229. 네, 백업됐어. - Oui, elles sont sauvegardées.
5230. 구독하다 - s'abonner
5231. 그녀는 잡지를 구독했다. - Elle s'est abonnée à un magazine.
5232. 우리는 뉴스레터를 구독한다. - Nous nous abonnons à la newsletter.

5233. 당신들은 채널을 구독할 것이다. - Vous allez vous abonner à la chaîne.
5234. 새 소식 있어? - Des nouvelles ?
5235. 예, 업데이트 됐어. - Oui, j'ai été mis à jour.
5236. 해지하다 - résilier
5237. 그는 계약을 해지했다. - Il a résilié le contrat.
5238. 그녀는 멤버십을 해지한다. - Elle annule son adhésion.
5239. 우리는 서비스를 해지할 것이다. - Nous allons mettre fin au service.
5240. 계약 끝났어? - Le contrat est-il terminé ?
5241. 아니, 진행 중이야. - Non, il est en cours.
5242. 탈퇴하다 - quitter
5243. 그녀는 클럽을 탈퇴했다. - Elle a quitté le club.
5244. 우리는 조직을 탈퇴한다. - Nous quittons l'organisation.
5245. 당신들은 그룹을 탈퇴할 것이다. - Vous quittez le groupe.
5246. 아직 멤버야? - Êtes-vous toujours membre ?
5247. 아니, 탈퇴했어. - Non, j'ai quitté.
5248. 접속하다 - accéder
5249. 그는 인터넷에 접속했다. - Il a accédé à Internet.
5250. 그녀는 사이트에 접속한다. - Elle accède au site.
5251. 우리는 시스템에 접속할 것이다. - Nous allons nous connecter au système.
5252. 인터넷 연결됐어? - Êtes-vous connecté à Internet ?
5253. 네, 연결됐어. - Oui, je suis connecté.
5254. 로그인하다 - se connecter
5255. 그녀는 계정에 로그인했다. - Elle s'est connectée à son compte.
5256. 우리는 앱에 로그인한다. - Nous nous connectons à l'application.
5257. 당신들은 플랫폼에 로그인할 것이다. - Vous allez vous connecter à la plateforme.
5258. 로그인 문제 있어? - Des problèmes de connexion ?
5259. 아니, 잘 됐어. - Non, tout va bien.
5260. 로그아웃하다 - se déconnecter
5261. 그는 웹사이트에서 로그아웃했다. - Il s'est déconnecté du site web.
5262. 그녀는 시스템에서 로그아웃한다. - Elle se déconnecte du système.
5263. 우리는 계정에서 로그아웃할 것이다. - Nous allons nous déconnecter

de notre compte.
5264. 로그아웃 했어? - Vous êtes-vous déconnecté ?
5265. 예, 했어. - Oui, je me suis déconnecté.
5266. 항의하다 - protester
5267. 그녀는 정책에 항의했다. - Elle a protesté contre la politique.
5268. 우리는 결정에 항의한다. - Nous protestons contre la décision.
5269. 당신들은 조치에 항의할 것이다. - Vous allez protester contre l'action.
5270. 불만 있어? - Avez-vous une plainte à formuler ?
5271. 예, 있어. - Oui, j'en ai une.
5272. 요구하다 - exiger
5273. 그는 조정을 요구했다. - Il a demandé un ajustement.
5274. 그녀는 정확한 정보를 요구한다. - Elle demande des informations précises.
5275. 우리는 적절한 조치를 요구할 것이다. - Nous exigerons une action appropriée.
5276. 더 필요한 거 있어? - Avez-vous besoin d'autre chose ?
5277. 아뇨, 다 됐어요. - Non, j'ai terminé.
5278. 59. 명사 단어들 외우기, 필수 10개 동사의 단어들을 가지고 50문장 연습하기 - 59. mémoriser les noms, pratiquer 50 phrases avec les 10 verbes essentiels
5279. 업무 우선순위 - priorités de travail
5280. 프로젝트의 우선순위 - Priorité du projet
5281. 일의 순서 - ordre de travail
5282. 회의 - réunion
5283. 이벤트 - événement
5284. 행사 - événement
5285. 파티 - fête
5286. 대회 - Concours
5287. 경연 - concours
5288. 워크숍 - atelier
5289. 세미나 - séminaire
5290. 포럼 - forum
5291. 회사 - entreprise
5292. 단체 - organisation

5293. 조직 - groupe
5294. 재단 - Fondation
5295. 기관 - Agence
5296. 학교 - école
5297. 클럽 - club
5298. 협회 - Association
5299. 프로젝트 - projet
5300. 캠페인 - campagne
5301. 운동 - s'entraîner
5302. 사업 - entreprise
5303. 파트너십 - partenariat
5304. 모임 - classe
5305. 조합 - combinaison
5306. 집단 - groupe
5307. 우선순위를 정하다 - donner la priorité
5308. 그녀는 업무 우선순위를 정했다. - Elle a donné la priorité à son travail.
5309. 우리는 프로젝트의 우선순위를 정한다. - Nous donnons la priorité au projet.
5310. 당신들은 일의 순서를 정할 것이다. - Vous allez organiser l'ordre du travail.
5311. 뭐부터 할까? - Que devons-nous faire en premier ?
5312. 이거부터 해요. - Faisons d'abord ceci.
5313. 개최하다 - tenir
5314. 그는 회의를 개최했다. - Il a tenu une réunion.
5315. 그녀는 이벤트를 개최한다. - Elle organise un événement.
5316. 우리는 행사를 개최할 것이다. - Nous allons organiser un événement.
5317. 장소 예약됐어? - L'endroit est-il réservé ?
5318. 네, 예약됐어요. - Oui, il est réservé.
5319. 주최하다 - Organiser
5320. 그녀는 파티를 주최했다. - Elle a organisé une fête.
5321. 우리는 대회를 주최한다. - Nous organisons un concours.
5322. 당신들은 경연을 주최할 것이다. - Vous allez organiser un concours.
5323. 시간 되나요? - Avez-vous le temps ?

5324. 네, 괜찮아요. - Oui, c'est bon.
5325. 주관하다 - organiser
5326. 그는 워크숍을 주관했다. - Il a organisé un atelier.
5327. 그녀는 세미나를 주관한다. - Elle organisera un séminaire.
5328. 우리는 포럼을 주관할 것이다. - Nous allons organiser un forum.
5329. 자료 준비됐어? - Avez-vous le matériel ?
5330. 네, 다 됐어요. - Oui, ils sont prêts.
5331. 창립하다 - Elle a fondé une entreprise
5332. 그녀는 회사를 창립했다. - Elle a fondé une entreprise.
5333. 우리는 단체를 창립한다. - Nous avons fondé une organisation.
5334. 당신들은 조직을 창립할 것이다. - Vous allez créer une organisation.
5335. 명칭 정해졌어? - Avez-vous un nom ?
5336. 예, 정해졌어요. - Oui, c'est décidé.
5337. 설립하다 - établir
5338. 그는 재단을 설립했다. - Il a fondé une fondation.
5339. 그녀는 기관을 설립한다. - Elle a fondé une organisation.
5340. 우리는 학교를 설립할 것이다. - Nous allons créer une école.
5341. 위치 결정됐어? - Le lieu est-il décidé ?
5342. 네, 결정됐어요. - Oui, c'est décidé.
5343. 창설하다 - créer
5344. 그는 조직을 창설했다. - Il a fondé une organisation.
5345. 그녀는 클럽을 창설한다. - Elle fonde un club.
5346. 우리는 협회를 창설할 것이다. - Nous allons créer une association.
5347. 이름 정했어? - Avez-vous un nom ?
5348. 아직이야. - Pas encore.
5349. 발기하다 - ériger
5350. 그녀는 프로젝트를 발기했다. - Elle a lancé un projet.
5351. 우리는 캠페인을 발기한다. - Nous allons lancer une campagne.
5352. 당신들은 운동을 발기할 것이다. - Vous allez ériger un mouvement.
5353. 누가 돕나요? - Qui nous aide ?
5354. 모두 함께해. - Nous tous.
5355. 청산하다 - liquider
5356. 그는 사업을 청산했다. - Il a liquidé son entreprise.
5357. 그녀는 회사를 청산한다. - Elle liquide l'entreprise.

5358. 우리는 파트너십을 청산할 것이다. - Nous allons liquider le partenariat.
5359. 이유 알 수 있어? - Pouvez-vous deviner pourquoi ?
5360. 비밀이야. - C'est un secret.
5361. 해산하다 - Dissoudre
5362. 그녀는 모임을 해산했다. - Elle a dissous la réunion.
5363. 우리는 조합을 해산한다. - Nous dissolvons le syndicat.
5364. 당신들은 집단을 해산할 것이다. - Vous allez dissoudre le groupe.
5365. 끝난 거야? - Est-ce que c'est fini ?
5366. 그래, 끝났어. - Oui, c'est terminé.
5367. 60. 명사 단어들 외우기, 필수 10개 동사의 단어들을 가지고 50문장 연습하기 - 60. mémoriser les noms, pratiquer 50 phrases avec des mots des 10 verbes essentiels
5368. 두 회사 - deux entreprises
5369. 기업들 - sociétés
5370. 조직 - groupe
5371. 부서 - département
5372. 회사 - entreprise
5373. 사업 - entreprise
5374. 새로운 정부 - nouveau gouvernement
5375. 프로그램 - programme
5376. 기관 - Agence
5377. 책 - livre
5378. 잡지 - magazine
5379. 가이드 - guide
5380. 신문 - journal
5381. 보고서 - rapport
5382. 뉴스레터 - bulletin d'information
5383. 포스터 - affiche
5384. 초대장 - invitation
5385. 메뉴 - menu
5386. 영상 - vidéo
5387. 문서 - document
5388. 콘텐츠 - contenu

5389. 원고 - Manuscrit
5390. 번역 - traduction
5391. 글 - rédaction
5392. 꿈 - rêve
5393. 데이터 - données
5394. 결과 - résultat
5395. 합병하다 - fusionner
5396. 그는 두 회사를 합병했다. - Il a fusionné deux entreprises.
5397. 그녀는 기업들을 합병한다. - Elle fusionne des entreprises.
5398. 우리는 조직을 합병할 것이다. - Nous allons fusionner les organisations.
5399. 잘 될까요? - Cela fonctionnera-t-il ?
5400. 잘 될 거예요. - Cela se passera bien.
5401. 분할하다 - Diviser
5402. 그녀는 부서를 분할했다. - Elle a divisé le département.
5403. 우리는 회사를 분할한다. - Nous divisons l'entreprise.
5404. 당신들은 사업을 분할할 것이다. - Vous allez diviser l'entreprise.
5405. 필요한가요? - Est-ce nécessaire ?
5406. 네, 필요해요. - Oui, c'est nécessaire.
5407. 출범하다 - Inaugurer
5408. 그는 새로운 정부를 출범했다. - Il a inauguré un nouveau gouvernement.
5409. 그녀는 프로그램을 출범한다. - Elle lance un programme.
5410. 우리는 기관을 출범할 것이다. - Nous allons inaugurer une agence.
5411. 준비됐나요? - Êtes-vous prêts ?
5412. 다 준비됐어요. - Tout est prêt.
5413. 출판하다 - Publier
5414. 그녀는 책을 출판했다. - Elle a publié un livre.
5415. 우리는 잡지를 출판한다. - Nous publions un magazine.
5416. 당신들은 가이드를 출판할 것이다. - Vous allez publier un guide.
5417. 새 책 나왔어? - Votre nouveau livre est-il sorti ?
5418. 네, 나왔어요. - Oui, il est sorti.
5419. 발행하다 - publier
5420. 그는 신문을 발행했다. - Il a publié un journal.

5421. 그녀는 보고서를 발행한다. - Elle publie un rapport.
5422. 우리는 뉴스레터를 발행할 것이다. - Nous allons publier une lettre d'information.
5423. 언제 나와? - Quand sortira-t-il ?
5424. 내일 나와. - Demain.
5425. 인쇄하다 - Imprimer
5426. 그녀는 포스터를 인쇄했다. - Elle a imprimé l'affiche.
5427. 우리는 초대장을 인쇄한다. - Nous imprimons les invitations.
5428. 당신들은 메뉴를 인쇄할 것이다. - Vous allez imprimer le menu.
5429. 색깔 괜찮아? - La couleur est-elle bonne ?
5430. 완벽해요. - Elle est parfaite.
5431. 편집하다 - Monter
5432. 그는 영상을 편집했다. - Il a monté la vidéo.
5433. 그녀는 문서를 편집한다. - Elle édite le document.
5434. 우리는 콘텐츠를 편집할 것이다. - Nous allons éditer le contenu.
5435. 얼마나 걸려? - Combien de temps cela prendra-t-il ?
5436. 조금 걸려요. - Cela prendra un peu de temps.
5437. 감수하다 - éditer
5438. 그녀는 원고를 감수했다. - Elle a relu le manuscrit.
5439. 우리는 번역을 감수한다. - Nous allons relire la traduction.
5440. 당신들은 보고서를 감수할 것이다. - Vous allez relire le rapport.
5441. 검토 끝났어? - Avez-vous fini de réviser ?
5442. 거의 다 됐어. - C'est presque terminé.
5443. 번역하다 - Traduire
5444. 그는 문서를 번역했다. - Il a traduit le document.
5445. 그녀는 글을 번역한다. - Elle traduit les articles.
5446. 우리는 책을 번역할 것이다. - Nous allons traduire le livre.
5447. 이해 돼요? - Est-ce que cela a du sens ?
5448. 네, 잘 돼요. - Oui, cela va bien.
5449. 해석하다 - Interpréter
5450. 그녀는 꿈을 해석했다. - Elle a interprété le rêve.
5451. 우리는 데이터를 해석한다. - Nous interprétons les données.
5452. 당신들은 결과를 해석할 것이다. - Vous allez interpréter les résultats.
5453. 맞을까요? - C'est bien cela ?

5454. 네, 맞아요. - Oui, c'est vrai.
5455. 61. 명사 단어들 외우기, 필수 10개 동사의 단어들을 가지고 50문장 연습하기 - 61. mémoriser les noms, pratiquer 50 phrases avec les 10 verbes essentiels
5456. 범위 - gamme
5457. 관심 - intérêt
5458. 영역 - domaine
5459. 상황 - situation
5460. 관계 - relation
5461. 문제 - problème
5462. 자료 - données
5463. 정보 - informations
5464. 요소들 - éléments
5465. 아이디어 - idée
5466. 기술 - technologie
5467. 비용 - dépense
5468. 가능성 - Possibilité
5469. 결과 - résultat
5470. 가치 - valeur
5471. 상태 - situation
5472. 품질 - qualité
5473. 변경사항 - Changements
5474. 결정 - décision
5475. 일정 - calendrier
5476. 옵션 - option
5477. 해결책 - solution
5478. 데이터 - données
5479. 문서 - document
5480. 시스템 - système
5481. 설정 - réglage
5482. 시계 - horloge
5483. 기기 - appareil
5484. 확대하다 - pour zoomer
5485. 나는 범위를 확대했다. - J'ai fait un zoom sur l'écran.

5486. 너는 관심을 확대한다. - Vous agrandissez l'intérêt.
5487. 그는 영역을 확대할 것이다. - Il va agrandir la zone.
5488. 범위 더 넓힐까? - On élargit le champ d'application ?
5489. 네, 더 넓혀요. - Oui, élargissons encore.
5490. 악화하다 - Aggraver
5491. 그녀는 상황을 악화시켰다. - Elle a aggravé la situation.
5492. 우리는 관계를 악화시킨다. - Nous aggravons la relation.
5493. 당신들은 문제를 악화시킬 것이다. - Vous allez aggraver le problème.
5494. 상태 더 나빠졌어? - Avez-vous aggravé la situation ?
5495. 아니, 안 그래. - Non, pas du tout.
5496. 참고하다 - consulter
5497. 그들은 자료를 참고했다. - Ils ont consulté le matériel.
5498. 나는 정보를 참고한다. - Je me réfère à l'information.
5499. 너는 자료를 참고할 것이다. - Vous allez vous référer à la documentation.
5500. 정보 찾아봤어? - Avez-vous consulté les informations ?
5501. 응, 찾아봤어. - Oui, j'ai cherché.
5502. 조합하다 - Combiner
5503. 나는 요소들을 조합했다. - J'ai rassemblé les éléments.
5504. 너는 아이디어를 조합한다. - Vous combinerez les idées.
5505. 그는 기술을 조합할 것이다. - Il va mettre en place la technologie.
5506. 아이디어 합칠까? - Combinons-nous les idées ?
5507. 좋아, 합치자. - D'accord, combinons.
5508. 추정하다 - Estimer
5509. 그녀는 비용을 추정했다. - Elle a estimé le coût.
5510. 우리는 가능성을 추정한다. - Nous estimons les possibilités.
5511. 당신들은 결과를 추정할 것이다. - Vous estimerez le résultat.
5512. 비용 얼마로 봐? - Combien pensez-vous que cela va coûter ?
5513. 몇 만원 될 거야. - Quelques milliers de wons.
5514. 감정하다 - Apprécier
5515. 그들은 가치를 감정했다. - Ils ont estimé la valeur.
5516. 나는 상태를 감정한다. - J'évalue l'état.
5517. 너는 품질을 감정할 것이다. - Vous évaluez la qualité.
5518. 가치 평가했어? - L'avez-vous évalué ?

5519. 예, 평가했어. - Oui, je l'ai évalué.
5520. 통지하다 - notifier
5521. 나는 변경사항을 통지했다. - J'ai notifié le changement.
5522. 너는 결정을 통지한다. - Vous allez notifier la décision.
5523. 그는 일정을 통지할 것이다. - Il notifiera le calendrier.
5524. 소식 받았어? - Avez-vous eu la nouvelle ?
5525. 아니, 못 받았어. - Non, je ne l'ai pas eue.
5526. 탐색하다 - explorer
5527. 그녀는 옵션을 탐색했다. - Elle a exploré ses options.
5528. 우리는 가능성을 탐색한다. - Nous explorons les possibilités.
5529. 당신들은 해결책을 탐색할 것이다. - Vous allez explorer des solutions.
5530. 더 찾아볼까? - Allons-nous explorer davantage ?
5531. 응, 더 찾아보자. - Oui, regardons plus loin.
5532. 검사하다 - examiner
5533. 그들은 데이터를 검사했다. - Ils ont examiné les données.
5534. 나는 문서를 검사한다. - Je vais inspecter la documentation.
5535. 너는 시스템을 검사할 것이다. - Vous allez inspecter le système.
5536. 모두 확인했니? - Avez-vous tout vérifié ?
5537. 네, 확인했어. - Oui, je les ai vérifiés.
5538. 리셋하다 - Réinitialiser
5539. 나는 설정을 리셋했다. - Je réinitialise les paramètres.
5540. 너는 시계를 리셋한다. - Vous réinitialisez l'horloge.
5541. 그는 기기를 리셋할 것이다. - Il va réinitialiser l'appareil.
5542. 다시 시작할까? - Redémarrons-nous ?
5543. 응, 다시 시작해. - Oui, on recommence.
5544. 62. 명사 단어들 외우기, 필수 10개 동사의 단어들을 가지고 50문장 연습하기 - 62. mémoriser les noms, pratiquer 50 phrases avec les 10 verbes essentiels
5545. 연락 - Communication
5546. 공급 - approvisionnement
5547. 관계 - relation
5548. 잠금 - verrouiller
5549. 계약 - contrat
5550. 약속 - promesse

5551. 자리 - siège
5552. 티켓 - billet
5553. 방 - salle
5554. 회의 - réunion
5555. 예약 - réservation
5556. 여행 - voyage
5557. 보고서 - rapport
5558. 계획 - plan
5559. 제안 - proposition
5560. 문서 - document
5561. 요청 - demande
5562. 프로젝트 - projet
5563. 대회 - concours
5564. 경기 - jeu
5565. 상대 - adversaire
5566. 게임 - jeu
5567. 경쟁 - compétition
5568. 대결 - Bataille
5569. 끊다 - couper
5570. 그녀는 연락을 끊었다. - Elle a coupé le contact.
5571. 우리는 공급을 끊는다. - Nous avons coupé l'approvisionnement.
5572. 당신들은 관계를 끊을 것이다. - Vous allez couper les ponts.
5573. 연결 끊겼어? - Déconnecté ?
5574. 아니, 아직이야. - Non, pas encore.
5575. 해제하다 - déverrouiller
5576. 그들은 잠금을 해제했다. - Ils l'ont débloqué.
5577. 나는 계약을 해제한다. - Je libère le contrat.
5578. 너는 약속을 해제할 것이다. - Vous libérez la promesse.
5579. 잠금 풀었어? - L'avez-vous déverrouillé ?
5580. 네, 풀었어. - Oui, je l'ai débloqué.
5581. 예약하다 - réserver
5582. 나는 자리를 예약했다. - J'ai réservé une place.
5583. 너는 티켓을 예약한다. - Vous réserverez un billet.
5584. 그는 방을 예약할 것이다. - Il réservera une chambre.

5585. 자리 있어? - Avez-vous une place ?
5586. 네, 있어요. - Oui, il y en a une.
5587. 예약취소하다 - Annuler une réservation
5588. 그녀는 회의를 예약취소했다. - Elle a annulé la réunion.
5589. 우리는 예약을 예약취소한다. - Nous annulons la réservation.
5590. 당신들은 여행을 예약취소할 것이다. - Vous allez annuler le voyage.
5591. 취소해야 하나? - Dois-je annuler ?
5592. 아니, 기다려. - Non, attendez.
5593. 제출하다 - Soumettre
5594. 그들은 보고서를 제출했다. - Ils ont soumis le rapport.
5595. 나는 계획을 제출한다. - Je soumets un plan.
5596. 너는 제안을 제출할 것이다. - Vous allez soumettre une proposition.
5597. 제출할 준비 됐어? - Êtes-vous prêt à soumettre ?
5598. 예, 준비됐어. - Oui, je suis prêt.
5599. 반려하다 - rejeter
5600. 나는 문서를 반려했다. - J'ai rejeté le document.
5601. 너는 요청을 반려한다. - Vous rejetez la demande.
5602. 그는 프로젝트를 반려할 것이다. - Il rejettera le projet.
5603. 다시 보낼까? - Voulez-vous que je vous le renvoie ?
5604. 아니, 됐어. - Non, merci.
5605. 이기다 - Gagner
5606. 그녀는 대회를 이겼다. - Elle a gagné la compétition.
5607. 우리는 경기를 이긴다. - Nous gagnons le match.
5608. 당신들은 상대를 이길 것이다. - Vous allez battre votre adversaire.
5609. 우리 이겼어? - Avons-nous gagné ?
5610. 네, 이겼어! - Oui, nous avons gagné !
5611. 지다 - perdre
5612. 그는 게임을 졌다. - Il a perdu le match.
5613. 너는 경쟁에서 진다. - Vous perdez la compétition.
5614. 그녀는 대결에서 질 것이다. - Elle va perdre la confrontation.
5615. 경기 졌어? - As-tu perdu le match ?
5616. 응, 졌어. - Oui, j'ai perdu.
5617. 싸우다 - se battre
5618. 우리는 자주 싸웠다. - Nous nous sommes souvent battus.

5619. 당신들은 매일 싸운다. - Vous vous disputez tous les jours.
5620. 그들은 내일 싸울 것이다. - Ils se battront demain.
5621. 또 싸웠어? - Vous êtes-vous encore battus ?
5622. 아니, 안 그래. - Non, nous ne nous sommes pas disputés.
5623. 다투다 - se disputer
5624. 나는 친구와 다퉜다. - Je me suis disputé avec mon ami.
5625. 너는 이유 없이 다툰다. - Vous vous disputez sans raison.
5626. 그는 문제를 다룰 것이다. - Il s'occupera du problème.
5627. 왜 자꾸 다투니? - Pourquoi continuez-vous à vous disputer ?
5628. 모르겠어. - Je ne sais pas.
5629. 63. 명사 단어들 외우기, 필수 10개 동사의 단어들을 가지고 50문장 연습하기 - 63. mémoriser les noms, pratiquer 50 phrases avec les 10 verbes essentiels
5630. 나 - moi
5631. 우리 - nous
5632. 당신들 - vous
5633. 계획 - planifier
5634. 친구 - ami(e)
5635. 정당 - fête
5636. 자신 - Moi-même
5637. 노래 - chanter
5638. 동영상 - vidéo
5639. 기록 - enregistrer
5640. 그녀 - elle
5641. 의견 - avis
5642. 회의 - réunion
5643. 교수 - professeur
5644. 세부사항 - Détail
5645. 제안 - proposition
5646. 결정 - décision
5647. 소문 - rumeur
5648. 혐의 - charge
5649. 주장 - avis
5650. 변경사항 - Changements

5651. 규칙 - règle
5652. 도전 - défi
5653. 시도 - procès
5654. 지지하다 - soutenir
5655. 그녀는 나를 지지했다. - Elle m'a soutenu.
5656. 우리는 서로를 지지한다. - Nous nous soutenons mutuellement.
5657. 당신들은 계획을 지지할 것이다. - Vous soutiendrez le plan.
5658. 지지해 줄래? - Le soutiendrez-vous ?
5659. 물론이지. - Bien sûr.
5660. 변호하다 - défendre
5661. 나는 친구를 변호했다. - J'ai défendu mon ami.
5662. 너는 정당을 변호한다. - Vous défendez le parti.
5663. 그녀는 자신을 변호할 것이다. - Elle se défendra elle-même.
5664. 변호할 수 있어? - Pouvez-vous défendre ?
5665. 시도해 볼게. - Je vais essayer.
5666. 녹음하다 - Enregistrer
5667. 우리는 회의를 녹음했다. - Nous avons enregistré la réunion.
5668. 당신들은 강의를 녹음한다. - Vous enregistrez des conférences.
5669. 그들은 공연을 녹음할 것이다. - Ils vont enregistrer un spectacle.
5670. 녹음 시작했어? - Avez-vous commencé à enregistrer ?
5671. 네, 시작했어. - Oui, j'ai commencé.
5672. 재생하다 - jouer
5673. 나는 노래를 재생했다. - J'ai joué la chanson.
5674. 너는 동영상을 재생한다. - Vous jouez la vidéo.
5675. 그는 기록을 재생할 것이다. - Il va jouer l'enregistrement.
5676. 재생할 준비 됐어? - Êtes-vous prêt à jouer ?
5677. 준비 됐어. - Je suis prêt.
5678. 발언하다 - Parler
5679. 그녀는 중요한 발언을 했다. - Elle a fait une remarque importante.
5680. 우리는 의견을 발언한다. - Nous exprimons nos opinions.
5681. 당신들은 회의에서 발언할 것이다. - Vous prendrez la parole lors de la réunion.
5682. 발언할 거야? - Allez-vous prendre la parole ?
5683. 아직 몰라. - Je ne sais pas encore.

5684. 질문하다 - Poser une question
5685. 나는 교수에게 질문했다. - J'ai posé une question au professeur.
5686. 너는 어려운 질문을 한다. - Vous posez des questions difficiles.
5687. 그녀는 세부사항을 질문할 것이다. - Elle demandera des détails.
5688. 질문 있어? - Des questions ?
5689. 없어, 괜찮아. - Non, merci.
5690. 반문하다 - questionner
5691. 우리는 그의 의견을 반문했다. - Nous avons remis en question son opinion.
5692. 당신들은 제안을 반문한다. - Vous remettez en cause la proposition.
5693. 그들은 결정을 반문할 것이다. - Ils remettront en cause la décision.
5694. 왜 반문해? - Pourquoi remettez-vous en question ?
5695. 이해 안 돼서. - Parce que je ne comprends pas.
5696. 부정하다 - Démentir
5697. 나는 소문을 부정했다. - J'ai démenti la rumeur.
5698. 너는 혐의를 부정한다. - Vous niez les allégations.
5699. 그는 주장을 부정할 것이다. - Il niera les allégations.
5700. 사실 부정해? - Nier les faits ?
5701. 그래, 부정해. - Oui, je le nie.
5702. 반발하다 - Se rebeller
5703. 그녀는 결정에 반발했다. - Elle s'est rebellée contre la décision.
5704. 우리는 변경사항에 반발한다. - Nous nous rebellons contre les changements.
5705. 당신들은 규칙에 반발할 것이다. - Vous vous rebellerez contre les règles.
5706. 반발할 이유 있어? - Y a-t-il une raison de se rebeller ?
5707. 있어, 분명해. - Oui, c'est évident.
5708. 포기하다 - Abandonner
5709. 나는 도전을 포기했다. - J'ai abandonné le défi.
5710. 너는 시도를 포기한다. - Vous renoncez à essayer.
5711. 그녀는 계획을 포기할 것이다. - Elle abandonnera le plan.
5712. 포기해야 할까? - Dois-je abandonner ?
5713. 아니, 계속해. - Non, continuez.
5714. 64. 명사 단어들 외우기, 필수 10개 동사의 단어들을 가지고 50문장 연습

하기 - 64. Mémorisez les noms, pratiquez 50 phrases avec les 10 verbes essentiels.
5715. 전략 - stratégie
5716. 생각 - réflexion
5717. 자원 - ressource
5718. 군대 - armée
5719. 기술 - technologie
5720. 성공 - succès
5721. 평화 - paix
5722. 협력 - Coopération
5723. 변화 - changement
5724. 기회 - opportunité
5725. 해결 - résoudre
5726. 미래 - futur
5727. 결과 - résultat
5728. 영향 - effet
5729. 상황 - situation
5730. 질문 - question
5731. 발견 - découverte
5732. 말 - mot
5733. 지연 - retard
5734. 거부 - refus
5735. 결정 - décision
5736. 불의 - fougueux
5737. 부정 - déni
5738. 불편함 - malaise
5739. 장애 - obstacle
5740. 태도 - attitude
5741. 반응 - réaction
5742. 재정비하다 - réorganiser
5743. 우리는 전략을 재정비했다. - Nous réorganisons notre stratégie.
5744. 당신들은 생각을 재정비한다. - Vous réorganisez votre réflexion.
5745. 그들은 자원을 재정비할 것이다. - Ils vont réorganiser leurs ressources.

5746. 재정비 필요해? - Devons-nous nous réorganiser ?
5747. 네, 필요해. - Oui, nous devons le faire.
5748. 배치하다 - Déployer
5749. 나는 자원을 배치했다. - J'ai déployé des ressources.
5750. 너는 군대를 배치한다. - Vous déployez des troupes.
5751. 그는 기술을 배치할 것이다. - Il va déployer la technologie.
5752. 배치 완료됐니? - Avez-vous fini de déployer ?
5753. 아직이야. - Pas encore.
5754. 바라다 - Espérer
5755. 그녀는 성공을 바랐다. - Elle espérait le succès.
5756. 우리는 평화를 바란다. - Nous espérons la paix.
5757. 당신들은 협력을 바랄 것이다. - Vous espérez la coopération.
5758. 무엇을 바래? - Qu'espérez-vous ?
5759. 행복을 바라. - J'espère le bonheur.
5760. 소망하다 - souhaiter
5761. 나는 변화를 소망했다. - Je souhaite un changement.
5762. 너는 기회를 소망한다. - Vous espérez une opportunité.
5763. 그녀는 해결을 소망할 것이다. - Elle espère une résolution.
5764. 소망 있어? - Avez-vous des souhaits ?
5765. 있어, 많아. - Oui, j'en ai beaucoup.
5766. 우려하다 - Se préoccuper de
5767. 우리는 미래를 우려했다. - Nous étions préoccupés par l'avenir.
5768. 당신들은 결과를 우려한다. - Vous êtes préoccupé par le résultat.
5769. 그들은 영향을 우려할 것이다. - Ils seront préoccupés par l'impact.
5770. 걱정돼? - Êtes-vous inquiet ?
5771. 응, 걱정돼. - Oui, je suis inquiet.
5772. 당황하다 - S'affoler
5773. 나는 상황에 당황했다. - Je suis déconcerté par la situation.
5774. 너는 질문에 당황한다. - La question vous laisse perplexe.
5775. 그는 발견에 당황할 것이다. - Il sera embarrassé par la découverte.
5776. 당황했어? - Avez-vous paniqué ?
5777. 응, 많이. - Oui, beaucoup.
5778. 화나다 - Être en colère
5779. 그녀는 말에 화났다. - Elle est en colère contre le cheval.

5780. 우리는 지연에 화난다. - Nous sommes en colère contre le retard.
5781. 당신들은 거부에 화낼 것이다. - Vous serez en colère contre le refus.
5782. 화났어? - Êtes-vous en colère ?
5783. 네, 많이. - Oui, beaucoup.
5784. 분노하다 - Être en colère
5785. 나는 결정에 분노했다. - Je suis en colère contre la décision.
5786. 너는 불의에 분노한다. - Vous êtes en colère contre l'injustice.
5787. 그녀는 부정에 분노할 것이다. - Elle sera en colère contre l'injustice.
5788. 분노해? - En colère ?
5789. 응, 분노해. - Oui, indignée.
5790. 짜증내다 - Être ennuyé
5791. 우리는 불편함에 짜증냈다. - Nous sommes agacés par le désagrément.
5792. 당신들은 지연에 짜증낸다. - Vous êtes agacés par le retard.
5793. 그들은 장애에 짜증낼 것이다. - Ils seront agacés par les obstacles.
5794. 짜증나? - Agacé ?
5795. 응, 짜증나. - Oui, agacé.
5796. 실망하다 - Déçu
5797. 나는 결과에 실망했다. - Je suis déçu par le résultat.
5798. 너는 태도에 실망한다. - Vous êtes déçu par l'attitude.
5799. 그는 반응에 실망할 것이다. - Il sera déçu par la réaction.
5800. 실망했니? - Êtes-vous déçu ?
5801. 네, 실망했어. - Oui, je suis déçu.
5802. 65. 명사 단어들 외우기, 필수 10개 동사의 단어들을 가지고 50문장 연습하기 - 65. Mémorisez les noms, pratiquez 50 phrases avec les 10 verbes essentiels
5803. 성과 - résultat
5804. 서비스 - service
5805. 해결 - résoudre
5806. 순간 - Moment
5807. 여기 - ici
5808. 미래 - futur
5809. 소식 - Nouvelles
5810. 모임 - classe

5811. 성공 - succès
5812. 이별 - adieu
5813. 상실 - perte
5814. 사건 - Événement
5815. 손실 - Perte
5816. 결과 - résultat
5817. 고향 - ville natale
5818. 친구 - ami(e)
5819. 옛날 - Il y a longtemps
5820. 행동 - action
5821. 불의 - fougueux
5822. 거짓 - mensonge
5823. 비행 - vol
5824. 무례함 - impolitesse
5825. 거짓말 - mensonge
5826. 이야기 - histoire
5827. 영화 - film
5828. 연설 - discours
5829. 만족하다 - satisfait
5830. 그녀는 성과에 만족했다. - Elle était satisfaite de la prestation.
5831. 우리는 서비스에 만족한다. - Nous sommes satisfaits du service.
5832. 당신들은 해결에 만족할 것이다. - Vous serez satisfait de la solution.
5833. 만족해? - Êtes-vous satisfait ?
5834. 응, 만족해. - Oui, je suis satisfait.
5835. 행복하다 - Être heureux
5836. 나는 순간에 행복했다. - J'ai été heureux dans l'instant.
5837. 너는 여기에 행복한다. - Vous êtes heureux ici.
5838. 그녀는 미래에 행복할 것이다. - Elle sera heureuse dans le futur.
5839. 행복해? - Êtes-vous heureux ?
5840. 네, 매우. - Oui, très heureux.
5841. 즐거워하다 - se réjouir
5842. 우리는 소식에 즐거워했다. - Nous avons été ravis de la nouvelle.
5843. 당신들은 모임에 즐거워한다. - Vous êtes heureux de cette réunion.
5844. 그들은 성공에 즐거워할 것이다. - Ils seront heureux de leur succès.

5845. 즐거워? - Heureux ?
5846. 응, 즐거워. - Oui, je suis heureux.
5847. 슬퍼하다 - Être triste
5848. 나는 이별에 슬퍼했다. - J'ai été attristé par la séparation.
5849. 너는 소식에 슬퍼한다. - Vous êtes attristé par la nouvelle.
5850. 그녀는 상실에 슬퍼할 것이다. - Elle sera attristée par cette perte.
5851. 슬퍼? - Triste ?
5852. 응, 슬퍼. - Oui, triste.
5853. 애통하다 - Se lamenter
5854. 우리는 사건에 애통해했다. - Nous avons déploré l'incident.
5855. 당신들은 손실에 애통한다. - Vous pleurez la perte.
5856. 그들은 결과에 애통할 것이다. - Ils pleureront le résultat.
5857. 애통해해? - Deuil ?
5858. 네, 깊이. - Oui, profondément.
5859. 그리워하다 - Manquer
5860. 나는 고향을 그리워했다. - Ma ville natale m'a manqué.
5861. 너는 친구를 그리워한다. - Vos amis vous manquent.
5862. 그는 옛날을 그리워할 것이다. - Le bon vieux temps lui manquera.
5863. 그리워해? - Vous manque-t-il ?
5864. 응, 많이. - Oui, beaucoup.
5865. 그립다 - Je regrette
5866. 나는 고향을 그리웠다. - Ma ville natale me manque.
5867. 너는 친구를 그립게 생각한다. - Ton ami te manque.
5868. 그는 옛날을 그리울 것이다. - Le bon vieux temps lui manquera.
5869. 친구 생각나? - Vous souvenez-vous de votre ami ?
5870. 네, 생각나. - Oui, je me souviens de lui.
5871. 증오하다 - détester
5872. 너는 행동을 증오했다. - Vous avez détesté ce comportement.
5873. 그는 불의를 증오한다. - Il déteste l'injustice.
5874. 그녀는 거짓을 증오할 것이다. - Elle détestera le mensonge.
5875. 너 불편해? - Êtes-vous mal à l'aise ?
5876. 네, 불편해. - Oui, je suis mal à l'aise.
5877. 혐오하다 - abhorrer
5878. 그는 비행을 혐오했다. - Il a horreur de l'avion.

5879. 그녀는 무례함을 혐오한다. - Elle a horreur de l'impolitesse.
5880. 우리는 거짓말을 혐오할 것이다. - Nous aurons horreur du mensonge.
5881. 이상해? - Est-ce que c'est bizarre ?
5882. 아니, 괜찮아. - Non, c'est très bien.
5883. 감동하다 - Être impressionné
5884. 그녀는 이야기에 감동했다. - Elle a été émue par l'histoire.
5885. 우리는 영화에 감동한다. - Nous sommes émus par le film.
5886. 당신들은 연설에 감동할 것이다. - Vous serez émus par le discours.
5887. 울었어? - Avez-vous pleuré ?
5888. 아니, 안 울었어. - Non, je n'ai pas pleuré.
5889. 66. 명사 단어들 외우기, 필수 10개 동사의 단어들을 가지고 50문장 연습하기 - 66. mémoriser les noms, pratiquer 50 phrases avec les mots des 10 verbes essentiels
5890. 경치 - vue
5891. 기술 - technologie
5892. 발전 - Développement
5893. 거짓말 - mensonge
5894. 위선 - hypocrisie
5895. 속임수 - Tromperie
5896. 실수 - erreur
5897. 무지함 - ignorance
5898. 어리석음 - bêtise
5899. 노력 - effort
5900. 실패 - échec
5901. 용기 - courage
5902. 제안 - proposition
5903. 변화 - changement
5904. 혁신 - innovation
5905. 박물관 - musée
5906. 자연 - nature
5907. 우주 - univers
5908. 계획 - projet
5909. 아이디어 - idée
5910. 정보 - information

5911. 경험 - expérience
5912. 지식 - connaissance
5913. 프로젝트 - projet
5914. 작업 - travail
5915. 친구 - ami(e)
5916. 이웃 - voisin
5917. 사회 - société
5918. 감탄하다 - admirer
5919. 나는 경치에 감탄했다. - J'ai admiré le paysage.
5920. 너는 기술을 감탄한다. - Vous admirez la technologie.
5921. 그는 발전을 감탄할 것이다. - Il admirera le progrès.
5922. 멋있어? - Est-ce que c'est cool ?
5923. 네, 멋있어. - Oui, c'est cool.
5924. 경멸하다 - Mépriser
5925. 너는 거짓말을 경멸했다. - Vous méprisez le mensonge.
5926. 그는 위선을 경멸한다. - Il mépriserait l'hypocrisie.
5927. 그녀는 속임수를 경멸할 것이다. - Elle mépriserait la tromperie.
5928. 화났어? - Êtes-vous en colère ?
5929. 네, 화났어. - Oui, je suis en colère.
5930. 비웃다 - rire de
5931. 그는 실수를 비웃었다. - Il rit de ses erreurs.
5932. 그녀는 무지함을 비웃는다. - Elle rit de l'ignorance.
5933. 우리는 어리석음을 비웃을 것이다. - Nous allons rire de notre bêtise.
5934. 재밌어? - Est-ce que c'est drôle ?
5935. 아니, 안 재밌어. - Non, ce n'est pas drôle.
5936. 조롱하다 - se moquer
5937. 그녀는 노력을 조롱했다. - Elle se moque de l'effort.
5938. 우리는 실패를 조롱한다. - Nous nous moquons de l'échec.
5939. 당신들은 용기를 조롱할 것이다. - Vous vous moquerez du courage.
5940. 즐거워? - Vous vous amusez ?
5941. 아니, 즐겁지 않아. - Non, ce n'est pas agréable.
5942. 배척하다 - rejeter
5943. 나는 제안을 배척했다. - J'ai rejeté la suggestion.
5944. 너는 변화를 배척하게 생각한다. - Vous pensez rejeter le

changement.
5945. 그는 혁신을 배척할 것이다. - Il rejettera l'innovation.
5946. 거절해? - Rejeter ?
5947. 네, 거절해. - Oui, rejeter.
5948. 탐방하다 - explorer
5949. 너는 박물관을 탐방했다. - Vous explorez le musée.
5950. 그는 자연을 탐방한다. - Il explorera la nature.
5951. 그녀는 우주를 탐방할 것이다. - Elle va explorer l'univers.
5952. 재밌어? - Est-ce amusant ?
5953. 네, 재밌어. - Oui, c'est amusant.
5954. 찬성하다 - être en faveur de
5955. 그는 계획을 찬성했다. - Il était en faveur du plan.
5956. 그녀는 아이디어를 찬성한다. - Elle est favorable à l'idée.
5957. 우리는 제안을 찬성할 것이다. - Nous voterons en faveur de la proposition.
5958. 동의해? - Êtes-vous d'accord ?
5959. 네, 동의해. - Oui, je suis d'accord.
5960. 교류하다 - échanger
5961. 그녀는 정보를 교류했다. - Elle a échangé des informations.
5962. 우리는 경험을 교류한다. - Nous allons échanger nos expériences.
5963. 당신들은 지식을 교류할 것이다. - Vous échangerez des connaissances.
5964. 만났어? - Vous êtes-vous rencontrés ?
5965. 아니, 안 만났어. - Non, je ne l'ai pas rencontré.
5966. 협조하다 - coopérer
5967. 나는 프로젝트에 협조했다. - J'ai coopéré avec le projet.
5968. 너는 계획을 협조하게 생각한다. - Vous coopérerez avec le plan.
5969. 그는 작업에 협조할 것이다. - Il coopérera avec le travail.
5970. 도울래? - Allez-vous m'aider ?
5971. 네, 도울게. - Oui, je vous aiderai.
5972. 도움을 주다 - donner un coup de main
5973. 너는 친구에게 도움을 주었다. - Vous aidez votre ami.
5974. 그는 이웃을 돕는다. - Il aide son voisin.
5975. 그녀는 사회를 돕게 될 것이다. - Elle va aider la société.

5976. 필요해? - En avez-vous besoin ?
5977. 네, 필요해. - Oui, j'en ai besoin.
5978. 67. 명사 단어들 외우기, 필수 10개 동사의 단어들을 가지고 50문장 연습하기 - 67. Mémorisez les noms, pratiquez 50 phrases avec les 10 verbes essentiels.
5979. 목표 - objectif
5980. 성공 - réussite
5981. 꿈 - rêve
5982. 보고서 - rapport
5983. 프로젝트 - projet
5984. 계획 - plan
5985. 여행 - voyage
5986. 모임 - classe
5987. 학창 시절 - Jours d'école
5988. 과제 - mission
5989. 미션 - mission
5990. 도전 - défi
5991. 전시 - exposition
5992. 음악 - musique
5993. 예술 - art
5994. 선생님 - enseignant
5995. 리더 - leader
5996. 선구자 - précurseur
5997. 자유 - liberté
5998. 평화 - paix
5999. 행복 - bonheur
6000. 제안 - proposition
6001. 초대 - inviter
6002. 조건 - condition
6003. 문제 - problème
6004. 경쟁 - concourir
6005. 노력하다 - essayer
6006. 그는 목표를 달성하기 위해 노력했다. - Il a travaillé dur pour atteindre son objectif.

6007. 그녀는 성공을 위해 노력한다. - Elle s'efforce de réussir.
6008. 우리는 꿈을 이루기 위해 노력할 것이다. - Nous allons essayer de réaliser nos rêves.
6009. 힘들어? - c'est difficile ?
6010. 네, 힘들어. - Oui, c'est difficile.
6011. 작업하다 - travailler
6012. 그녀는 보고서를 작업했다. - Elle a travaillé sur le rapport.
6013. 우리는 프로젝트를 작업한다. - Nous travaillons sur le projet.
6014. 당신들은 계획을 작업할 것이다. - Vous allez travailler sur le plan.
6015. 바빠? - Occupé ?
6016. 네, 바빠. - Oui, je suis occupé.
6017. 추억하다 - Se remémorer
6018. 나는 여행을 추억했다. - Je me suis souvenu du voyage.
6019. 너는 모임을 추억하게 생각한다. - Vous vous souviendrez de la réunion.
6020. 그는 학창 시절을 추억할 것이다. - Il se souviendra de ses années d'école.
6021. 잊었어? - Avez-vous oublié ?
6022. 아니, 안 잊었어. - Non, je n'ai pas oublié.
6023. 완수하다 - accomplir
6024. 너는 과제를 완수했다. - Vous avez accompli la mission.
6025. 그는 미션을 완수한다. - Il accomplira la mission.
6026. 그녀는 도전을 완수할 것이다. - Elle va relever le défi.
6027. 성공했어? - Avez-vous réussi ?
6028. 네, 성공했어. - Oui, j'ai réussi.
6029. 이루다 - réaliser
6030. 그는 꿈을 이루었다. - Il réalise son rêve.
6031. 그녀는 목표를 이룬다. - Elle réalisera son objectif.
6032. 우리는 희망을 이룰 것이다. - Nous allons réaliser nos espoirs.
6033. 가능해? - Est-ce possible ?
6034. 네, 가능해. - Oui, c'est possible.
6035. 감상하다 - apprécier
6036. 그녀는 전시를 감상했다. - Elle a apprécié l'exposition.
6037. 우리는 음악을 감상한다. - Nous apprécions la musique.

6038. 당신들은 예술을 감상할 것이다. - Vous apprécierez l'art.
6039. 좋아해? - L'aimez-vous ?
6040. 네, 좋아해. - Oui, je l'apprécie.
6041. 동경하다 - admirer
6042. 나는 선생님을 동경했다. - J'ai admiré mon professeur.
6043. 너는 리더를 동경하게 생각한다. - Vous admirez un leader.
6044. 그는 선구자를 동경할 것이다. - Il admirera le pionnier.
6045. 원해? - Le voulez-vous ?
6046. 네, 원해. - Oui, je le veux.
6047. 갈망하다 - désirer
6048. 너는 자유를 갈망했다. - Vous aspirez à la liberté.
6049. 그는 평화를 갈망한다. - Il aspirera à la paix.
6050. 그녀는 행복을 갈망할 것이다. - Elle aura envie de bonheur.
6051. 필요해? - Besoin ?
6052. 네, 필요해. - Oui, j'en ai besoin.
6053. 수락하다 - accepter
6054. 그는 제안을 수락했다. - Il a accepté l'offre.
6055. 그녀는 초대를 수락한다. - Elle accepte l'invitation.
6056. 우리는 조건을 수락할 것이다. - Nous acceptons les conditions.
6057. 동의해? - Êtes-vous d'accord ?
6058. 네, 동의해. - Oui, j'accepte.
6059. 공격하다 - Attaquer
6060. 그녀는 문제를 공격적으로 다루었다. - Elle a traité le problème de manière agressive.
6061. 우리는 경쟁을 공격적으로 대한다. - Nous traitons la concurrence de manière agressive.
6062. 당신들은 도전을 공격할 것이다. - Vous allez relever le défi.
6063. 준비됐어? - Êtes-vous prêt ?
6064. 네, 준비됐어. - Oui, je suis prêt.
6065. 68. 명사 단어들 외우기, 필수 10개 동사의 단어들을 가지고 50문장 연습하기 - 68. Mémorisez les noms, pratiquez 50 phrases avec les 10 verbes essentiels.
6066. 대회 - Compétition
6067. 동료 - collègue

6068. 시장 - marché
6069. 위험 - danger
6070. 문제 - problème
6071. 기회 - opportunité
6072. 환경 - environnement
6073. 변화 - changement
6074. 미래 - futur
6075. 규칙 - règle
6076. 기준 - norme
6077. 요구 - demande
6078. 권력 - autorité
6079. 영향력 - Influence
6080. 지식 - connaissance
6081. 아이 - enfant
6082. 책 - livre
6083. 모형 - modèle
6084. 인형 - poupée
6085. 간판 - Signe
6086. 조형물 - sculpture
6087. 담요 - couverture
6088. 식탁 - table
6089. 화면 - écran
6090. 창문 - fenêtre
6091. 눈 - œil
6092. 거울 - miroir
6093. 정보 - information
6094. 경쟁하다 - concourir
6095. 나는 대회에서 경쟁했다. - J'ai participé à un concours.
6096. 너는 동료와 경쟁하게 생각한다. - Vous pensez concurrencer vos collègues.
6097. 그는 시장에서 경쟁할 것이다. - Il va concourir sur le marché.
6098. 이겼어? - Avez-vous gagné ?
6099. 아니, 안 이겼어. - Non, je n'ai pas gagné.
6100. 인지하다 - Reconnaître

6101. 너는 위험을 인지했다. - Vous avez reconnu le risque.
6102. 그는 문제를 인지한다. - Il reconnaît le problème.
6103. 그녀는 기회를 인지할 것이다. - Elle reconnaîtra l'opportunité.
6104. 알아챘어? - L'avez-vous reconnu ?
6105. 네, 알아챘어. - Oui, je l'ai remarqué.
6106. 적응하다 - S'adapter
6107. 그는 새 환경에 적응했다. - Il s'est adapté au nouvel environnement.
6108. 그녀는 변화에 적응한다. - Elle s'adapte au changement.
6109. 우리는 미래에 적응할 것이다. - Nous nous adapterons à l'avenir.
6110. 쉬워? - Est-ce facile ?
6111. 아니, 어려워. - Non, c'est difficile.
6112. 순응하다 - se conformer
6113. 그녀는 규칙에 순응했다. - Elle s'est conformée aux règles.
6114. 우리는 기준에 순응한다. - Nous nous conformons aux normes.
6115. 당신들은 요구에 순응할 것이다. - Vous vous conformerez aux exigences.
6116. 따라가? - Vous suivez ?
6117. 네, 따라가. - Oui, je suis.
6118. 휘두르다 - exercer
6119. 나는 권력을 휘둘렀다. - J'ai exercé un pouvoir.
6120. 너는 영향력을 휘두르게 생각한다. - Vous pensez exercer une influence.
6121. 그는 지식을 휘두를 것이다. - Il exercera le savoir.
6122. 무서워? - As-tu peur ?
6123. 아니, 안 무서워. - Non, je n'ai pas peur.
6124. 눕히다 - coucher
6125. 나는 아이를 눕혔다. - Je dépose l'enfant.
6126. 너는 책을 눕힌다. - Vous posez un livre.
6127. 그는 모형을 눕힐 것이다. - Il va poser la maquette.
6128. 편안해? - Est-ce que c'est confortable ?
6129. 네, 편안해. - Oui, c'est confortable.
6130. 세우다 - mettre en place
6131. 너는 인형을 세웠다. - Vous avez installé la poupée.
6132. 그는 간판을 세운다. - Il installera l'enseigne.

6133. 그녀는 조형물을 세울 것이다. - Elle érigera une sculpture.
6134. 잘 섰어? - Tu t'es bien tenu ?
6135. 네, 잘 섰어. - Oui, je me tiens bien.
6136. 덮다 - couvrir
6137. 그는 책을 덮었다. - Il a couvert le livre.
6138. 그녀는 담요를 덮는다. - Elle couvre la couverture.
6139. 우리는 식탁을 덮을 것이다. - Nous allons couvrir la table à manger.
6140. 춥니? - Est-ce qu'il fait froid ?
6141. 아니, 안 춥다. - Non, il ne fait pas froid.
6142. 어둡게 하다 - Assombrir
6143. 그녀는 방을 어둡게 했다. - Elle a assombri la pièce.
6144. 우리는 화면을 어둡게 한다. - Nous assombrissons l'écran.
6145. 당신들은 창문을 어둡게 할 것이다. - Vous allez assombrir les fenêtres.
6146. 밝아? - Est-ce que c'est lumineux ?
6147. 아니, 어두워. - Non, c'est sombre.
6148. 가리다 - couvrir
6149. 나는 눈을 가렸다. - J'ai couvert mes yeux.
6150. 너는 거울을 가린다. - Vous couvrez le miroir.
6151. 그는 정보를 가릴 것이다. - Il va masquer l'information.
6152. 보여? - Est-ce que tu vois ?
6153. 아니, 안 보여. - Non, je ne vois pas.
6154. 69. 명사 단어들 외우기, 필수 10개 동사의 단어들을 가지고 50문장 연습하기 - 69. Mémorisez les noms, pratiquez 50 phrases avec les 10 verbes essentiels
6155. 고양이 - chat
6156. 표면 - surface
6157. 식물 - plante
6158. 설정 - réglage
6159. 기계 - machine
6160. 시스템 - système
6161. 문 - porte
6162. 탁자 - table
6163. 북 - nord

6164. 등 - etc.
6165. 바닥 - sol
6166. 복권 - Billet de loterie
6167. 비밀 - secret
6168. 데이터 - données
6169. 계획 - plan
6170. 혐의 - charge
6171. 주장 - avis
6172. 관계 - relation
6173. 휴가 - vacances
6174. 자유 - liberté
6175. 성과 - résultat
6176. 만지다 - toucher
6177. 너는 고양이를 만졌다. - Vous avez touché le chat.
6178. 그는 표면을 만진다. - Il touche la surface.
6179. 그녀는 식물을 만질 것이다. - Elle va toucher la plante.
6180. 부드러워? - Est-elle douce ?
6181. 네, 부드러워. - Oui, elle est douce.
6182. 건드리다 - toucher
6183. 그는 설정을 건드렸다. - Il a touché le décor.
6184. 그녀는 기계를 건드린다. - Elle touche la machine.
6185. 우리는 시스템을 건드릴 것이다. - Nous allons toucher le système.
6186. 괜찮아? - Est-ce que ça va ?
6187. 네, 괜찮아. - Oui, ça va.
6188. 두드리다 - Frapper
6189. 그녀는 문을 두드렸다. - Elle a frappé à la porte.
6190. 우리는 탁자를 두드린다. - Nous frappons sur la table.
6191. 당신들은 북을 두드릴 것이다. - Vous allez frapper sur le tambour.
6192. 소리났어? - As-tu entendu cela ?
6193. 네, 소리났어. - Oui, il a fait un bruit.
6194. 긁다 - gratter
6195. 나는 등을 긁었다. - Je me suis gratté le dos.
6196. 너는 바닥을 긁는다. - Vous grattez le sol.
6197. 그는 복권을 긁을 것이다. - Il va gratter le billet de loterie.

6198. 가려워? - se gratter ?
6199. 아니, 안 가려워. - Non, je ne me gratte pas.
6200. 잠들다 - S'endormir
6201. 너는 빨리 잠들었다. - Vous vous êtes endormi rapidement.
6202. 그는 조용히 잠든다. - Il s'endort tranquillement.
6203. 그녀는 편안히 잠들 것이다. - Elle dormira confortablement.
6204. 졸려? - Avez-vous sommeil ?
6205. 네, 졸려. - Oui, j'ai sommeil.
6206. 미소짓다 - sourire
6207. 그는 기쁨에 미소지었다. - Il sourit de joie.
6208. 그녀는 친절하게 미소짓는다. - Elle sourit de gentillesse.
6209. 우리는 성공에 미소질 것이다. - Nous sourirons de notre réussite.
6210. 행복해? - Êtes-vous heureux ?
6211. 네, 행복해. - Oui, je suis heureux.
6212. 새기다 - inscrire
6213. 그녀는 이름을 새겼다. - Elle a inscrit son nom.
6214. 우리는 메시지를 새긴다. - Nous gravons des messages.
6215. 당신들은 기념을 새길 것이다. - Vous allez graver un mémorial.
6216. 기억나? - Vous souvenez-vous ?
6217. 네, 기억나. - Oui, je me souviens.
6218. 노출하다 - exposer
6219. 나는 비밀을 노출했다. - J'ai dévoilé un secret.
6220. 너는 데이터를 노출한다. - Vous exposez les données.
6221. 그는 계획을 노출할 것이다. - Il exposera le plan.
6222. 위험해? - Est-ce dangereux ?
6223. 아니, 안 위험해. - Non, ce n'est pas dangereux.
6224. 부인하다 - nier
6225. 너는 혐의를 부인했다. - Vous avez nié l'allégation.
6226. 그는 주장을 부인한다. - Il nie les allégations.
6227. 그녀는 관계를 부인할 것이다. - Elle niera la relation.
6228. 거짓말해? - Est-ce que vous mentez ?
6229. 아니, 안 해. - Non, je ne mens pas.
6230. 향유하다 - profiter
6231. 그는 휴가를 향유했다. - Il a profité de ses vacances.

6232. 그녀는 자유를 향유한다. - Elle profitera de sa liberté.
6233. 우리는 성과를 향유할 것이다. - Nous allons profiter de notre réussite.
6234. 즐거워? - Vous appréciez ?
6235. 네, 즐거워. - Oui, j'en profite.
6236. 70. 명사 단어들 외우기, 필수 10개 동사의 단어들을 가지고 50문장 연습하기 - 70. mémoriser les noms, pratiquer 50 phrases avec les mots des 10 verbes essentiels
6237. 파티 - faire la fête
6238. 여행 - voyager
6239. 공연 - montrer
6240. 여유 - épargner
6241. 풍경 - voir
6242. 성공 - succès
6243. 모임 - classe
6244. 프로젝트 - projet
6245. 캠페인 - campagne
6246. 기부 - don
6247. 지식 - connaissance
6248. 노력 - effort
6249. 커뮤니티 - communauté
6250. 단체 - organisation
6251. 이벤트 - événement
6252. 조사 - inspection
6253. 실험 - Expérience
6254. 평가 - évaluation
6255. 작품 - Travail
6256. 사진 - image
6257. 발명품 - invention
6258. 자료 - données
6259. 환자 - patient
6260. 물품 - article
6261. 권리 - droit
6262. 이념 - idéologie

6263. 평화 - paix
6264. 즐기다 - apprécier
6265. 그녀는 파티를 즐겼다. - Elle a apprécié la fête.
6266. 우리는 여행을 즐긴다. - Nous aimons voyager.
6267. 당신들은 공연을 즐길 것이다. - Vous apprécierez le concert.
6268. 재미있어? - Vous vous amusez ?
6269. 네, 재미있어. - Oui, c'est amusant.
6270. 누리다 - s'amuser
6271. 나는 여유를 누렸다. - J'ai apprécié les loisirs.
6272. 너는 풍경을 누린다. - Vous appréciez le paysage.
6273. 그는 성공을 누릴 것이다. - Il profitera de son succès.
6274. 만족해? - Êtes-vous satisfait ?
6275. 네, 만족해. - Oui, je suis satisfait.
6276. 동참하다 - Se joindre à
6277. 너는 모임에 동참했다. - Vous participez à la réunion.
6278. 그는 프로젝트에 동참한다. - Il rejoindra le projet.
6279. 그녀는 캠페인에 동참할 것이다. - Elle se joindra à la campagne.
6280. 함께할래? - Voulez-vous vous joindre à nous ?
6281. 네, 함께할래. - Oui, je me joins à vous.
6282. 공헌하다 - Contribuer
6283. 그는 기부를 공헌했다. - Il a fait un don.
6284. 그녀는 지식을 공헌한다. - Elle apporte ses connaissances.
6285. 우리는 노력을 공헌할 것이다. - Nous contribuerons à nos efforts.
6286. 도움됐어? - Cela a-t-il été utile ?
6287. 네, 도움됐어. - Oui, cela a aidé.
6288. 봉사하다 - Servir
6289. 그녀는 커뮤니티에 봉사했다. - Elle a servi la communauté.
6290. 우리는 단체에 봉사한다. - Nous servons l'organisation.
6291. 당신들은 이벤트에 봉사할 것이다. - Vous servirez l'événement.
6292. 기쁘니? - Êtes-vous heureux ?
6293. 네, 기뻐. - Oui, je suis content.
6294. 착수하다 - Entreprendre
6295. 나는 프로젝트에 착수했다. - J'ai entrepris le projet.
6296. 너는 작업에 착수한다. - Vous entreprendrez la tâche.

6297. 그는 연구에 착수할 것이다. - Il va entreprendre ses recherches.
6298. 준비됐어? - Êtes-vous prêt ?
6299. 네, 준비됐어. - Oui, je suis prêt.
6300. 실시하다 - Mener
6301. 너는 조사를 실시했다. - Vous avez mené une enquête.
6302. 그는 실험을 실시한다. - Il va mener une expérience.
6303. 그녀는 평가를 실시할 것이다. - Elle va procéder à une évaluation.
6304. 성공할까? - Est-ce que ça va marcher ?
6305. 네, 성공할 거야. - Oui, cela réussira.
6306. 전시하다 - Exposer
6307. 그는 작품을 전시했다. - Il a exposé son travail.
6308. 그녀는 사진을 전시한다. - Elle exposera ses photographies.
6309. 우리는 발명품을 전시할 것이다. - Nous allons exposer notre invention.
6310. 관심있어? - Êtes-vous intéressé ?
6311. 네, 관심있어. - Oui, je suis intéressé.
6312. 이송하다 - transférer
6313. 그녀는 자료를 이송했다. - Elle a transporté le matériel.
6314. 우리는 환자를 이송한다. - Nous allons transporter le patient.
6315. 당신들은 물품을 이송할 것이다. - Vous transporterez les marchandises.
6316. 빨라? - Est-ce rapide ?
6317. 네, 빨라. - Oui, c'est rapide.
6318. 옹호하다 - défendre
6319. 나는 권리를 옹호했다. - J'ai défendu un droit.
6320. 너는 이념을 옹호한다. - Vous défendez une idéologie.
6321. 그는 평화를 옹호할 것이다. - Il plaidera pour la paix.
6322. 중요해? - Est-ce important ?
6323. 네, 중요해. - Oui, c'est important.
6324. 71. 명사 단어들 외우기, 필수 10개 동사의 단어들을 가지고 50문장 연습하기 - 71. Mémorisez les noms, pratiquez 50 phrases avec les 10 verbes essentiels
6325. 계획 - planifier
6326. 문제 - problème

6327. 전략 - stratégie
6328. 조건 - condition
6329. 계약 - contrat
6330. 합의 - accord
6331. 약속 - promesse
6332. 규칙 - règle
6333. 비밀 - secret
6334. 사고 - accident
6335. 오류 - erreur
6336. 손실 - Perte
6337. 결정 - décision
6338. 제안 - proposition
6339. 가능성 - Possibilité
6340. 의견 - opinion
6341. 방안 - mesures
6342. 초콜릿 - chocolat
6343. 여름 - été
6344. 온라인 수업 - cours en ligne
6345. 위험 - danger
6346. 논쟁 - dispute
6347. 갈등 - conflit
6348. 상의하다 - discuter
6349. 너는 계획을 상의했다. - Vous avez discuté du plan.
6350. 그는 문제를 상의한다. - Il discutera du problème.
6351. 그녀는 전략을 상의할 것이다. - Elle discutera de la stratégie.
6352. 동의해? - Êtes-vous d'accord ?
6353. 네, 동의해. - Oui, je suis d'accord.
6354. 협의하다 - discuter
6355. 그는 조건을 협의했다. - Il a négocié les conditions.
6356. 그녀는 계약을 협의한다. - Elle négociera le contrat.
6357. 우리는 합의를 협의할 것이다. - Nous allons négocier un accord.
6358. 결정났어? - Avez-vous décidé ?
6359. 네, 결정났어. - Oui, c'est décidé.
6360. 지키다 - tenir

6361. 그녀는 약속을 지켰다. - Elle a tenu sa promesse.
6362. 우리는 규칙을 지킨다. - Nous respectons les règles.
6363. 당신들은 비밀을 지킬 것이다. - Vous garderez le secret.
6364. 안전해? - Est-ce que c'est sûr ?
6365. 네, 안전해. - Oui, c'est sûr.
6366. 방지하다 - prévenir
6367. 나는 사고를 방지했다. - J'ai évité un accident.
6368. 너는 오류를 방지한다. - Vous éviterez les erreurs.
6369. 그는 손실을 방지할 것이다. - Il évitera les pertes.
6370. 필요해? - En avez-vous besoin ?
6371. 네, 필요해. - Oui, j'en ai besoin.
6372. 재검토하다 - Reconsidérer
6373. 너는 결정을 재검토했다. - Vous avez reconsidéré votre décision.
6374. 그는 계획을 재검토한다. - Il va reconsidérer le plan.
6375. 그녀는 정책을 재검토할 것이다. - Elle va reconsidérer la politique.
6376. 변했어? - Est-ce que cela a changé ?
6377. 네, 변했어. - Oui, elle a changé.
6378. 고려하다 - considérer
6379. 나는 그 제안을 고려했다. - J'ai reconsidéré la proposition.
6380. 너는 가능성을 고려한다. - Vous envisagez la possibilité.
6381. 그는 의견을 고려할 것이다. - Il considérera l'opinion.
6382. 생각해봤어? - L'avez-vous envisagé ?
6383. 네, 봤어. - Oui, je l'ai fait.
6384. 숙고하다 - réfléchir
6385. 너는 결정을 숙고했다. - Vous avez réfléchi à la décision.
6386. 그는 방안을 숙고한다. - Il réfléchira au plan.
6387. 그녀는 제안을 숙고할 것이다. - Elle réfléchira à la proposition.
6388. 충분히 생각했어? - Y avez-vous suffisamment réfléchi ?
6389. 네, 했어. - Oui, j'y ai réfléchi.
6390. 의논하다 - discuter
6391. 그는 계획을 의논했다. - Il a discuté du plan.
6392. 그녀는 문제를 의논한다. - Elle discutera du problème.
6393. 우리는 전략을 의논할 것이다. - Nous allons discuter de la stratégie.
6394. 의견 있어? - Avez-vous une opinion ?

6395. 네, 있어. - Oui, j'en ai une.
6396. 선호하다 - préférer
6397. 그녀는 초콜릿을 선호했다. - Elle préférait le chocolat.
6398. 우리는 여름을 선호한다. - Nous préférons l'été.
6399. 당신들은 온라인 수업을 선호할 것이다. - Vous préférez les cours en ligne.
6400. 좋아해? - Cela vous plaît-il ?
6401. 네, 좋아해. - Oui, j'aime bien.
6402. 기피하다 - éviter
6403. 나는 위험을 기피했다. - Je fuis le risque.
6404. 너는 논쟁을 기피한다. - Vous évitez la controverse.
6405. 그는 갈등을 기피할 것이다. - Il évitera les conflits.
6406. 싫어해? - N'aimez-vous pas ?
6407. 네, 싫어해. - Oui, je n'aime pas.
6408. 72. 명사 단어들 외우기, 필수 10개 동사의 단어들을 가지고 50문장 연습하기 - 72. Mémorisez les noms, faites 50 phrases avec les 10 verbes nécessaires.
6409. 목표 - objectif
6410. 의도 - intention
6411. 계획 - plan
6412. 비밀 - secret
6413. 진실 - vérité
6414. 결과 - résultat
6415. 세부사항 - Détail
6416. 문서 - document
6417. 보고서 - rapport
6418. 상품 - biens
6419. 편지 - lettre
6420. 선물 - cadeau
6421. 하나님 - père
6422. 예수님 - Jésus
6423. 기여 - contribuer
6424. 능력 - capacité
6425. 아이디어 - idée

6426. 의견 - opinion
6427. 친구 - ami
6428. 이웃 - voisin
6429. 동료 - collègue
6430. 손실 - Perte
6431. 상실 - perte
6432. 고인 - défunt
6433. 기술 - technologie
6434. 지원 - soutien
6435. 도움 - aide
6436. 성공 - succès
6437. 소식 - Nouvelles
6438. 선언하다 - déclarer
6439. 너는 목표를 선언했다. - Vous déclarez un objectif.
6440. 그는 의도를 선언한다. - Il déclare ses intentions.
6441. 그녀는 계획을 선언할 것이다. - Elle va déclarer un projet.
6442. 말했어? - L'avez-vous dit ?
6443. 네, 말했어. - Oui, je l'ai dit.
6444. 드러나다 - Révéler
6445. 그는 비밀을 드러냈다. - Il a révélé le secret.
6446. 그녀는 진실을 드러낸다. - Elle révèle la vérité.
6447. 우리는 결과를 드러낼 것이다. - Nous allons révéler les résultats.
6448. 알게 됐어? - Tu as compris ?
6449. 네, 됐어. - Oui, j'ai compris.
6450. 살피다 - examiner
6451. 그녀는 세부사항을 살폈다. - Elle a regardé les détails.
6452. 우리는 문서를 살핀다. - Nous examinons les documents.
6453. 당신들은 보고서를 살필 것이다. - Vous examinerez attentivement le rapport.
6454. 확인했어? - L'avez-vous vérifié ?
6455. 네, 했어. - Oui, je l'ai vérifié.
6456. 배송하다 - Livrer
6457. 나는 상품을 배송했다. - J'ai expédié la marchandise.
6458. 너는 편지를 배송한다. - Vous livrerez la lettre.

6459. 그는 선물을 배송할 것이다. - Il expédiera le cadeau.
6460. 도착했어? - Est-il arrivé ?
6461. 네, 도착했어. - Oui, il est arrivé.
6462. 찬양하다 - Louer
6463. 나는 하나님을 찬양했다. - J'ai loué Dieu.
6464. 그는 예수님을 찬양한다. - Il loue Jésus.
6465. 그녀는 기여를 찬양할 것이다. - Elle louera la contribution.
6466. 기뻐해? - Se réjouir ?
6467. 네, 기뻐해. - Oui, je me réjouis.
6468. 비하하다 - Rabaisser
6469. 그는 능력을 비하했다. - Il dévalorise la capacité.
6470. 그녀는 아이디어를 비하한다. - Elle dévalorise l'idée.
6471. 우리는 의견을 비하할 것이다. - Nous allons dévaloriser l'opinion.
6472. 나빠? - Mauvais ?
6473. 네, 나빠. - Oui, mauvaise.
6474. 돕다 - Aider
6475. 그녀는 친구를 도왔다. - Elle a aidé son ami.
6476. 우리는 이웃을 돕는다. - Nous aidons nos voisins.
6477. 당신들은 동료를 도울 것이다. - Vous aiderez vos collègues.
6478. 도와줄래? - Vous m'aiderez ?
6479. 네, 도와줄게. - Oui, je vous aiderai.
6480. 애도하다 - pleurer
6481. 나는 손실을 애도했다. - J'ai pleuré la perte.
6482. 너는 상실을 애도한다. - Vous pleurez la perte.
6483. 그는 고인을 애도할 것이다. - Il pleurera le défunt.
6484. 슬퍼? - Pleurer ?
6485. 네, 슬퍼. - Oui, triste.
6486. 의존하다 - dépendre de
6487. 너는 기술에 의존했다. - Vous dépendiez de la technologie.
6488. 그는 지원에 의존한다. - Il dépend d'un soutien.
6489. 그녀는 도움에 의존할 것이다. - Elle va dépendre de l'aide.
6490. 필요해? - En avez-vous besoin ?
6491. 네, 필요해. - Oui, j'en ai besoin.
6492. 기뻐하다 - se réjouir

6493. 그는 성공을 기뻐했다. - Il s'est réjoui de son succès.
6494. 그녀는 소식을 기뻐한다. - Elle se réjouit de la nouvelle.
6495. 우리는 결과를 기뻐할 것이다. - Nous nous réjouirons du résultat.
6496. 행복해? - Êtes-vous heureux ?
6497. 네, 행복해. - Oui, je suis heureux.
6498. 73. 명사 단어들 외우기, 필수 10개 동사의 단어들을 가지고 50문장 연습하기 - 73. Mémorisez les noms, faites 50 phrases avec les 10 verbes nécessaires.
6499. 문제 - problème
6500. 상황 - situation
6501. 처리 - processus
6502. 서비스 - service
6503. 결정 - décision
6504. 정책 - Politique
6505. 도움 - aide
6506. 지원 - soutien
6507. 기회 - opportunité
6508. 실수 - erreur
6509. 오해 - malentendu
6510. 불편 - Inconvénient
6511. 제안 - proposition
6512. 변화 - changement
6513. 조언 - conseil
6514. 순간 - Moment
6515. 가능성 - Possibilité
6516. 기준 - norme
6517. 목소리 - voix
6518. 가격 - prix
6519. 모자 - chapeau
6520. 장갑 - Gants
6521. 유니폼 - uniforme
6522. 과일 - fruit
6523. 야채 - légumes
6524. 고기 - viande

6525. 샐러드 - salade
6526. 재료 - ingrédient
6527. 반죽 - pâte
6528. 불평하다 - se plaindre
6529. 그녀는 문제를 불평했다. - Elle s'est plainte d'un problème.
6530. 우리는 상황을 불평한다. - Nous nous plaignons de la situation.
6531. 당신들은 처리를 불평할 것이다. - Vous allez vous plaindre du traitement.
6532. 불만 있어? - Avez-vous une plainte à formuler ?
6533. 네, 있어. - Oui, j'en ai une.
6534. 불만을 표하다 - se plaindre de
6535. 나는 서비스에 불만을 표했다. - Je me suis plaint du service.
6536. 너는 결정에 불만을 표한다. - Vous n'êtes pas satisfait de la décision.
6537. 그는 정책에 불만을 표할 것이다. - Il exprimera son mécontentement à l'égard de la politique.
6538. 안 좋아해? - Vous n'aimez pas ?
6539. 네, 안 좋아해. - Oui, je ne l'aime pas.
6540. 고맙다고 하다 - Dire merci
6541. 너는 도움에 고맙다고 했다. - Vous le remerciez pour son aide.
6542. 그는 지원에 고맙다고 한다. - Il dira merci pour le soutien.
6543. 그녀는 기회에 고맙다고 할 것이다. - Elle serait reconnaissante pour l'opportunité.
6544. 감사해? - Êtes-vous reconnaissant ?
6545. 네, 감사해. - Oui, je suis reconnaissant.
6546. 용서를 구하다 - Demander pardon
6547. 그는 실수에 용서를 구했다. - Il demande pardon pour une erreur.
6548. 그녀는 오해에 용서를 구한다. - Elle demande pardon pour le malentendu.
6549. 우리는 불편에 용서를 구할 것이다. - Nous vous demandons pardon pour ce désagrément.
6550. 용서해줄래? - Nous pardonnerez-vous ?
6551. 네, 용서해줄게. - Oui, je vous pardonne.
6552. 받아들이다 - accepter

6553. 그녀는 제안을 받아들였다. - Elle a accepté l'offre.
6554. 우리는 변화를 받아들인다. - Nous acceptons le changement.
6555. 당신들은 조언을 받아들일 것이다. - Vous accepterez le conseil.
6556. 좋아해? - Cela vous plaît-il ?
6557. 네, 좋아해. - Oui, je l'accepte.
6558. 붙잡다 - saisir
6559. 나는 기회를 붙잡았다. - J'ai saisi l'occasion.
6560. 너는 순간을 붙잡는다. - Vous saisissez le moment.
6561. 그는 가능성을 붙잡을 것이다. - Il saisira la possibilité.
6562. 준비됐어? - Vous êtes prêt ?
6563. 네, 됐어. - Oui, je suis prêt.
6564. 올리다 - élever
6565. 너는 기준을 올렸다. - Vous élevez le niveau.
6566. 그는 목소리를 올린다. - Il élève la voix.
6567. 그녀는 가격을 올릴 것이다. - Elle va augmenter le prix.
6568. 높아졌어? - L'avez-vous augmenté ?
6569. 네, 높아졌어. - Oui, il a été augmenté.
6570. 착용하다 - porter
6571. 그는 모자를 착용했다. - Il met son chapeau.
6572. 그녀는 장갑을 착용한다. - Elle porte des gants.
6573. 우리는 유니폼을 착용할 것이다. - Nous porterons des uniformes.
6574. 맞아? - C'est bien cela ?
6575. 네, 맞아. - Oui, c'est exact.
6576. 썰다 - trancher
6577. 그녀는 과일을 썼다. - Elle a coupé le fruit en tranches.
6578. 우리는 야채를 썬다. - Nous allons couper les légumes en tranches.
6579. 당신들은 고기를 썰 것이다. - Vous allez couper la viande en tranches.
6580. 잘랐어? - Tu l'as coupée ?
6581. 네, 잘랐어. - Oui, je l'ai coupée.
6582. 버무리다 - pour mélanger
6583. 나는 샐러드를 버무렸다. - J'ai mélangé la salade.
6584. 너는 재료를 버무린다. - Vous mélangerez les ingrédients.
6585. 그는 반죽을 버무릴 것이다. - Il pétrit la pâte.

6586. 완성됐어? - Est-ce que c'est fait ?
6587. 네, 됐어. - Oui, elle est prête.
6588. 74. 명사 단어들 외우기, 필수 10개 동사의 단어들을 가지고 50문장 연습하기 - 74. mémoriser les noms, faire 50 phrases avec les mots des 10 verbes essentiels
6589. 꽃의 향기 - le parfum des fleurs
6590. 커피의 향기 - l'odeur du café
6591. 향수의 향기 - l'odeur du parfum
6592. 손가락 - doigt
6593. 발 - pied
6594. 종이 - papier
6595. 공 - balle
6596. 문 - porte
6597. 볼 - joue
6598. 기회 - opportunité
6599. 성공 - succès
6600. 명성 - renommée
6601. 친구 - ami
6602. 팀 - équipe
6603. 가족 - famille
6604. 자전거 - vélo
6605. 휴가 - vacances
6606. 대학 입학 - admission à l'université
6607. 건강한 생활 - vie saine
6608. 사업 확장 - Développement de l'entreprise
6609. 가구 - meubles
6610. 쓰레기 - poubelle
6611. 문서 - document
6612. 파일 - fichier
6613. 이메일 - courriel
6614. 데이터 - données
6615. 메시지 - message
6616. 정보 - information
6617. 향기를 맡다 - Sentir le parfum

6618. 너는 꽃의 향기를 맡았다. - Vous sentez le parfum des fleurs.
6619. 그는 커피의 향기를 맡는다. - Il sent l'arôme du café.
6620. 그녀는 향수의 향기를 맡을 것이다. - Elle va sentir l'odeur du parfum.
6621. 좋아해? - Est-ce que tu aimes ça ?
6622. 네, 좋아해. - Oui, j'aime bien.
6623. 찌르다 - Piquer
6624. 그는 손가락을 찔렀다. - Il s'est piqué le doigt.
6625. 그녀는 발을 찌른다. - Elle s'est piqué le pied.
6626. 우리는 종이로 손을 찔을 것이다. - Nous allons nous piquer les mains avec du papier.
6627. 아파? - Est-ce que ça fait mal ?
6628. 네, 아파. - Oui, ça fait mal.
6629. 차다 - Donner un coup de pied
6630. 그녀는 공을 찼다. - Elle a donné un coup de pied au ballon.
6631. 우리는 문을 찬다. - Nous donnons un coup de pied dans la porte.
6632. 당신들은 볼을 찰 것이다. - Tu vas donner un coup de pied dans le ballon.
6633. 세게 찼어? - As-tu donné un grand coup de pied ?
6634. 네, 세게 찼어. - Oui, j'ai donné un grand coup de pied.
6635. 탐발하다 - Saisir sa chance
6636. 나는 기회를 탐발했다. - J'ai saisi l'occasion.
6637. 너는 성공을 탐발한다. - Vous aurez du succès.
6638. 그는 명성을 탐발할 것이다. - Il convoitera la gloire.
6639. 원해? - Le voulez-vous ?
6640. 네, 원해. - Oui, je la veux.
6641. 의지하다 - s'appuyer sur
6642. 너는 친구에게 의지했다. - Vous vous êtes appuyé sur vos amis.
6643. 그는 팀에 의지한다. - Il s'appuiera sur son équipe.
6644. 그녀는 가족에 의지할 것이다. - Elle s'appuiera sur sa famille.
6645. 의존해? - S'appuyer sur ?
6646. 네, 의존해. - Oui, s'appuyer sur.
6647. 욕망하다 - désirer
6648. 나는 새로운 자전거를 욕망했다. - J'ai désiré un nouveau vélo.
6649. 너는 성공을 욕망한다. - Vous désirez le succès.

6650. 그는 휴가를 욕망할 것이다. - Il va désirer des vacances.
6651. 더 필요한 거 있어? - Autre chose ?
6652. 모두 좋아, 감사해. - Tout va bien, merci.
6653. 목표하다 - Viser
6654. 그녀는 대학 입학을 목표했다. - Elle voulait entrer à l'université.
6655. 우리는 건강한 생활을 목표한다. - Nous voulons mener une vie saine.
6656. 당신들은 사업 확장을 목표할 것이다. - Vous allez chercher à développer votre entreprise.
6657. 목표가 뭐야? - Quel est votre objectif ?
6658. 행복해지기야. - Être heureux.
6659. 폐기하다 - se débarrasser de
6660. 우리는 오래된 가구를 폐기했다. - Nous nous débarrassons des vieux meubles.
6661. 당신들은 쓰레기를 폐기한다. - Vous vous débarrassez des ordures.
6662. 그들은 불필요한 문서를 폐기할 것이다. - Ils vont se débarrasser des documents inutiles.
6663. 이거 버려도 돼? - Puis-je jeter ceci ?
6664. 네, 필요 없어. - Oui, je n'en ai pas besoin.
6665. 암호화하다 - crypter
6666. 그는 중요한 파일을 암호화했다. - Il a crypté ses fichiers importants.
6667. 그녀는 이메일을 암호화한다. - Elle crypte ses courriels.
6668. 나는 내 데이터를 암호화할 것이다. - Je vais crypter mes données.
6669. 비밀번호 설정했어? - Avez-vous défini un mot de passe ?
6670. 이미 했어, 안심해. - Je l'ai déjà fait, ne vous inquiétez pas.
6671. 복호화하다 - décrypter
6672. 그녀는 메시지를 복호화했다. - Elle a décrypté le message.
6673. 우리는 정보를 복호화한다. - Nous décryptons l'information.
6674. 당신들은 문서를 복호화할 것이다. - Vous allez décrypter le document.
6675. 열쇠 찾았어? - Avez-vous trouvé la clé ?
6676. 아직 못 찾았어. - Non, je ne l'ai pas encore trouvée.
6677. 75. 명사 단어들 외우기, 필수 10개 동사의 단어들을 가지고 50문장 연습하기 - 75. mémoriser les noms, pratiquer 50 phrases avec des mots de 10 verbes essentiels
6678. 파일들 - fichiers

6679. 사진 - image
6680. 자료 - données
6681. 문서 - document
6682. 바코드 - code-barres
6683. 신분증 - ID
6684. 중요한 부분 - partie
6685. 텍스트 - texte
6686. 포인트 - point
6687. 데이터 - données
6688. 주소 - adresse
6689. 내 정보 - Mon info
6690. 보고서 - rapport
6691. 이메일 - courriel
6692. 계획 - plan
6693. 클럽 - club
6694. 프로그램 - programme
6695. 도서관 - bibliothèque
6696. 목표 - objectif
6697. 성공 - succès
6698. 해결책 - solution
6699. 위험 - danger
6700. 집 - maison
6701. 삶 - vie
6702. 경력 - carrière
6703. 공기 - air
6704. 물 - eau
6705. 환경 - environnement
6706. 압축하다 - compresser
6707. 나는 파일들을 압축했다. - J'ai compressé des fichiers.
6708. 너는 사진을 압축한다. - Vous comprimez les photos.
6709. 그는 자료를 압축할 것이다. - Il compressera les matériaux.
6710. 공간 충분해? - Y a-t-il assez d'espace ?
6711. 네, 충분해. - Oui, il y en a assez.
6712. 스캔하다 - Numériser

6713. 그녀는 문서를 스캔했다. - Elle a scanné le document.
6714. 우리는 바코드를 스캔한다. - Nous scannons le code-barres.
6715. 당신들은 신분증을 스캔할 것이다. - Vous allez scanner vos cartes d'identité.
6716. 다 됐어? - Vous avez terminé ?
6717. 네, 다 됐어. - Oui, nous avons terminé.
6718. 하이라이트하다 - surligner
6719. 우리는 중요한 부분을 하이라이트했다. - Nous avons surligné les parties importantes.
6720. 당신들은 텍스트를 하이라이트한다. - Vous allez surligner le texte.
6721. 그들은 포인트를 하이라이트할 것이다. - Ils vont surligner des points.
6722. 이 부분 강조할까? - Voulez-vous que je surligne ceci ?
6723. 좋아, 해줘. - D'accord, faites-le.
6724. 입력하다 - saisir
6725. 그는 데이터를 입력했다. - Il a saisi les données.
6726. 그녀는 주소를 입력한다. - Elle saisit l'adresse.
6727. 나는 내 정보를 입력할 것이다. - Je vais saisir mes informations.
6728. 정보 다 넣었어? - Avez-vous terminé ?
6729. 네, 다 했어. - Oui, j'ai terminé.
6730. 타이핑하다 - Taper
6731. 나는 보고서를 타이핑했다. - J'ai tapé le rapport.
6732. 너는 이메일을 타이핑한다. - Vous allez taper l'e-mail.
6733. 그는 계획을 타이핑할 것이다. - Il tapera le plan.
6734. 글 쓰고 있어? - Vous écrivez ?
6735. 아니, 쉬고 있어. - Non, je me repose.
6736. 가입하다 - rejoindre
6737. 나는 클럽에 가입했다. - J'ai rejoint le club.
6738. 너는 프로그램에 가입한다. - Vous rejoignez le programme.
6739. 그는 도서관에 가입할 것이다. - Il va rejoindre la bibliothèque.
6740. 회원 되고 싶어? - Voulez-vous devenir membre ?
6741. 네, 가입할래요. - Oui, je veux adhérer.
6742. 근접하다 - s'approcher
6743. 그녀는 목표에 근접했다. - Elle est proche de son objectif.
6744. 우리는 성공에 근접한다. - Nous sommes proches de la réussite.

6745. 당신들은 해결책에 근접할 것이다. - Vous serez proche de la solution.
6746. 거의 다 왔어? - Vous y êtes presque ?
6747. 네, 거의 다 왔어요. - Oui, nous y sommes presque.
6748. 멀어지다 - S'éloigner de
6749. 우리는 위험으로부터 멀어졌다. - Nous nous sommes éloignés du danger.
6750. 당신들은 목표로부터 멀어진다. - Vous vous éloignez du but.
6751. 그들은 서로로부터 멀어질 것이다. - Ils vont s'éloigner l'un de l'autre.
6752. 떠나고 싶어? - Voulez-vous partir ?
6753. 아니요, 여기 있을래요. - Non, je reste ici.
6754. 재건하다 - reconstruire
6755. 그는 그의 집을 재건했다. - Il a reconstruit sa maison.
6756. 그녀는 그녀의 삶을 재건한다. - Elle reconstruit sa vie.
6757. 나는 내 경력을 재건할 것이다. - Je vais reconstruire ma carrière.
6758. 다시 시작할 준비 됐어? - Es-tu prêt à repartir à zéro ?
6759. 네, 준비 됐어요. - Oui, je suis prêt.
6760. 정화하다 - purifier
6761. 그녀는 공기를 정화했다. - Elle a purifié l'air.
6762. 우리는 물을 정화한다. - Nous purifions l'eau.
6763. 당신들은 환경을 정화할 것이다. - Vous allez purifier l'environnement.
6764. 더 깨끗해졌어? - Est-il plus propre ?
6765. 네, 훨씬 나아졌어요. - Oui, c'est beaucoup mieux.
6766. 76. 명사 단어들 외우기, 필수 10개 동사의 단어들을 가지고 50문장 연습하기 - 76. mémoriser les noms, faire 50 phrases avec les mots des 10 verbes essentiels
6767. 상처 - blesser
6768. 방 - chambre
6769. 장비 - équipement
6770. 여행 - voyage
6771. 회의 - réunion
6772. 발표 - présentation
6773. 프로젝트 - projet
6774. 이벤트 - événement
6775. 캠페인 - campagne

6776. 아이디어 - idée
6777. 생각 - idée
6778. 방법 - méthode
6779. 해 - soleil
6780. 미래 - avenir
6781. 기회 - opportunité
6782. 능력 - capacité
6783. 가치 - valeur
6784. 이론 - théorie
6785. 주장 - opinion
6786. 사실 - effectivement
6787. 무죄 - innocence
6788. 삶의 의미 - sens de la vie
6789. 자연의 아름다움 - beauté naturelle
6790. 과거의 실수 - erreurs du passé
6791. 행동 - action
6792. 결정 - décision
6793. 추억 - mémoire
6794. 약속 - promesse
6795. 역사 - histoire
6796. 소독하다 - stériliser (désinfecter)
6797. 나는 상처를 소독했다. - J'ai stérilisé la plaie.
6798. 너는 방을 소독한다. - Vous assainissez la pièce.
6799. 그는 장비를 소독할 것이다. - Il va désinfecter l'équipement.
6800. 이게 안전해? - Est-ce que c'est sûr ?
6801. 네, 안전해요. - Oui, c'est sûr.
6802. 예정하다 - Programmer
6803. 그녀는 여행을 예정했다. - Elle a programmé le voyage.
6804. 우리는 회의를 예정한다. - Nous programmons une réunion.
6805. 당신들은 발표를 예정할 것이다. - Vous allez programmer une présentation.
6806. 일정 정했어? - L'avez-vous programmée ?
6807. 네, 다 정했어요. - Oui, j'ai tout prévu.
6808. 기획하다 - planifier

6809. 우리는 프로젝트를 기획했다. - Nous avons planifié un projet.
6810. 당신들은 이벤트를 기획한다. - Vous allez organiser un événement.
6811. 그들은 캠페인을 기획할 것이다. - Ils vont organiser une campagne.
6812. 뭐 계획 중이야? - Que prévoyez-vous ?
6813. 새로운 시작이에요. - Un nouveau départ.
6814. 발상하다 - concevoir
6815. 그는 훌륭한 아이디어를 발상했다. - Il a eu une idée géniale.
6816. 그녀는 창의적인 생각을 발상한다. - Elle a des idées créatives.
6817. 나는 새로운 방법을 발상할 것이다. - Je vais inventer une nouvelle façon de faire.
6818. 아이디어 있어? - Avez-vous des idées ?
6819. 네, 몇 개 있어요. - Oui, j'en ai quelques-unes.
6820. 바라보다 - Regarder
6821. 나는 해가 지는 것을 바라봤다. - J'ai regardé le soleil se coucher.
6822. 너는 미래를 바라본다. - Vous regardez vers l'avenir.
6823. 그는 기회를 바라볼 것이다. - Il regardera les opportunités.
6824. 희망 가지고 있어? - Vous avez de l'espoir ?
6825. 네, 항상 그래요. - Oui, toujours.
6826. 증명하다 - prouver
6827. 그녀는 자신의 능력을 증명했다. - Elle a prouvé ses capacités.
6828. 우리는 우리의 가치를 증명한다. - Nous prouvons notre valeur.
6829. 당신들은 이론을 증명할 것이다. - Vous prouverez la théorie.
6830. 진짜야? - Est-elle réelle ?
6831. 네, 진짜에요. - Oui, c'est vrai.
6832. 입증하다 - prouver
6833. 우리는 우리의 주장을 입증했다. - Nous prouvons notre point de vue.
6834. 당신들은 사실을 입증한다. - Vous prouverez les faits.
6835. 그들은 무죄를 입증할 것이다. - Ils prouveront leur innocence.
6836. 증거 있어? - Avez-vous des preuves ?
6837. 네, 여기 있어요. - Oui, la voici.
6838. 묵상하다 - Contempler
6839. 나는 삶의 의미를 묵상했다. - J'ai médité sur le sens de la vie.
6840. 너는 미래에 대해 묵상한다. - Vous méditez sur l'avenir.
6841. 그는 자연의 아름다움을 묵상할 것이다. - Il méditera sur la beauté de

la nature.
6842. 조용한 곳 찾고 있어? - Cherchez-vous un endroit calme ?
6843. 네, 필요해. - Oui, j'en ai besoin.
6844. 반성하다 - réfléchir
6845. 그녀는 과거의 실수를 반성했다. - Elle a réfléchi à ses erreurs passées.
6846. 우리는 행동을 반성한다. - Nous réfléchissons à nos actions.
6847. 당신들은 결정을 반성할 것이다. - Vous réfléchirez à votre décision.
6848. 후회하는 거 있어? - Avez-vous des regrets ?
6849. 응, 몇 가지 있어. - Oui, j'en ai quelques-uns.
6850. 상기하다 - se souvenir
6851. 우리는 좋은 추억을 상기했다. - Nous nous sommes rappelé de bons souvenirs.
6852. 당신들은 약속을 상기한다. - Vous vous souvenez de vos promesses.
6853. 그들은 역사를 상기할 것이다. - Ils se souviendront de l'histoire.
6854. 기억 나? - Vous souvenez-vous ?
6855. 네, 잘 기억나. - Oui, je m'en souviens bien.
6856. 77. 명사 단어들 외우기, 필수 10개 동사의 단어들을 가지고 50문장 연습하기 - 77. Mémorisez les noms, pratiquez 50 phrases avec les 10 verbes essentiels
6857. 상황 - situation
6858. 그녀 - elle
6859. 불행한 이들 - les malheureux
6860. 아이 - enfant
6861. 친구 - ami(e)
6862. 군중 - foule
6863. 물건 - chose
6864. 진행 상황 - Progrès
6865. 동물의 이동 경로 - mouvement animal chemin
6866. 생각 - pensée
6867. 계획 - plan
6868. 직업 - travail
6869. 문제 - problème
6870. 프로젝트 - projet

6871. 도전 - défi
6872. 어려움 - difficulté
6873. 두려움 - peur
6874. 장애 - obstacle
6875. 위기 - Danger
6876. 혼란 - confusion
6877. 취미 - hobby
6878. 과학 - science
6879. 예술 - art
6880. 하늘 - ciel
6881. 바다 - océan
6882. 고대 유물 - Antiquités
6883. 지식 - savoir
6884. 재능 - talent
6885. 동정하다 - sympathiser
6886. 나는 그의 상황에 동정했다. - J'ai compati à sa situation.
6887. 너는 그녀를 동정한다. - Vous avez pitié d'elle.
6888. 그는 불행한 이들을 동정할 것이다. - Il aura pitié des malheureux.
6889. 도와줄 수 있어? - Pouvez-vous l'aider ?
6890. 물론, 도와줄게. - Bien sûr, je vais l'aider.
6891. 타이르다 - attacher
6892. 그녀는 울고 있는 아이를 타이렀다. - Elle a attaché l'enfant qui pleurait.
6893. 우리는 화난 친구를 타이른다. - Nous attachons un ami en colère.
6894. 당신들은 분노한 군중을 타이를 것이다. - Vous allez attacher la foule en colère.
6895. 진정됐어? - Tu t'es calmé ?
6896. 네, 좀 나아졌어. - Oui, je me sens mieux.
6897. 추적하다 - retrouver
6898. 우리는 분실된 물건을 추적했다. - Nous avons retrouvé un objet perdu.
6899. 당신들은 진행 상황을 추적한다. - Vous suivrez les progrès.
6900. 그들은 동물의 이동 경로를 추적할 것이다. - Ils suivront la migration de l'animal.

6901. 뭐 찾고 있어? - Vous cherchez quelque chose ?
6902. 네, 찾고 있어. - Oui, je cherche quelque chose.
6903. 바꾸다 - changer
6904. 나는 생각을 바꾸었다. - J'ai changé d'avis.
6905. 너는 계획을 바꾼다. - Vous changez vos plans.
6906. 그는 직업을 바꿀 것이다. - Il va changer de travail.
6907. 마음 바뀌었어? - Avez-vous changé d'avis ?
6908. 아니, 그대로야. - Non, c'est la même chose.
6909. 해내다 - accomplir
6910. 그녀는 어려운 문제를 해냈다. - Elle a résolu le problème difficile.
6911. 우리는 프로젝트를 해낸다. - Nous réalisons le projet.
6912. 당신들은 도전을 해낼 것이다. - Vous allez relever le défi.
6913. 할 수 있겠어? - Pouvez-vous le faire ?
6914. 응, 할 수 있어. - Oui, je peux le faire.
6915. 극복하다 - surmonter
6916. 우리는 어려움을 극복했다. - Nous surmontons les difficultés.
6917. 당신들은 두려움을 극복한다. - Vous surmonterez vos peurs.
6918. 그들은 장애를 극복할 것이다. - Ils surmonteront les obstacles.
6919. 문제 해결됐어? - Problème résolu ?
6920. 네, 다 해결됐어. - Oui, tout est résolu.
6921. 헤쳐나가다 - Passer à travers
6922. 나는 위기를 헤쳐나갔다. - J'ai surmonté la crise.
6923. 너는 어려움을 헤쳐나간다. - Vous traversez les difficultés.
6924. 그는 혼란을 헤쳐나갈 것이다. - Il surmontera le désordre.
6925. 길 찾았어? - As-tu trouvé le chemin ?
6926. 네, 찾았어. - Oui, je l'ai trouvé.
6927. 관심을 가지다 - s'intéresser à
6928. 나는 새 취미에 관심을 가졌다. - Je me suis intéressé à un nouveau hobby.
6929. 그는 과학에 관심을 가진다. - Il s'intéresse à la science.
6930. 그녀는 예술에 관심을 가질 것이다. - Elle serait intéressée par l'art.
6931. 관심 있어? - Êtes-vous intéressé ?
6932. 네, 많이. - Oui, beaucoup.
6933. 응시하다 - fixer

6934. 그녀는 멀리 응시했다. - Elle regarde au loin.
6935. 우리는 하늘을 응시한다. - Nous regardons le ciel.
6936. 그들은 바다를 응시할 것이다. - Ils regarderont la mer.
6937. 뭐 응시해? - Regarder quoi ?
6938. 별을 봐. - Regarder les étoiles.
6939. 발굴하다 - déterrer
6940. 나는 고대 유물을 발굴했다. - J'ai déterré un ancien artefact.
6941. 그는 지식을 발굴한다. - Il creuse pour trouver des connaissances.
6942. 그녀는 재능을 발굴할 것이다. - Elle creusera pour trouver le talent.
6943. 더 발굴할까? - On creuse encore ?
6944. 그래, 계속해. - Oui, continuez.
6945. 78. 명사 단어들 외우기, 필수 10개 동사의 단어들을 가지고 50문장 연습하기 - 78. Mémorisez les noms, pratiquez 50 phrases avec les 10 verbes essentiels
6946. 도구 - équipement
6947. 컴퓨터 - ordinateur
6948. 신기술 - nouvelle technologie
6949. 시간 - heure
6950. 에너지 - énergie
6951. 자원 - ressource
6952. 돈 - argent
6953. 물 - eau
6954. 기회 - opportunité
6955. 추억 - mémoire
6956. 사진 - image
6957. 비밀 - secret
6958. 문서 - document
6959. 환경 - environnement
6960. 장벽 - barrière
6961. 자동차 - automobile
6962. 기계 - machine
6963. 모델 - Modèle
6964. 부품 - partie
6965. 시스템 - système

6966. 시계 - horloge
6967. 퍼즐 - puzzle
6968. 계획 - plan
6969. 기업 - Entreprise
6970. 아이디어 - Idées
6971. 팀 - Équipes
6972. 사용하다 - à utiliser
6973. 우리는 도구를 사용했다. - Nous avons utilisé l'outil.
6974. 그는 컴퓨터를 사용한다. - Il utilise un ordinateur.
6975. 그들은 신기술을 사용할 것이다. - Ils vont utiliser les nouvelles technologies.
6976. 사용해볼까? - On essaie ?
6977. 좋아, 해봐. - D'accord, essayez.
6978. 소비하다 - Consommer
6979. 나는 시간을 소비했다. - J'ai dépensé du temps.
6980. 그녀는 에너지를 소비한다. - Elle consomme de l'énergie.
6981. 너는 자원을 소비할 것이다. - Vous allez consommer des ressources.
6982. 많이 소비했어? - Avez-vous beaucoup consommé ?
6983. 아니, 조금만. - Non, juste un peu.
6984. 절약하다 - Économiser
6985. 그는 돈을 절약했다. - Il a économisé de l'argent.
6986. 우리는 물을 절약한다. - Nous économisons l'eau.
6987. 당신들은 에너지를 절약할 것이다. - Vous économiserez de l'énergie.
6988. 절약하고 있어? - Vous économisez ?
6989. 응, 노력중이야. - Oui, j'essaie.
6990. 낭비하다 - Gaspiller
6991. 그녀는 기회를 낭비했다. - Elle a gaspillé l'occasion.
6992. 너는 시간을 낭비한다. - Vous perdez du temps.
6993. 그들은 자원을 낭비할 것이다. - Ils gaspilleront des ressources.
6994. 낭비하지 않았어? - Vous ne l'avez pas gaspillé ?
6995. 아냐, 조심했어. - Non, j'ai été prudent.
6996. 간직하다 - garder
6997. 우리는 추억을 간직했다. - Nous avons gardé les souvenirs.
6998. 그는 사진을 간직한다. - Il garde les photos.

6999. 그녀는 비밀을 간직할 것이다. - Elle gardera le secret.
7000. 계속 간직할 거야? - Tu vas le garder ?
7001. 네, 영원히. - Oui, pour toujours.
7002. 파괴하다 - Détruire
7003. 나는 문서를 파괴했다. - J'ai détruit les documents.
7004. 그들은 환경을 파괴한다. - Ils détruisent l'environnement.
7005. 그녀는 장벽을 파괴할 것이다. - Elle va détruire le mur.
7006. 파괴해야 돼? - Faut-il le détruire ?
7007. 아니, 다른 방법 찾자. - Non, trouvons un autre moyen.
7008. 손상하다 - Endommager
7009. 그는 자동차를 손상했다. - Il a endommagé la voiture.
7010. 그녀는 기계를 손상한다. - Elle endommage la machine.
7011. 우리는 환경을 손상할 것이다. - Nous allons endommager l'environnement.
7012. 손상됐어? - Endommagé ?
7013. 응, 고쳐야 해. - Oui, il faut le réparer.
7014. 대치하다 - remplacer
7015. 나는 오래된 모델을 대치했다. - J'ai remplacé l'ancien modèle.
7016. 그들은 부품을 대치한다. - Ils remplaceront les pièces.
7017. 그녀는 시스템을 대치할 것이다. - Elle remplacera le système.
7018. 대치할 필요 있어? - Est-il nécessaire de remplacer ?
7019. 네, 필수야. - Oui, c'est nécessaire.
7020. 맞추다 - Mettre à l'heure
7021. 우리는 시계를 맞췄다. - Nous avons réglé l'horloge.
7022. 그는 퍼즐을 맞춘다. - Il a reconstitué le puzzle.
7023. 그녀는 계획을 맞출 것이다. - Elle s'adaptera au plan.
7024. 잘 맞춰졌어? - Est-ce que nous correspondons ?
7025. 완벽해! - C'est parfait !
7026. 합치다 - Mettre ensemble
7027. 그들은 두 기업을 합쳤다. - Ils ont fusionné deux entreprises.
7028. 너는 아이디어를 합친다. - Vous fusionnez des idées.
7029. 우리는 팀을 합칠 것이다. - Nous allons fusionner nos équipes.
7030. 합치기로 했어? - Vous avez décidé de fusionner ?
7031. 응, 그렇게 결정했어. - Oui, c'est ce que nous avons décidé.

7032. 79. 명사 단어들 외우기, 필수 10개 동사의 단어들을 가지고 50문장 연습하기 - 79. Mémorisez les noms, faites 50 phrases avec les 10 verbes essentiels.
7033. 자원 - ressource
7034. 시간 - heure
7035. 업무 - travail
7036. 친구 - ami(e)
7037. 음식 - nourriture
7038. 이익 - profit
7039. 경험 - expérience
7040. 요구사항 - Exigences
7041. 기대 - attente
7042. 조건 - condition
7043. 아이 - enfant
7044. 상황 - situation
7045. 분위기 - atmosphère
7046. 부모님 - parents
7047. 동료 - collègue
7048. 대표 - représentant
7049. 프로젝트 - projet
7050. 최우수 작품 - meilleur travail
7051. 건강 - santé
7052. 안전 - sécurité
7053. 효율성 - efficacité
7054. 이론 - théorie
7055. 정책 - Politique
7056. 연구 - recherche
7057. 작업 - travail
7058. 결정 - décision
7059. 팀 - équipe
7060. 의견 - opinion
7061. 계획 - plan
7062. 배분하다 - allouer
7063. 그녀는 자원을 배분했다. - Elle a alloué des ressources.

7064. 우리는 시간을 배분한다. - Nous allouons du temps.
7065. 너는 업무를 배분할 것이다. - Vous allez répartir votre travail.
7066. 잘 배분됐어? - Cela s'est-il bien passé ?
7067. 네, 잘 됐어. - Oui, cela s'est bien passé.
7068. 나누다 - partager
7069. 나는 친구와 음식을 나눴다. - J'ai partagé la nourriture avec mon ami.
7070. 그들은 이익을 나눈다. - Ils partagent les bénéfices.
7071. 당신들은 경험을 나눌 것이다. - Vous partagerez l'expérience.
7072. 같이 나눌래? - Voulez-vous partager ?
7073. 좋아, 나눠보자. - D'accord, partageons.
7074. 충족하다 - remplir
7075. 우리는 요구사항을 충족했다. - Nous avons répondu aux exigences.
7076. 그는 기대를 충족한다. - Il répond à l'attente.
7077. 그녀는 조건을 충족할 것이다. - Elle remplira les conditions.
7078. 충족시킬 수 있어? - Pouvez-vous remplir ?
7079. 응, 할 수 있어. - Oui, je le peux.
7080. 진정시키다 - calmer
7081. 그녀는 아이를 진정시켰다. - Elle a calmé l'enfant.
7082. 너는 상황을 진정시킨다. - Vous calmez la situation.
7083. 그들은 분위기를 진정시킬 것이다. - Ils vont calmer l'atmosphère.
7084. 진정됐어? - Tu t'es calmé ?
7085. 네, 괜찮아졌어. - Oui, ça va.
7086. 안심시키다 - rassurer
7087. 나는 부모님을 안심시켰다. - J'ai rassuré mes parents.
7088. 그는 친구를 안심시킨다. - Il rassure son ami.
7089. 그녀는 동료를 안심시킬 것이다. - Elle va rassurer son collègue.
7090. 안심할까? - Rassurer ?
7091. 응, 안심해. - Oui, je suis soulagé.
7092. 선정하다 - Sélectionner
7093. 우리는 대표를 선정했다. - Nous avons sélectionné les délégués.
7094. 그들은 프로젝트를 선정한다. - Ils sélectionneront les projets.
7095. 당신들은 최우수 작품을 선정할 것이다. - Vous sélectionnerez le meilleur travail.

7096. 어떤 걸 선정할까? - Lequel choisirons-nous ?
7097. 가장 좋은 걸로. - Le meilleur.
7098. 우선하다 - donner la priorité
7099. 그는 건강을 우선했다. - Il a donné la priorité à sa santé.
7100. 그녀는 안전을 우선한다. - Elle donne la priorité à la sécurité.
7101. 우리는 효율성을 우선할 것이다. - Nous allons donner la priorité à l'efficacité.
7102. 무엇을 우선해야 해? - Quelle est la priorité ?
7103. 안전을 우선해. - La sécurité doit être prioritaire.
7104. 논쟁하다 - Se disputer
7105. 나는 친구와 논쟁했다. - Je me suis disputé avec mon ami.
7106. 당신들은 이론을 논쟁한다. - Vous argumentez sur des théories.
7107. 그들은 정책을 논쟁할 것이다. - Ils discuteront des politiques.
7108. 계속 논쟁할 거야? - Allez-vous continuer à argumenter ?
7109. 아니, 여기서 멈출게. - Non, je m'arrête là.
7110. 보조하다 - assister
7111. 그녀는 연구를 보조했다. - Elle a aidé à la recherche.
7112. 우리는 작업을 보조한다. - Nous aidons au travail.
7113. 너는 결정을 보조할 것이다. - Vous aiderez à la décision.
7114. 도움 될까? - Est-ce que ça aide ?
7115. 네, 많이 돼. - Oui, beaucoup.
7116. 형성하다 - former
7117. 그들은 팀을 형성했다. - Ils ont formé une équipe.
7118. 그는 의견을 형성한다. - Il se forge une opinion.
7119. 그녀는 계획을 형성할 것이다. - Elle va formuler un plan.
7120. 형성 잘 되고 있어? - Comment se passe la formation ?
7121. 응, 잘 되고 있어. - Oui, ça se passe bien.
7122. 80. 명사 단어들 외우기, 필수 10개 동사의 단어들을 가지고 50문장 연습하기 - 80. Mémoriser les noms, pratiquer 50 phrases avec les 10 verbes essentiels.
7123. 방법 - méthode
7124. 제품 - produit
7125. 시스템 - système
7126. 프로젝트 - projet

7127. 연구 - recherche
7128. 과제 - mission
7129. 색상 - couleur
7130. 팀원 - Membres de l'équipe
7131. 환경 - environnement
7132. 일 - Journée
7133. 삶 - vie
7134. 수요 - demande
7135. 공급 - offre
7136. 이해관계 - intérêts
7137. 결론 - conclusion
7138. 정보 - information
7139. 결과 - résultat
7140. 사건 - Événement
7141. 변화 - changement
7142. 역사적 순간 - moment historique
7143. 어려움 - difficulté
7144. 성장통 - douleur de croissance
7145. 꽃 향기 - parfum de fleur
7146. 바다 냄새 - odeur de mer
7147. 신선한 공기 - ozone
7148. 서비스 - service
7149. 품질 - qualité
7150. 고통 - douleur
7151. 압력 - entrer
7152. 시련 - test
7153. 창안하다 - inventer
7154. 나는 새로운 방법을 창안했다. - J'ai inventé une nouvelle méthode.
7155. 그들은 제품을 창안한다. - Ils inventent un produit.
7156. 당신들은 시스템을 창안할 것이다. - Vous allez inventer un système.
7157. 창안할 아이디어 있어? - Avez-vous une idée à inventer ?
7158. 네, 몇 가지 있어. - Oui, j'en ai quelques-unes.
7159. 협업하다 - collaborer
7160. 우리는 프로젝트에서 협업했다. - Nous avons collaboré à un projet.

7161. 그들은 연구에서 협업한다. - Ils collaborent à la recherche.
7162. 당신들은 과제에서 협업할 것이다. - Vous allez collaborer sur les devoirs.
7163. 협업 효과적이었어? - La collaboration a-t-elle été efficace ?
7164. 네, 매우 효과적이었어. - Oui, elle a été très efficace.
7165. 조화하다 - harmoniser
7166. 그녀는 색상을 조화롭게 사용했다. - Elle a utilisé les couleurs de façon harmonieuse.
7167. 그는 팀원들과 조화를 이룬다. - Il s'harmonise avec ses coéquipiers.
7168. 우리는 환경과 조화를 이룰 것이다. - Nous allons nous harmoniser avec l'environnement.
7169. 조화롭게 될까? - Est-ce que ce sera harmonieux ?
7170. 응, 될 거야. - Oui, il le sera.
7171. 균형을 맞추다 - Équilibrer
7172. 나는 일과 삶의 균형을 맞췄다. - J'ai équilibré mon travail et ma vie.
7173. 그들은 수요와 공급의 균형을 맞춘다. - Ils équilibrent l'offre et la demande.
7174. 당신들은 이해관계를 균형있게 맞출 것이다. - Vous équilibrerez vos intérêts.
7175. 균형 잘 맞춰지고 있어? - Est-ce que vous équilibrez bien ?
7176. 네, 잘 맞춰지고 있어. - Oui, cela se passe bien.
7177. 추론하다 - Déduire
7178. 그녀는 결론을 추론했다. - Elle a déduit la conclusion.
7179. 우리는 정보를 추론한다. - Nous déduisons des informations.
7180. 너는 결과를 추론할 것이다. - Vous déduirez le résultat.
7181. 추론이 맞을까? - La déduction est-elle correcte ?
7182. 가능성이 높아. - C'est probable.
7183. 목격하다 - Témoigner
7184. 나는 사건을 목격했다. - J'ai été témoin de l'événement.
7185. 그는 변화를 목격한다. - Il est témoin d'un changement.
7186. 그녀는 역사적 순간을 목격할 것이다. - Elle sera témoin d'un moment historique.
7187. 정말 그걸 목격했어? - Avez-vous vraiment été témoin ?
7188. 네, 내 눈으로 봤어. - Oui, je l'ai vu de mes propres yeux.

7189. 겪다 - souffrir
7190. 우리는 어려움을 겪었다. - Nous avons traversé des difficultés.
7191. 그들은 성장통을 겪는다. - Ils ont des problèmes de croissance.
7192. 당신들은 변화를 겪을 것이다. - Vous allez subir des changements.
7193. 많이 겪었어? - Avez-vous vécu beaucoup de choses ?
7194. 응, 꽤 많이. - Oui, beaucoup.
7195. 냄새맡다 - Sentir
7196. 나는 꽃 향기를 맡았다. - J'ai senti le parfum des fleurs.
7197. 그는 바다 냄새를 맡는다. - Il sent la mer.
7198. 그녀는 신선한 공기를 맡을 것이다. - Elle va sentir l'air frais.
7199. 무슨 냄새가 나? - Que sentez-vous ?
7200. 꽃 향기가 나. - Je sens le parfum des fleurs.
7201. 불만족하다 - Être mécontent
7202. 그녀는 결과에 불만족했다. - Elle était mécontente du résultat.
7203. 우리는 서비스에 불만족한다. - Nous sommes insatisfaits du service.
7204. 당신들은 품질에 불만족할 것이다. - Vous serez insatisfait de la qualité.
7205. 불만족해? - Insatisfait ?
7206. 네, 기대에 못 미쳐. - Oui, il n'a pas répondu à mes attentes.
7207. 견디다 - supporter
7208. 나는 고통을 견뎠다. - J'ai supporté la douleur.
7209. 그는 압력을 견딘다. - Il résiste à la pression.
7210. 그녀는 시련을 견딜 것이다. - Elle supportera l'épreuve.
7211. 견딜 수 있을까? - Pouvez-vous le supporter ?
7212. 응, 견딜 수 있어. - Oui, je peux le supporter.
7213. 81. 명사 단어들 외우기, 필수 10개 동사의 단어들을 가지고 50문장 연습하기 - 81. Mémorisez les noms, faites 50 phrases avec les 10 verbes essentiels.
7214. 어려움 - difficulté
7215. 지연 - retard
7216. 도전 - défi
7217. 불편함 - gêne
7218. 소음 - bruit
7219. 기다림 - attendre

7220. 친구 - ami
7221. 동물 - animal
7222. 사람들 - personnes
7223. 피해자 - victime
7224. 건물 - bâtiment
7225. 위험 - danger
7226. 범인 - criminel
7227. 용의자 - suspect
7228. 도망자 - fugitif
7229. 사람 - personne
7230. 포로 - Captif
7231. 증거 - preuve
7232. 생각 - pensée
7233. 제약 - Restrictions
7234. 방법 - méthode
7235. 생활 방식 - mode de vie
7236. 아이디어 - idée
7237. 공지 - notification
7238. 사진 - image
7239. 연구 결과 - Résultats
7240. 인내하다 - endurer
7241. 우리는 어려움을 인내했다. - Nous avons persévéré à travers les difficultés.
7242. 그들은 지연을 인내한다. - Ils subissent des retards.
7243. 당신들은 도전을 인내할 것이다. - Vous persévérerez à travers les défis.
7244. 인내가 필요해? - Ai-je besoin de patience ?
7245. 네, 많이 필요해. - Oui, il m'en faut beaucoup.
7246. 참다 - supporter
7247. 그녀는 불편함을 참았다. - Elle a supporté l'inconfort.
7248. 우리는 소음을 참는다. - Nous supportons le bruit.
7249. 너는 기다림을 참을 것이다. - Vous allez supporter l'attente.
7250. 얼마나 더 참아야 해? - Combien de temps devez-vous encore supporter ?

7251. 조금만 더 참자. - Supprimons-le encore un peu.
7252. 구출하다 - sauver
7253. 나는 친구를 구출했다. - J'ai sauvé mon ami.
7254. 그는 동물을 구출한다. - Il sauve les animaux.
7255. 그녀는 사람들을 구출할 것이다. - Elle sauvera des gens.
7256. 구출할 수 있을까? - Pouvez-vous sauver ?
7257. 네, 할 수 있어. - Oui, vous le pouvez.
7258. 구조하다 - secourir
7259. 우리는 피해자를 구조했다. - Nous avons secouru la victime.
7260. 그들은 건물에서 구조한다. - Ils se sont sauvés de l'immeuble.
7261. 당신들은 위험에서 구조할 것이다. - Vous les sauverez du danger.
7262. 구조 작업 잘 되고 있어? - Comment se passe le sauvetage ?
7263. 네, 잘 되고 있어. - Oui, ça se passe bien.
7264. 체포하다 - Arrêter
7265. 그녀는 범인을 체포했다. - Elle a arrêté le criminel.
7266. 경찰은 용의자를 체포한다. - La police a arrêté le suspect.
7267. 보안관은 도망자를 체포할 것이다. - Le shérif va arrêter le fugitif.
7268. 체포됐어? - Avez-vous été arrêté ?
7269. 네, 체포됐어. - Oui, il a été arrêté.
7270. 구금하다 - retenir
7271. 나는 잠시 구금됐다. - J'ai été détenu pendant un certain temps.
7272. 그는 현재 구금 중이다. - Il est actuellement en détention.
7273. 그녀는 나중에 구금될 것이다. - Elle sera placée en garde à vue plus tard.
7274. 여전히 구금 중이야? - Est-elle toujours en garde à vue ?
7275. 네, 아직이야. - Oui, toujours.
7276. 석방하다 - libérer
7277. 우리는 억울한 사람을 석방했다. - Nous avons libéré la personne accusée à tort.
7278. 그들은 포로를 석방한다. - On libère les prisonniers.
7279. 당신들은 증거 부족으로 석방될 것이다. - Vous serez libéré pour manque de preuves.
7280. 석방될 수 있을까? - Serez-vous libéré ?
7281. 가능성이 있어. - C'est possible.

7282. 해방하다 - libérer
7283. 그녀는 스스로를 해방했다. - Elle s'est libérée.
7284. 우리는 생각에서 해방한다. - On se libère des pensées.
7285. 너는 제약에서 해방될 것이다. - Vous serez libéré des contraintes.
7286. 정말 해방감을 느껴? - Vous sentez-vous vraiment libéré ?
7287. 네, 완전히. - Oui, complètement.
7288. 채택하다 - Adopter
7289. 나는 새로운 방법을 채택했다. - J'ai adopté une nouvelle méthode.
7290. 그는 건강한 생활 방식을 채택한다. - Il adopte un mode de vie sain.
7291. 그녀는 혁신적인 아이디어를 채택할 것이다. - Elle va adopter une idée innovante.
7292. 채택하기로 결정했어? - Avez-vous décidé d'adopter ?
7293. 네, 결정했어. - Oui, j'ai décidé.
7294. 게시하다 - Publier
7295. 우리는 공지를 게시했다. - Nous avons publié l'avis.
7296. 그들은 사진을 소셜 미디어에 게시한다. - Ils publient des photos sur les médias sociaux.
7297. 당신들은 연구 결과를 게시할 것이다. - Vous allez publier vos résultats.
7298. 이미 게시됐어? - Est-ce déjà publié ?
7299. 네, 게시됐어. - Oui, c'est publié.
7300. 82. 명사 단어들 외우기, 필수 10개 동사의 단어들을 가지고 50문장 연습하기 - 82. mémoriser les noms, pratiquer 50 phrases avec les 10 verbes essentiels
7301. 정보 - information
7302. 기록 - enregistrement
7303. 데이터베이스 - base de données
7304. 이메일 - courriel
7305. 뉴스 - nouvelles
7306. 콘텐츠 - contenu
7307. 화면 - écran
7308. 순간 - Moment
7309. 교통 위반 - violation du code de la route
7310. 규칙 - règle

7311. 불법 - illégal
7312. 자재 - matériel
7313. 필요한 물품 - fournitures nécessaires
7314. 자금 - fonds
7315. 상품 - Marchandises
7316. 화물 - fret
7317. 물건 - chose
7318. 자금 (운용) - Fonds (opération)
7319. 계획 (운용) - Planification (opération)
7320. 사업 - entreprise
7321. 집 - maison
7322. 차 - voiture
7323. 회사 - entreprise
7324. 주식 - stock
7325. 지식 - connaissance
7326. 기술 - technologie
7327. 경험 - expérience
7328. 정보 (얻다) - information (obtenir)
7329. 지식 (얻다) - connaissance (obtenir)
7330. 조회하다 - rechercher
7331. 그녀는 정보를 조회했다. - Elle a cherché l'information.
7332. 우리는 기록을 조회한다. - Nous consultons les dossiers.
7333. 너는 데이터베이스를 조회할 것이다. - Vous allez interroger la base de données.
7334. 조회 결과는 어때? - Comment s'est déroulée la recherche ?
7335. 찾고 있던 정보가 나왔어. - J'ai obtenu l'information que je cherchais.
7336. 필터링하다 - Filtrer
7337. 나는 이메일을 필터링했다. - J'ai filtré les courriels.
7338. 그는 뉴스를 필터링한다. - Il filtrera les nouvelles.
7339. 그녀는 콘텐츠를 필터링할 것이다. - Elle filtrera le contenu.
7340. 필터링 효과적이야? - Le filtrage est-il efficace ?
7341. 네, 매우 효과적이야. - Oui, il est très efficace.
7342. 캡처하다 - capturer

7343. 나는 화면을 캡처했다. - J'ai capturé l'écran.
7344. 너는 순간을 캡처한다. - Vous capturez un moment.
7345. 그는 정보를 캡처할 것이다. - Il va capturer des informations.
7346. 사진 잘 나왔어? - As-tu pris une bonne photo ?
7347. 네, 완벽해요. - Oui, elle est parfaite.
7348. 단속하다 - sévir
7349. 그녀는 교통 위반을 단속했다. - Elle a réprimé les infractions au code de la route.
7350. 우리는 규칙을 단속한다. - Nous faisons respecter les règles.
7351. 당신들은 불법을 단속할 것이다. - Vous allez sévir contre les illégaux.
7352. 규칙 지켰어? - Avez-vous respecté les règles ?
7353. 네, 항상 지켜요. - Oui, je les respecte toujours.
7354. 조달하다 - se procurer
7355. 그들은 자재를 조달했다. - Ils se sont procuré les matériaux.
7356. 나는 필요한 물품을 조달한다. - Je me procurerai les fournitures nécessaires.
7357. 너는 자금을 조달할 것이다. - Vous vous procurerez les fonds.
7358. 자재 다 구했어? - Avez-vous obtenu tous les matériaux ?
7359. 아직 몇 개 더 필요해. - Il m'en manque encore quelques-uns.
7360. 운송하다 - transporter
7361. 그녀는 상품을 운송했다. - Elle a transporté les marchandises.
7362. 우리는 화물을 운송한다. - Nous transportons la cargaison.
7363. 당신들은 물건을 운송할 것이다. - Vous allez transporter les marchandises.
7364. 화물 도착했어? - La cargaison est-elle arrivée ?
7365. 네, 방금 도착했어요. - Oui, elle vient d'arriver.
7366. 운용하다 - opérer
7367. 나는 자금을 운용했다. - J'ai géré les fonds.
7368. 너는 계획을 운용한다. - Vous gérerez le plan.
7369. 그는 사업을 운용할 것이다. - Il dirigera l'entreprise.
7370. 계획 잘 되가? - Comment se déroule le plan ?
7371. 네, 순조로워요. - Oui, il se déroule bien.
7372. 소유하다 - Posséder
7373. 그들은 집을 소유했다. - Ils possédaient la maison.

7374. 나는 차를 소유한다. - Je possède une voiture.
7375. 너는 회사를 소유할 것이다. - Vous serez propriétaire d'une entreprise.
7376. 새 차 샀어? - Avez-vous acheté une nouvelle voiture ?
7377. 아니요, 아직이에요. - Non, pas encore.
7378. 보유하다 - Détenir
7379. 그녀는 주식을 보유했다. - Elle a conservé les actions.
7380. 우리는 지식을 보유한다. - Nous conservons des connaissances.
7381. 당신들은 기술을 보유할 것이다. - Vous aurez des compétences.
7382. 주식 많이 가졌어? - Vous avez beaucoup de stock ?
7383. 조금씩 모으고 있어요. - Je les accumule petit à petit.
7384. 얻다 - acquérir
7385. 나는 경험을 얻었다. - J'ai acquis de l'expérience.
7386. 너는 정보를 얻는다. - Vous obtenez des informations.
7387. 그는 지식을 얻을 것이다. - Il va acquérir des connaissances.
7388. 정보 찾았어? - Avez-vous trouvé l'information ?
7389. 네, 찾았어요. - Oui, je l'ai trouvée.
7390. 83. 명사 단어들 외우기, 필수 10개 동사의 단어들을 가지고 50문장 연습하기 - 83. mémoriser les noms, pratiquer 50 phrases avec les 10 verbes essentiels
7391. 자격증 - certificat
7392. 승인 - agrément
7393. 인증 - certification
7394. 신뢰 - confiance
7395. 기회 - opportunité
7396. 접근 - Accès
7397. 능력 - capacité
7398. 재능 - Talent
7399. 창의력 - créativité
7400. 품질 - qualité
7401. 관심 - intérêt
7402. 성능 - Performance
7403. 서울 - Séoul
7404. 지역 - région

7405. 국가 - pays
7406. 버스 - bus
7407. 인터넷 - Internet
7408. 서비스 - service
7409. 채무 - obligation financière
7410. 문제 - problème
7411. 우려 - préoccupation
7412. 아이디어 - idée
7413. 계획 - plan
7414. 가치 - valeur
7415. 사고 - accident
7416. 변화 - changement
7417. 현상 - phénomène
7418. 회의 - rencontre
7419. 이벤트 - événement
7420. 획득하다 - gagner
7421. 그들은 자격증을 획득했다. - Ils ont obtenu une certification.
7422. 나는 승인을 획득한다. - Je vais obtenir une autorisation.
7423. 너는 인증을 획득할 것이다. - Vous allez obtenir une certification.
7424. 자격증 시험 봤어? - Avez-vous passé l'examen de certification ?
7425. 네, 합격했어요. - Oui, je l'ai réussi.
7426. 상실하다 - perdre
7427. 그녀는 신뢰를 상실했다. - Elle a perdu sa confiance.
7428. 우리는 기회를 상실한다. - Nous perdons l'opportunité.
7429. 당신들은 접근을 상실할 것이다. - Vous allez perdre l'accès.
7430. 기회 놓쳤어? - Avez-vous perdu l'opportunité ?
7431. 아니요, 아직 있어요. - Non, vous l'avez toujours.
7432. 발휘하다 - exercer
7433. 나는 능력을 발휘했다. - J'ai exercé mes capacités.
7434. 너는 재능을 발휘한다. - Vous faites preuve de talent.
7435. 그는 창의력을 발휘할 것이다. - Il va exercer sa créativité.
7436. 잘 할 수 있겠어? - Êtes-vous sûr de pouvoir le faire ?
7437. 네, 자신 있어요. - Oui, je suis confiant.
7438. 저하하다 - Dégrader

7439. 그들은 품질을 저하시켰다. - Ils ont dégradé la qualité.
7440. 나는 관심을 저하시킨다. - Je dégrade l'intérêt.
7441. 너는 성능을 저하시킬 것이다. - Vous allez dégrader la performance.
7442. 성능 나빠졌어? - Avez-vous dégradé la performance ?
7443. 아니요, 괜찮아요. - Non, ça va.
7444. 교통하다 - à la circulation
7445. 그녀는 자주 서울을 교통했다. - Elle se rendait souvent à Séoul.
7446. 우리는 지역 간을 교통한다. - Nous voyageons entre les régions.
7447. 당신들은 국가를 교통할 것이다. - Vous allez voyager entre les pays.
7448. 출퇴근 괜찮아? - Votre trajet est-il correct ?
7449. 네, 문제 없어요. - Oui, sans problème.
7450. 이용하다 - utiliser
7451. 나는 버스를 이용했다. - J'ai pris le bus.
7452. 너는 인터넷을 이용한다. - Vous utiliserez l'Internet.
7453. 그는 서비스를 이용할 것이다. - Il utilisera le service.
7454. 인터넷 빨라? - Est-ce que l'Internet est rapide ?
7455. 네, 아주 빨라요. - Oui, c'est très rapide.
7456. 소멸하다 - éteindre
7457. 그들은 채무를 소멸시켰다. - Ils ont éteint la dette.
7458. 나는 문제를 소멸시킨다. - Je dissipe le problème.
7459. 너는 우려를 소멸시킬 것이다. - Vous allez éteindre le souci.
7460. 문제 해결됐어? - Problème résolu ?
7461. 네, 다 해결됐어요. - Oui, tout est résolu.
7462. 생성하다 - générer
7463. 그녀는 아이디어를 생성했다. - Elle a eu une idée.
7464. 우리는 계획을 생성한다. - Nous générons des plans.
7465. 당신들은 가치를 생성할 것이다. - Vous allez générer de la valeur.
7466. 계획 세웠어? - Vous avez un plan ?
7467. 네, 다 준비됐어요. - Oui, il est prêt.
7468. 발생하다 - Provoquer
7469. 나는 사고를 발생시켰다. - J'ai provoqué un incident.
7470. 너는 변화를 발생시킨다. - Vous allez générer un changement.
7471. 그는 현상을 발생시킬 것이다. - Il provoquera un phénomène.
7472. 문제 있었어? - Avez-vous eu un problème ?

7473. 아니요, 괜찮아요. - Non, je vais bien.
7474. 나타나다 - Apparaître
7475. 그들은 갑자기 나타났다. - Ils sont apparus de nulle part.
7476. 나는 회의에 나타난다. - Je me présente à la réunion.
7477. 너는 이벤트에 나타날 것이다. - Vous vous présenterez à l'événement.
7478. 회의에 갈 거야? - Allez-vous à la réunion ?
7479. 네, 갈게요. - Oui, j'y vais.
7480. 84. 명사 단어들 외우기, 필수 10개 동사의 단어들을 가지고 50문장 연습하기 - 84. mémoriser les noms, pratiquer 50 phrases avec les 10 verbes essentiels
7481. 무대 - scène
7482. 공원 - parc
7483. 화면 - écran
7484. 생각 - penser
7485. 계획 - plan
7486. 방향 - direction
7487. 의사소통 - Communication
7488. 동전 - pièce de monnaie
7489. 쓰레기 - poubelle
7490. 아이디어 - idée
7491. 책 - livre
7492. 우산 - parapluie
7493. 지도 - carte
7494. 감정 - émotion
7495. 열정 - passion
7496. 옷 - vêtements
7497. 벽 - mur
7498. 캔버스 - toile
7499. 종이 - papier
7500. 나무 - arbre
7501. 친구 - ami(e)
7502. 제안 - proposition
7503. 정책 - politique

7504. 스프 - soupe
7505. 음료 - boisson
7506. 소스 - sauce
7507. 사라지다 - disparaître
7508. 그녀는 무대에서 사라졌다. - Elle a disparu de la scène.
7509. 우리는 공원에서 사라진다. - Nous disparaissons dans le parc.
7510. 당신들은 화면에서 사라질 것이다. - Vous allez disparaître de l'écran.
7511. 걱정 끝났어? - Tu as fini de t'inquiéter ?
7512. 네, 사라졌어요. - Oui, il a disparu.
7513. 변하다 - changer
7514. 나는 생각이 변했다. - J'ai changé d'avis.
7515. 너는 계획을 변화시킨다. - Vous changez de projet.
7516. 그는 방향을 변할 것이다. - Il va changer de direction.
7517. 의견 달라졌어? - Avez-vous changé d'avis ?
7518. 네, 바뀌었어요. - Oui, elle a changé.
7519. 의사소통하다 - Communiquer
7520. 그들은 효과적으로 의사소통했다. - Ils ont communiqué efficacement.
7521. 나는 명확하게 의사소통한다. - Je communique clairement.
7522. 너는 직접 의사소통할 것이다. - Vous communiquerez directement.
7523. 말 잘 통해? - Par les mots ?
7524. 네, 잘 통해요. - Oui, par les mots.
7525. 줍다 - ramasser
7526. 그녀는 동전을 줍었다. - Elle a ramassé les pièces de monnaie.
7527. 우리는 쓰레기를 줍는다. - Nous ramassons les ordures.
7528. 당신들은 아이디어를 줍을 것이다. - Vous ramasserez des idées.
7529. 도와줄까? - Voulez-vous que je vous aide ?
7530. 네, 고마워요. - Oui, merci.
7531. 펴다 - ouvrir
7532. 나는 책을 펴었다. - J'ai ouvert le livre.
7533. 너는 우산을 편다. - Tu ouvres le parapluie.
7534. 그는 지도를 펼 것이다. - Il va déplier la carte.
7535. 책 재밌어? - Le livre est-il intéressant ?
7536. 네, 흥미로워요. - Oui, il est intéressant.
7537. 넘치다 - déborder

7538. 그들은 감정이 넘쳤다. - Ils débordaient d'émotion.
7539. 나는 열정이 넘친다. - Je suis plein d'enthousiasme.
7540. 너는 아이디어로 넘칠 것이다. - Vous déborderez d'idées.
7541. 행복해? - Êtes-vous heureux ?
7542. 네, 넘쳐나요. - Oui, je déborde.
7543. 물들다 - colorer
7544. 그녀는 옷을 물들였다. - Elle a coloré ses vêtements.
7545. 우리는 벽을 물들인다. - Nous colorons les murs.
7546. 당신들은 캔버스를 물들일 것이다. - Vous allez colorier la toile.
7547. 색상 결정했어? - As-tu choisi une couleur ?
7548. 네, 정했어요. - Oui, je me suis décidé.
7549. 태우다 - brûler
7550. 나는 종이를 태웠다. - J'ai brûlé le papier.
7551. 너는 나무를 태운다. - Tu brûles le bois.
7552. 그는 쓰레기를 태울 것이다. - Il va brûler les ordures.
7553. 추워? - Est-ce que c'est froid ?
7554. 아니, 따뜻해요. - Non, c'est chaud.
7555. 지지하다 - Soutenir
7556. 나는 친구를 지지했다. - J'ai soutenu mon ami.
7557. 너는 제안을 지지한다. - Vous soutenez la proposition.
7558. 그는 정책을 지지할 것이다. - Il soutiendra la politique.
7559. 지지 받아? - Vous soutenez ?
7560. 네, 받아. - Oui, je comprends.
7561. 젓다 - Remuer
7562. 그녀는 스프를 저었다. - Elle a remué la soupe.
7563. 우리는 음료를 젓는다. - Nous remuons la boisson.
7564. 당신들은 소스를 저을 것이다. - Vous allez remuer la sauce.
7565. 잘 섞였어? - Est-ce qu'elle est bien mélangée ?
7566. 네, 섞였어. - Oui, c'est mélangé.
7567. 85. 명사 단어들 외우기, 필수 10개 동사의 단어들을 가지고 50문장 연습하기 - 85. mémoriser les noms, pratiquer 50 phrases avec les 10 verbes essentiels
7568. 물 - l'eau
7569. 팬 - casserole

7570. 수프 - Soupe
7571. 상자 - Boîte
7572. 창문 - fenêtre
7573. 미래 - futur
7574. 아이디어 - idée
7575. 계획 - plan
7576. 해결책 - solution
7577. 스케줄 - calendrier
7578. 로드맵 - feuille de route
7579. 자금 - fonds
7580. 자리 - siège
7581. 기회 - opportunité
7582. 용기 - courage
7583. 장비 - équipement
7584. 자격 - Qualification
7585. 실험실 - laboratoire
7586. 컴퓨터 - ordinateur
7587. 연구소 - laboratoire
7588. 선물 - cadeau
7589. 정보 - information
7590. 소식 - Nouvelles
7591. 메시지 - message
7592. 경고 - avertissement
7593. 차 - voiture
7594. 배 - bateau
7595. 화물 - fret
7596. 트럭 - camion
7597. 상품 - Marchandises
7598. 가열하다 - chauffer
7599. 그는 물을 가열했다. - Il a chauffé l'eau.
7600. 나는 팬을 가열한다. - Je fais chauffer la casserole.
7601. 너는 수프를 가열할 것이다. - Vous allez faire chauffer la soupe.
7602. 뜨거워? - Est-elle chaude ?
7603. 네, 뜨거워. - Oui, elle est chaude.

7604. 들여다보다 - Regarder dans
7605. 그들은 상자 안을 들여다보았다. - Ils ont regardé dans la boîte.
7606. 나는 창문으로 들여다본다. - Je regarde par la fenêtre.
7607. 너는 미래를 들여다볼 것이다. - Vous allez regarder dans l'avenir.
7608. 뭐 보여? - Que voyez-vous ?
7609. 네, 보여. - Oui, je vois.
7610. 떠올리다 - Proposer
7611. 그녀는 아이디어를 떠올렸다. - Elle a eu une idée.
7612. 우리는 계획을 떠올린다. - Nous proposons un plan.
7613. 당신들은 해결책을 떠올릴 것이다. - Vous allez trouver une solution.
7614. 기억나? - Vous vous souvenez ?
7615. 네, 나와. - Oui, moi.
7616. 짜다 - organiser
7617. 나는 스케줄을 짰다. - J'ai organisé le planning.
7618. 너는 계획을 짠다. - Vous organiserez un plan.
7619. 그는 로드맵을 짤 것이다. - Il organisera la feuille de route.
7620. 준비됐어? - Êtes-vous prêt ?
7621. 네, 됐어. - Oui, je suis prêt.
7622. 마련하다 - organiser
7623. 그들은 자금을 마련했다. - Ils ont organisé les fonds.
7624. 나는 자리를 마련한다. - Je vais organiser un siège.
7625. 너는 기회를 마련할 것이다. - Vous arrangerez l'opportunité.
7626. 다 됐어? - Avons-nous terminé ?
7627. 네, 됐어. - Oui, c'est prêt.
7628. 갖추다 - équiper
7629. 그녀는 용기를 갖췄다. - Elle a du courage.
7630. 우리는 장비를 갖춘다. - Nous sommes équipés.
7631. 당신들은 자격을 갖출 것이다. - Vous serez qualifiés.
7632. 준비됐어? - Vous êtes prêt ?
7633. 네, 됐어. - Oui, je suis prêt.
7634. 장비하다 - équiper
7635. 나는 실험실을 장비했다. - J'ai équipé le laboratoire.
7636. 너는 컴퓨터를 장비한다. - Vous équiperez l'ordinateur.
7637. 그는 연구소를 장비할 것이다. - Il va équiper le laboratoire.

7638. 필요한 거 있어? - Avez-vous besoin de quelque chose ?
7639. 아니, 없어. - Non, je n'en ai pas besoin.
7640. 갖다 - Apporter
7641. 그들은 선물을 갖다 주었다. - Ils ont apporté des cadeaux.
7642. 나는 정보를 갖다 준다. - J'apporte des informations.
7643. 너는 소식을 갖다 줄 것이다. - Vous apporterez les nouvelles.
7644. 도착했어? - Êtes-vous arrivés ?
7645. 네, 도착했어. - Oui, nous sommes arrivés.
7646. 전하다 - livrer
7647. 그녀는 소식을 전했다. - Elle a apporté les nouvelles.
7648. 우리는 메시지를 전한다. - Nous délivrons le message.
7649. 당신들은 경고를 전할 것이다. - Vous délivrerez l'avertissement.
7650. 알려줄까? - Dois-je vous informer ?
7651. 네, 알려줘. - Oui, faites-le moi savoir.
7652. 싣다 - Charger
7653. 나는 차에 짐을 실었다. - J'ai chargé la voiture.
7654. 너는 배에 화물을 싣는다. - On charge une cargaison sur un bateau.
7655. 그는 트럭에 상품을 실을 것이다. - Il chargera le camion de marchandises.
7656. 무거워? - Est-ce que c'est lourd ?
7657. 아니, 괜찮아. - Non, c'est très bien.
7658. 86. 명사 단어들 외우기, 필수 10개 동사의 단어들을 가지고 50문장 연습하기 - 86. Mémorisez les noms, pratiquez 50 phrases avec les 10 verbes essentiels
7659. 신제품 - nouveau produit
7660. 제안 - proposition
7661. 보고서 - rapport
7662. 앞줄 - premier rang
7663. 중앙 - centre
7664. 위치 - emplacement
7665. 결과 - résultat
7666. 휴가 - vacances
7667. 성공 - succès
7668. 포스터 - affiche

7669. 사진 - image
7670. 장식 - décoration
7671. 목도리 - cache-nez
7672. 리본 - ruban
7673. 배지 - badge
7674. 오해 - malentendu
7675. 상황 - situation
7676. 문제 - problème
7677. 이웃 - voisin
7678. 친구 - ami(e)
7679. 동료 - collègue
7680. 이벤트 - événement
7681. 프로젝트 - projet
7682. 캠페인 - campagne
7683. 제품 - produit
7684. 서비스 - service
7685. 앱 - application
7686. 선반 - étagère
7687. 문 - porte
7688. 카메라 - caméra
7689. 내다 - sortir
7690. 그들은 신제품을 내놓았다. - Ils proposent un nouveau produit.
7691. 나는 제안을 낸다. - J'ai fait une proposition.
7692. 너는 보고서를 내놓을 것이다. - Vous présenterez un rapport.
7693. 성공할까? - Cela fonctionnera-t-il ?
7694. 네, 할 거야. - Oui, il fonctionnera.
7695. 위치하다 - Positionner
7696. 그녀는 앞줄에 위치했다. - Elle était positionnée au premier rang.
7697. 우리는 중앙에 위치한다. - Nous sommes au centre.
7698. 당신들은 최적의 위치에 위치할 것이다. - Vous serez dans la meilleure position.
7699. 찾았어? - L'avez-vous trouvé ?
7700. 네, 찾았어. - Oui, je l'ai trouvé.
7701. 기대다 - s'attendre à

7702. 나는 결과를 기대했다. - J'attendais un résultat.
7703. 너는 휴가를 기대한다. - Vous attendez des vacances.
7704. 그는 성공을 기대할 것이다. - Il s'attend à un succès.
7705. 기뻐? - Ravi ?
7706. 네, 기뻐. - Oui, je suis content.
7707. 매달다 - Accrocher
7708. 그들은 포스터를 매달았다. - Ils ont accroché l'affiche.
7709. 나는 사진을 매달린다. - J'accroche un tableau.
7710. 너는 장식을 매달을 것이다. - Vous allez accrocher les décorations.
7711. 예쁘게 됐어? - Est-ce que c'est joli ?
7712. 네, 됐어. - Oui, c'est fait.
7713. 매다 - Accrocher
7714. 그녀는 목도리를 맸다. - Elle a accroché le châle.
7715. 우리는 리본을 맨다. - Nous porterons des rubans.
7716. 당신들은 배지를 맬 것이다. - Vous porterez des badges.
7717. 추워? - Tu as froid ?
7718. 아니, 괜찮아. - Non, ça va.
7719. 해명하다 - clarifier
7720. 나는 오해를 해명했다. - J'ai clarifié un malentendu.
7721. 너는 상황을 해명한다. - Vous expliquez la situation.
7722. 그는 문제를 해명할 것이다. - Il va clarifier le problème.
7723. 이해됐어? - Vous comprenez ?
7724. 네, 됐어. - Oui, je comprends.
7725. 도와주다 - Aider
7726. 그들은 이웃을 도와주었다. - Ils ont aidé leur voisin.
7727. 나는 친구를 도와준다. - J'aide mon ami.
7728. 너는 동료를 도와줄 것이다. - Vous aiderez vos collègues.
7729. 필요해? - Vous en avez besoin ?
7730. 아니, 괜찮아. - Non, merci.
7731. 홍보하다 - promouvoir
7732. 그녀는 이벤트를 홍보했다. - Elle a fait la promotion de l'événement.
7733. 우리는 프로젝트를 홍보한다. - Nous faisons la promotion du projet.
7734. 당신들은 캠페인을 홍보할 것이다. - Vous allez promouvoir la campagne.

7735. 봤어? - Vous avez vu ça ?
7736. 네, 봤어. - Oui, je l'ai vu.
7737. 광고하다 - faire de la publicité
7738. 나는 제품을 광고했다. - J'ai fait la publicité d'un produit.
7739. 너는 서비스를 광고한다. - Vous allez faire la publicité d'un service.
7740. 그는 앱을 광고할 것이다. - Il va faire la publicité d'une application.
7741. 효과 있어? - Est-ce que ça marche ?
7742. 네, 있어. - Oui, cela fonctionne.
7743. 고정하다 - Réparer
7744. 그들은 선반을 고정했다. - Ils ont fixé les étagères.
7745. 나는 문을 고정한다. - Je fixe la porte.
7746. 너는 카메라를 고정할 것이다. - Vous fixerez la caméra.
7747. 단단해? - C'est solide ?
7748. 네, 단단해. - Oui, il est solide.
7749. 87. 명사 단어들 외우기, 필수 10개 동사의 단어들을 가지고 50문장 연습하기 - 87. mémoriser les noms, faire 50 phrases avec les mots des 10 verbes essentiels
7750. 문 - porte
7751. 창문 - fenêtre
7752. 자전거 - bicyclette
7753. 컴퓨터 - ordinateur
7754. 음료 - boisson
7755. 시스템 - système
7756. 기계 - machine
7757. 부품 - pièce
7758. 장난감 - jouet
7759. 종이 - papier
7760. 플라스틱 - plastique
7761. 금속 - métal
7762. 엔진 - moteur
7763. 장치 - Appareil
7764. 상품 - Produits
7765. 편지 - lettre
7766. 상 - prix

7767. 영화 - film
7768. 제품 - produit
7769. 서비스 - service
7770. 집 - maison
7771. 차 - voiture
7772. 휴대폰 - téléphone portable
7773. 책 - livre
7774. 의류 - vêtements
7775. 예술작품 - œuvre d'art
7776. 잠그다 - verrouiller
7777. 그녀는 문을 잠갔다. - Elle a fermé la porte à clé.
7778. 우리는 창문을 잠근다. - Nous fermons les fenêtres à clé.
7779. 당신들은 자전거를 잠글 것이다. - Vous allez verrouiller votre vélo.
7780. 안전해? - Est-ce que c'est sûr ?
7781. 네, 안전해. - Oui, c'est sûr.
7782. 냉각하다 - refroidir
7783. 나는 컴퓨터를 냉각했다. - J'ai refroidi l'ordinateur.
7784. 너는 음료를 냉각한다. - Vous refroidirez la boisson.
7785. 그는 시스템을 냉각할 것이다. - Il va refroidir le système.
7786. 충분해? - Est-ce suffisant ?
7787. 네, 충분해. - Oui, c'est suffisant.
7788. 재조립하다 - Remonter
7789. 그들은 기계를 재조립했다. - Ils ont remonté la machine.
7790. 나는 부품을 재조립한다. - Je réassemble les pièces.
7791. 너는 장난감을 재조립할 것이다. - Vous allez remonter le jouet.
7792. 어려워? - Est-ce difficile ?
7793. 아니, 쉬워. - Non, c'est facile.
7794. 재활용하다 - recycler
7795. 그녀는 종이를 재활용했다. - Elle a recyclé le papier.
7796. 우리는 플라스틱을 재활용한다. - Nous recyclons le plastique.
7797. 당신들은 금속을 재활용할 것이다. - Vous allez recycler le métal.
7798. 좋은 생각이야? - Est-ce une bonne idée ?
7799. 네, 좋아. - Oui, c'est une bonne idée.
7800. 구동하다 - conduire

7801. 나는 기계를 구동했다. - J'ai conduit la machine.
7802. 너는 시스템을 구동한다. - Vous conduisez le système.
7803. 그는 엔진을 구동할 것이다. - Il va conduire le moteur.
7804. 작동 돼? - Est-ce que ça marche ?
7805. 네, 작동돼. - Oui, il fonctionne.
7806. 부팅하다 - démarrer
7807. 그녀는 컴퓨터를 부팅했다. - Elle a démarré l'ordinateur.
7808. 우리는 시스템을 부팅한다. - Nous démarrons le système.
7809. 당신들은 장치를 부팅할 것이다. - Vous allez démarrer l'appareil.
7810. 켜졌어? - Est-il allumé ?
7811. 네, 켜졌어. - Oui, il est allumé.
7812. 수령하다 - recevoir
7813. 나는 상품을 수령했다. - J'ai reçu la marchandise.
7814. 너는 편지를 수령한다. - Vous recevrez la lettre.
7815. 그는 상을 수령할 것이다. - Il recevra le prix.
7816. 도착했어? - Vous êtes arrivé ?
7817. 네, 도착했어. - Oui, il est arrivé.
7818. 리뷰하다 - revoir
7819. 그들은 영화를 리뷰했다. - Ils ont revu le film.
7820. 나는 제품을 리뷰한다. - Je passe en revue un produit.
7821. 너는 서비스를 리뷰할 것이다. - Vous ferez la critique d'un service.
7822. 좋았어? - Est-ce que c'était bien ?
7823. 네, 좋았어. - Oui, c'était bien.
7824. 구매하다 - Acheter
7825. 그녀는 집을 구매했다. - Elle a acheté une maison.
7826. 우리는 차를 구매한다. - Nous achetons une voiture.
7827. 당신들은 휴대폰을 구매할 것이다. - Vous allez acheter un téléphone portable.
7828. 필요해? - En avez-vous besoin ?
7829. 네, 필요해. - Oui, j'en ai besoin.
7830. 판매하다 - Vendre
7831. 나는 책을 판매했다. - J'ai vendu un livre.
7832. 너는 의류를 판매한다. - Vous vendez des vêtements.
7833. 그는 예술작품을 판매할 것이다. - Il vendra des œuvres d'art.

7834. 잘 팔려? - Est-ce qu'ils se vendent bien ?
7835. 네, 잘 팔려. - Oui, ils se vendent bien.
7836. 88. 명사 단어들 외우기, 필수 10개 동사의 단어들을 가지고 50문장 연습하기 - 88. Mémorisez les noms, faites 50 phrases avec les 10 verbes essentiels
7837. 물건 - chose
7838. 옷 - vêtement
7839. 기기 - appareil
7840. 티켓 - billet
7841. 비용 - dépense
7842. 등록금 - Frais de scolarité
7843. 자전거 - bicyclette
7844. 책 - livre
7845. 카메라 - appareil photo
7846. 도서 - livres
7847. 장비 - équipement
7848. 노트북 - ordinateur portable
7849. 계좌 - compte
7850. 전화선 - ligne téléphonique
7851. 인터넷 - Internet
7852. 계정 - compte
7853. 상점 - magasin
7854. 공장 - usine
7855. 파일 - fichier
7856. 시계 - horloge
7857. 시스템 - système
7858. 문제 - problème
7859. 아이디어 - idée
7860. 방법 - méthode
7861. 문서 - document
7862. 규정 - Règle
7863. 자료 - données
7864. 사진 - image
7865. 보고서 - rapport

7866. 반환하다 - retourner
7867. 그들은 물건을 반환했다. - Ils ont retourné les marchandises.
7868. 나는 옷을 반환한다. - Je retourne les vêtements.
7869. 너는 기기를 반환할 것이다. - Vous rendrez l'appareil.
7870. 가능해? - Est-ce possible ?
7871. 네, 가능해. - Oui, c'est possible.
7872. 환불하다 - rembourser
7873. 그녀는 티켓을 환불받았다. - Elle s'est fait rembourser son billet.
7874. 우리는 비용을 환불받는다. - Nous récupérons notre argent.
7875. 당신들은 등록금을 환불받을 것이다. - Vous serez remboursé de vos frais de scolarité.
7876. 받을 수 있어? - Pouvez-vous l'obtenir ?
7877. 네, 받을 수 있어. - Oui, vous pouvez l'obtenir.
7878. 대여하다 - louer
7879. 나는 자전거를 대여했다. - J'ai loué un vélo.
7880. 너는 책을 대여한다. - Vous louez un livre.
7881. 그는 카메라를 대여할 것이다. - Il va louer un appareil photo.
7882. 빌릴까? - Je l'emprunte ?
7883. 네, 빌려. - Oui, emprunter.
7884. 반납하다 - Rendre
7885. 그들은 도서를 반납했다. - Ils ont rendu le livre.
7886. 나는 장비를 반납한다. - Je rends le matériel.
7887. 너는 노트북을 반납할 것이다. - Vous rendrez l'ordinateur portable.
7888. 시간 됐어? - C'est l'heure ?
7889. 네, 됐어. - Oui, je suis prêt.
7890. 개통하다 - ouvrir
7891. 그녀는 계좌를 개통했다. - Elle a ouvert un compte.
7892. 우리는 전화선을 개통한다. - Nous allons ouvrir la ligne téléphonique.
7893. 당신들은 인터넷을 개통할 것이다. - Vous allez ouvrir l'internet.
7894. 준비됐어? - Êtes-vous prêt ?
7895. 네, 준비됐어. - Oui, je suis prêt.
7896. 폐쇄하다 - fermer
7897. 나는 계정을 폐쇄했다. - J'ai fermé mon compte.
7898. 너는 상점을 폐쇄한다. - Vous fermez le magasin.

7899. 그는 공장을 폐쇄할 것이다. - Il va fermer l'usine.
7900. 닫혔어? - Est-elle fermée ?
7901. 네, 닫혔어. - Oui, elle est fermée.
7902. 동기화하다 - synchroniser
7903. 그녀는 파일을 동기화했다. - Elle a synchronisé ses fichiers.
7904. 우리는 시계를 동기화한다. - Nous synchronisons nos montres.
7905. 당신들은 시스템을 동기화할 것이다. - Vous allez synchroniser vos systèmes.
7906. 맞춰졌어? - Est-ce que c'est synchronisé ?
7907. 네, 맞춰졌어. - Oui, c'est synchronisé.
7908. 예시하다 - exemplifier
7909. 나는 문제를 예시했다. - J'ai illustré un problème.
7910. 너는 아이디어를 예시한다. - Vous illustrez une idée.
7911. 그는 방법을 예시할 것이다. - Il va illustrer une méthode.
7912. 이해됐어? - Est-ce que cela a du sens ?
7913. 네, 이해됐어. - Oui, je comprends.
7914. 참조하다 - se référer à
7915. 그들은 문서를 참조했다. - Ils ont fait référence au document.
7916. 나는 규정을 참조한다. - Je me réfère au règlement.
7917. 너는 자료를 참조할 것이다. - Vous vous référerez aux documents.
7918. 봤어? - Avez-vous vu cela ?
7919. 네, 봤어. - Oui, je l'ai vu.
7920. 첨부하다 - joindre
7921. 그녀는 사진을 첨부했다. - Elle a joint une photo.
7922. 우리는 파일을 첨부한다. - Nous joignons le fichier.
7923. 당신들은 보고서를 첨부할 것이다. - Vous joindrez le rapport.
7924. 붙였어? - L'avez-vous joint ?
7925. 네, 붙였어. - Oui, je l'ai joint.
7926. 89. 명사 단어들 외우기, 필수 10개 동사의 단어들을 가지고 50문장 연습하기 - 89. Mémoriser les mots du nom, pratiquer 50 phrases avec les 10 mots essentiels du verbe
7927. 소프트웨어 - logiciel
7928. 기능 - fonction
7929. 제품 - produit

7930. 코드 - code
7931. 시스템 - système
7932. 애플리케이션 - application
7933. 은행 - banque
7934. 자금 - fonds
7935. 주택 대출 - prêt immobilier
7936. 빚 - dette
7937. 대출 - prêt
7938. 융자 - prêt
7939. 돈 - argent
7940. 금액 - montant
7941. 재산 - propriété
7942. 주식 - actions
7943. 사업 - entreprise
7944. 부동산 - biens immobiliers
7945. 친구 - ami(e)
7946. 가족 - famille
7947. 회사 - entreprise
7948. 계좌 - compte
7949. 자동화기기 - équipement d'automatisation
7950. 급여 - salaire
7951. 테스트하다 - tester
7952. 나는 소프트웨어를 테스트했다. - J'ai testé le logiciel.
7953. 너는 기능을 테스트한다. - Vous testez la fonctionnalité.
7954. 그는 제품을 테스트할 것이다. - Il va tester le produit.
7955. 잘 돼? - Est-ce que ça se passe bien ?
7956. 네, 잘 돼. - Oui, cela se passe bien.
7957. 디버그(오류수정)하다 - déboguer (corriger les erreurs)
7958. 그들은 코드를 디버그했다. - Ils ont débogué le code.
7959. 나는 시스템을 디버그한다. - Je débogue le système.
7960. 너는 애플리케이션을 디버그할 것이다. - Vous débogueriez l'application.
7961. 고쳤어? - L'avez-vous corrigé ?
7962. 네, 고쳤어. - Oui, je l'ai réparé.
7963. 대출하다 - emprunter

7964. 그녀는 은행에서 대출받았다. - Elle a emprunté de l'argent à la banque.
7965. 우리는 자금을 대출받는다. - Nous empruntons de l'argent.
7966. 당신들은 주택 대출을 받을 것이다. - Vous allez contracter un prêt immobilier.
7967. 필요해? - En avez-vous besoin ?
7968. 네, 필요해. - Oui, j'en ai besoin.
7969. 상환하다 - rembourser
7970. 나는 빚을 상환했다. - J'ai remboursé la dette.
7971. 너는 대출을 상환한다. - Vous rembourserez le prêt.
7972. 그는 융자를 상환할 것이다. - Il remboursera le prêt.
7973. 끝났어? - Est-ce que c'est fait ?
7974. 네, 끝났어. - Oui, c'est fait.
7975. 저축하다 - Sauver
7976. 그들은 돈을 저축했다. - Ils ont économisé l'argent.
7977. 나는 금액을 저축한다. - J'économise une somme d'argent.
7978. 너는 재산을 저축할 것이다. - Vous allez économiser une fortune.
7979. 모았어? - Avez-vous économisé ?
7980. 네, 모았어. - Oui, je l'ai économisé.
7981. 투자하다 - investir
7982. 그녀는 주식에 투자했다. - Elle a investi dans des actions.
7983. 우리는 사업에 투자한다. - Nous investissons dans une entreprise.
7984. 당신들은 부동산에 투자할 것이다. - Vous allez investir dans l'immobilier.
7985. 이득 봤어? - Avez-vous fait des bénéfices ?
7986. 네, 이득 봤어. - Oui, j'ai fait des bénéfices.
7987. 송금하다 - transférer de l'argent
7988. 나는 친구에게 송금했다. - J'ai envoyé de l'argent à un ami.
7989. 너는 가족에게 송금한다. - Vous allez envoyer de l'argent à votre famille.
7990. 그는 회사에 송금할 것이다. - Il va envoyer de l'argent à l'entreprise.
7991. 받았어? - L'avez-vous reçu ?
7992. 네, 받았어. - Oui, je l'ai reçu.
7993. 예치하다 - Déposer

7994. 그들은 돈을 예치했다. - Ils ont déposé l'argent.
7995. 나는 계좌에 예치한다. - Je fais un dépôt sur le compte.
7996. 너는 자금을 예치할 것이다. - Vous allez déposer les fonds.
7997. 넣었어? - L'avez-vous déposé ?
7998. 네, 넣었어. - Oui, je l'ai déposé.
7999. 인출하다 - retirer
8000. 그녀는 은행에서 인출했다. - Elle a fait un retrait à la banque.
8001. 우리는 자동화기기에서 인출한다. - Nous retirons à l'automate.
8002. 당신들은 계좌에서 인출할 것이다. - Vous allez retirer de votre compte.
8003. 뺐어? - L'avez-vous retiré ?
8004. 네, 뺐어. - Oui, j'ai retiré.
8005. 이체하다 - transférer
8006. 나는 계좌로 이체했다. - J'ai fait un virement sur le compte.
8007. 너는 돈을 이체한다. - Vous transférez de l'argent.
8008. 그는 급여를 이체할 것이다. - Il va transférer son salaire.
8009. 보냈어? - Vous l'avez envoyé ?
8010. 네, 보냈어. - Oui, je l'ai envoyé.
8011. 90. 명사 단어들 외우기, 필수 10개 동사의 단어들을 가지고 50문장 연습하기 - 90. Mémorisez les noms, pratiquez 50 phrases avec les mots des 10 verbes essentiels
8012. 신용카드 - Carte de crédit
8013. 현금 - argent liquide
8014. 모바일 - mobile
8015. 주식 - stock
8016. 물건 - chose
8017. 부동산 - immobilier
8018. 팀 - équipe
8019. 회사 - entreprise
8020. 학급 - classe
8021. 시장 - marché
8022. 결정 - décision
8023. 결과 - résultat
8024. 날씨 - météo

8025. 소식 - Actualités
8026. 경제 - économie
8027. 목록 - liste
8028. 예외 - exception
8029. 조항 - article
8030. 요청 - demande
8031. 접근 - Accès
8032. 변경 - changement
8033. 토론 - débat
8034. 생각 - réflexion
8035. 결론 - conclusion
8036. 웃음 - rire
8037. 호기심 - curiosité
8038. 혼란 - confusion
8039. 투자 - investir
8040. 관광객 - touriste
8041. 회원 - membre
8042. 결제하다 - payer
8043. 그들은 신용카드로 결제했다. - Ils ont payé par carte de crédit.
8044. 나는 현금으로 결제한다. - Je paie en espèces.
8045. 너는 모바일로 결제할 것이다. - Vous allez payer avec votre téléphone portable.
8046. 됐어? - Vous êtes d'accord ?
8047. 네, 됐어. - Oui, c'est bon.
8048. 거래하다 - Négocier
8049. 그는 주식을 거래했다. - Il a négocié des actions.
8050. 우리는 물건을 거래한다. - Nous échangeons des choses.
8051. 당신들은 부동산을 거래할 것이다. - Vous allez échanger des biens immobiliers.
8052. 필요한 거 있어? - Vous avez besoin de quelque chose ?
8053. 아니, 괜찮아. - Non, ça va.
8054. 대표하다 - Représenter
8055. 그녀는 팀을 대표했다. - Elle représentait l'équipe.
8056. 나는 회사를 대표한다. - Je représente l'entreprise.

8057. 너는 학급을 대표할 것이다. - Vous représenterez la classe.
8058. 준비됐어? - Êtes-vous prêt ?
8059. 네, 준비됐어. - Oui, je suis prêt.
8060. 영향을 주다 - Influencer
8061. 그들은 시장에 영향을 주었다. - Ils ont influencé le marché.
8062. 나는 결정에 영향을 준다. - J'influence la décision.
8063. 너는 결과에 영향을 줄 것이다. - Vous influencerez le résultat.
8064. 변화됐어? - Avez-vous changé ?
8065. 네, 변화됐어. - Oui, il a changé.
8066. 영향을 받다 - être affecté par
8067. 나는 날씨에 영향을 받았다. - J'ai été affecté par le temps.
8068. 너는 소식에 영향을 받는다. - Vous êtes affecté par les nouvelles.
8069. 그는 경제에 영향을 받을 것이다. - Il sera affecté par l'économie.
8070. 괜찮아? - Est-ce que ça va ?
8071. 네, 괜찮아. - Oui, je vais bien.
8072. 제외하다 - exclure
8073. 그녀는 목록에서 제외됐다. - Elle a été exclue de la liste.
8074. 우리는 예외를 제외한다. - Nous excluons l'exception.
8075. 당신들은 조항을 제외할 것이다. - Vous exclurez la clause.
8076. 빠진 거 있어? - Ai-je oublié quelque chose ?
8077. 아니, 없어. - Non, rien.
8078. 허용하다 - Permettre
8079. 그는 요청을 허용했다. - Il a autorisé la demande.
8080. 나는 접근을 허용한다. - J'autorise l'accès.
8081. 너는 변경을 허용할 것이다. - Vous autoriserez le changement.
8082. 가능해? - Le pouvez-vous ?
8083. 네, 가능해. - Oui, c'est possible.
8084. 유도하다 - susciter
8085. 그들은 토론을 유도했다. - Ils ont provoqué une discussion.
8086. 나는 생각을 유도한다. - Je suscite une réflexion.
8087. 너는 결론을 유도할 것이다. - Vous allez susciter une conclusion.
8088. 알겠어? - Vous comprenez ?
8089. 네, 알겠어. - Oui, je comprends.
8090. 유발하다 - provoquer

8091. 그녀는 웃음을 유발했다. - Elle a provoqué le rire.
8092. 우리는 호기심을 유발한다. - Nous provoquons la curiosité.
8093. 당신들은 혼란을 유발할 것이다. - Vous allez provoquer la confusion.
8094. 웃겼어? - C'était drôle ?
8095. 네, 웃겼어. - Oui, c'était drôle.
8096. 유치하다 - attirer
8097. 나는 투자를 유치했다. - J'ai attiré des investissements.
8098. 너는 관광객을 유치한다. - Vous attirez les touristes.
8099. 그는 회원을 유치할 것이다. - Il va attirer des membres.
8100. 성공했어? - Avez-vous réussi ?
8101. 네, 성공했어. - Oui, j'ai réussi.
8102. 91. 명사 단어들 외우기, 필수 10개 동사의 단어들을 가지고 50문장 연습하기 - 91. mémoriser les noms, pratiquer 50 phrases avec les 10 verbes essentiels
8103. 프로젝트 - projet
8104. 팀 - équipe
8105. 운동 - travail
8106. 결혼 생활 - mariage vie
8107. 과거 - passé
8108. 문제 - problème
8109. 방문객 - visiteur
8110. 길 - route
8111. 미래 - futur
8112. 땅 - terre
8113. 계획 - plan
8114. 성공 - succès
8115. 관심 - intérêt
8116. 변화 - changement
8117. 학교 - école
8118. 대학 - université
8119. 고등학교 - école secondaire
8120. 경험 - expérience
8121. 지식 - connaissances
8122. 환경 - environnement

8123. 사회 - société
8124. 줄 - ligne
8125. 기회 - opportunité
8126. 사과 - s'excuser
8127. 피자 - pizza
8128. 과자 - goûter
8129. 이끌다 - diriger
8130. 그들은 프로젝트를 이끌었다. - Ils ont dirigé le projet.
8131. 나는 팀을 이끈다. - Je dirige l'équipe.
8132. 너는 운동을 이끌 것이다. - Vous allez diriger une séance d'entraînement.
8133. 준비됐니? - Es-tu prêt(e) ?
8134. 네, 준비됐어. - Oui, je suis prêt.
8135. 이혼하다 - Divorcer
8136. 그녀는 결혼 생활을 이혼했다. - Elle a divorcé de son mariage.
8137. 나는 과거를 이혼한다. - Je divorce du passé.
8138. 너는 문제에서 이혼할 것이다. - Tu divorceras du problème.
8139. 괜찮니? - Est-ce que ça va ?
8140. 네, 괜찮아. - Oui, ça va.
8141. 인도하다 - conduire
8142. 그는 방문객을 인도했다. - Il a guidé le visiteur.
8143. 우리는 새로운 길을 인도한다. - Nous ouvrons la voie vers un nouveau chemin.
8144. 당신들은 미래로 인도할 것이다. - Vous allez guider le visiteur vers l'avenir.
8145. 맞는 길이야? - Est-ce le bon chemin ?
8146. 네, 맞아. - Oui, c'est la bonne.
8147. 일구다 - Travailler
8148. 그들은 땅을 일궜다. - Ils travaillaient la terre.
8149. 나는 계획을 일군다. - Je construis un plan.
8150. 너는 성공을 일굴 것이다. - Vous allez travailler pour réussir.
8151. 진행됐어? - Est-ce que ça a marché ?
8152. 네, 진행됐어. - Oui, c'est en train de se produire.
8153. 일으키다 - provoquer

8154. 그녀는 관심을 일으켰다. - Elle a suscité l'intérêt.
8155. 우리는 문제를 일으킨다. - Nous causons des problèmes.
8156. 당신들은 변화를 일으킬 것이다. - Vous allez provoquer le changement.
8157. 뭐야 그거? - Qu'est-ce que c'est ?
8158. 중요한 거야. - C'est important.
8159. 입학하다 - entrer
8160. 나는 학교에 입학했다. - Je suis entré à l'école.
8161. 너는 대학에 입학한다. - Vous entrez à l'université.
8162. 그는 고등학교에 입학할 것이다. - Il va entrer au lycée.
8163. 준비됐어? - Es-tu prêt ?
8164. 네, 준비됐어. - Oui, je suis prêt.
8165. 자라다 - Grandir
8166. 그들은 함께 자랐다. - Ils ont grandi ensemble.
8167. 나는 경험으로 자란다. - Je grandis avec l'expérience.
8168. 너는 지식으로 자랄 것이다. - Tu grandiras en connaissance.
8169. 컸니? - As-tu grandi ?
8170. 네, 컸어. - Oui, j'ai grandi.
8171. 작용하다 - agir
8172. 그녀는 팀에 작용했다. - Elle a agi sur l'équipe.
8173. 우리는 환경에 작용한다. - Nous agissons sur l'environnement.
8174. 당신들은 사회에 작용할 것이다. - Vous agirez sur la société.
8175. 느꼈어? - L'avez-vous senti ?
8176. 네, 느꼈어. - Oui, je l'ai senti.
8177. 잡아당기다 - tirer
8178. 나는 줄을 잡아당겼다. - J'ai tiré sur la corde.
8179. 너는 관심을 잡아당긴다. - Vous tirez sur l'attention.
8180. 그는 기회를 잡아당길 것이다. - Il va tirer sur l'occasion.
8181. 성공했니? - Avez-vous réussi ?
8182. 네, 성공했어. - Oui, j'ai réussi.
8183. 잡아먹다 - manger
8184. 나는 사과를 잡아먹었다. - J'ai pris une pomme.
8185. 너는 피자를 잡아먹는다. - Tu mangeras la pizza.
8186. 그는 과자를 잡아먹을 것이다. - Il grignotera des sucreries.

8187. 배고파? - As-tu faim ?
8188. 네, 배고파. - Oui, j'ai faim.
8189. 92. 명사 단어들 외우기, 필수 10개 동사의 단어들을 가지고 50문장 연습하기 - 92. Mémorisez les noms, faites 50 phrases avec les 10 verbes essentiels
8190. 공 - ballon
8191. 기회 - occasion
8192. 순간 - moment
8193. 상황 - situation
8194. 시장 - marché
8195. 분위기 - atmosphère
8196. 카메라 - appareil photo
8197. 배터리 - batterie
8198. 부품 - partie
8199. 논쟁 - argument
8200. 소음 - bruit
8201. 갈등 - conflit
8202. 권리 - droit
8203. 위치 - emplacement
8204. 우승 - Championnat
8205. 집 - maison
8206. 차 - voiture
8207. 자산 - atout
8208. 손 - main
8209. 발 - pied
8210. 어깨 - épaule
8211. 약속 - promesse
8212. 계획 - plan
8213. 기계 - machine
8214. 데이터 - données
8215. 시스템 - système
8216. 도시 - ville
8217. 영역 - région
8218. 지역 - région

8219. 잡아채다 - attraper
8220. 그는 공을 잡아챘다. - Il a attrapé le ballon.
8221. 그녀는 기회를 잡아챈다. - Elle a saisi l'occasion.
8222. 우리는 순간을 잡아챌 것이다. - Nous allons saisir l'occasion.
8223. 봤어? - Vous avez vu ça ?
8224. 아니, 못 봤어. - Non, je n'ai pas vu.
8225. 장악하다 - Prendre le contrôle de
8226. 그녀는 상황을 장악했다. - Elle a pris le contrôle de la situation.
8227. 우리는 시장을 장악한다. - Nous contrôlons le marché.
8228. 당신들은 분위기를 장악할 것이다. - Vous contrôlerez l'atmosphère.
8229. 준비됐어? - Vous êtes prêt ?
8230. 네, 준비됐어. - Oui, je suis prêt.
8231. 장착하다 - monter
8232. 나는 카메라를 장착했다. - J'ai monté l'appareil photo.
8233. 너는 배터리를 장착한다. - Vous monterez la batterie.
8234. 그는 부품을 장착할 것이다. - Il montera les pièces.
8235. 맞아? - C'est bien cela ?
8236. 네, 맞아. - Oui, c'est exact.
8237. 잦아들다 - cesser de discuter
8238. 그는 논쟁이 잦아들었다. - Il a cessé de discuter.
8239. 그녀는 소음이 잦아든다. - Elle va cesser de faire du bruit.
8240. 우리는 갈등이 잦아들 것이다. - Nous aurons moins de conflits.
8241. 끝났어? - Est-ce que c'est fini ?
8242. 아니, 안 끝났어. - Non, ce n'est pas fini.
8243. 쟁기다 - labourer
8244. 그녀는 권리를 쟁겼다. - Elle a labouré pour obtenir des droits.
8245. 우리는 위치를 쟁긴다. - Nous allons labourer pour la position.
8246. 당신들은 우승을 쟁길 것이다. - Vous allez labourer pour gagner.
8247. 이겼어? - Avez-vous gagné ?
8248. 네, 이겼어. - Oui, j'ai gagné.
8249. 저당잡히다 - Être hypothéqué
8250. 나는 집이 저당잡혔다. - J'ai hypothéqué ma maison.
8251. 너는 차가 저당잡힌다. - Vous allez hypothéquer votre voiture.
8252. 그는 자산이 저당잡힐 것이다. - Il aura ses biens hypothéqués.

8253. 괜찮아? - Est-ce que ça va ?
8254. 아니, 안 괜찮아. - Non, ça ne va pas.
8255. 저리다 - J'ai des picotements.
8256. 나는 손이 저렸다. - J'ai les mains engourdies.
8257. 너는 발이 저린다. - Tu as des fourmis dans les pieds.
8258. 그는 어깨가 저릴 것이다. - Il aura des fourmillements dans l'épaule.
8259. 아파? - Est-ce que ça fait mal ?
8260. 네, 아파. - Oui, ça fait mal.
8261. 저버리다 - Renoncer
8262. 그녀는 약속을 저버렸다. - Elle a renoncé à sa promesse.
8263. 우리는 계획을 저버린다. - Nous renonçons à nos projets.
8264. 당신들은 기회를 저버릴 것이다. - Vous allez gâcher une occasion.
8265. 실망했어? - Êtes-vous déçu ?
8266. 네, 실망했어. - Oui, je suis déçu.
8267. 점검하다 - vérifier
8268. 그는 기계를 점검했다. - Il a vérifié la machine.
8269. 그녀는 데이터를 점검한다. - Elle vérifie les données.
8270. 우리는 시스템을 점검할 것이다. - Nous allons vérifier le système.
8271. 문제 있어? - Y a-t-il un problème ?
8272. 아니, 문제 없어. - Non, il n'y a pas de problème.
8273. 점령하다 - Occuper
8274. 그들은 도시를 점령했다. - Ils ont pris la ville.
8275. 당신들은 영역을 점령한다. - Vous prenez le territoire.
8276. 그는 지역을 점령할 것이다. - Il va s'emparer du territoire.
8277. 성공했어? - Avez-vous réussi ?
8278. 네, 성공했어. - Oui, nous avons réussi.
8279. 93. 명사 단어들 외우기, 필수 10개 동사의 단어들을 가지고 50문장 연습하기 - 93. Mémoriser les noms, faire 50 phrases avec les 10 verbes nécessaires.
8280. 목표 - cible
8281. 위치 - emplacement
8282. 대상 - Cible
8283. 신청서 - application
8284. 문의 - demande

8285. 요청 - demande
8286. 고객 - client
8287. 팀 - équipe
8288. 파트너 - partenaire
8289. 산 - montagne
8290. 과제 - mission
8291. 도전 - défi
8292. 시스템 - système
8293. 상황 - situation
8294. 관계 - relation
8295. 도시 - ville
8296. 직장 - rectal
8297. 커뮤니티 - communauté
8298. 계획 - plan
8299. 날짜 - date
8300. 의문 - question
8301. 이슈 - question
8302. 문제 - problème
8303. 차 - voiture
8304. 속도 - vitesse
8305. 진행 - progrès
8306. 반대 - le contraire
8307. 상대 - adversaire
8308. 점찍다 - pointer
8309. 그녀는 목표를 점찍었다. - Elle a indiqué le but.
8310. 우리는 위치를 점찍는다. - Nous indiquerons le lieu.
8311. 당신들은 대상을 점찍을 것이다. - Vous indiquerez la cible.
8312. 확실해? - Vous êtes sûr de vous ?
8313. 네, 확실해. - Oui, je suis sûr.
8314. 접수하다 - recevoir
8315. 나는 신청서를 접수했다. - J'ai reçu la demande.
8316. 너는 문의를 접수한다. - Vous recevrez une demande de renseignements.
8317. 그는 요청을 접수할 것이다. - Il va recevoir la demande.

8318. 받았어? - L'avez-vous reçue ?
8319. 네, 받았어. - Oui, je l'ai reçue.
8320. 접촉하다 - prendre contact
8321. 그는 고객과 접촉했다. - Il a pris contact avec le client.
8322. 그녀는 팀과 접촉한다. - Elle contactera l'équipe.
8323. 우리는 파트너와 접촉할 것이다. - Nous allons contacter le partenaire.
8324. 준비됐어? - Êtes-vous prêt(e) ?
8325. 네, 준비됐어. - Oui, je suis prêt.
8326. 정복하다 - conquérir
8327. 그들은 산을 정복했다. - Ils ont conquis la montagne.
8328. 당신들은 과제를 정복한다. - Vous avez conquis la tâche.
8329. 그는 도전을 정복할 것이다. - Il relèvera le défi.
8330. 가능해? - Pouvez-vous le faire ?
8331. 네, 가능해. - Oui, c'est possible.
8332. 정상화하다 - normaliser
8333. 나는 시스템을 정상화했다. - J'ai normalisé le système.
8334. 너는 상황을 정상화한다. - Vous normalisez la situation.
8335. 그는 관계를 정상화할 것이다. - Il va normaliser la relation.
8336. 해결됐어? - Est-ce que ça a marché ?
8337. 네, 해결됐어. - Oui, c'est réglé.
8338. 정착하다 - s'installer
8339. 그녀는 새 도시에 정착했다. - Elle s'est installée dans une nouvelle ville.
8340. 우리는 직장에 정착한다. - Nous nous installons dans notre travail.
8341. 당신들은 커뮤니티에 정착할 것이다. - Vous allez vous installer dans la communauté.
8342. 편해? - Êtes-vous à l'aise ?
8343. 네, 편해. - Oui, je suis à l'aise.
8344. 정하다 - s'installer
8345. 나는 목표를 정했다. - Je me fixe un objectif.
8346. 너는 계획을 정한다. - Vous fixez un plan.
8347. 그는 날짜를 정할 것이다. - Il va fixer une date.
8348. 결정했어? - Avez-vous décidé ?
8349. 네, 결정했어. - Oui, j'ai décidé.

8350. 제기하다 - soulever une question
8351. 그는 의문을 제기했다. - Il a soulevé la question.
8352. 그녀는 이슈를 제기한다. - Elle soulève une question.
8353. 우리는 문제를 제기할 것이다. - Nous allons soulever la question.
8354. 맞아? - Est-ce bien le cas ?
8355. 네, 맞아. - Oui, c'est exact.
8356. 제동하다 - freiner
8357. 나는 차를 제동했다. - J'ai freiné la voiture.
8358. 너는 속도를 제동한다. - Vous freinez la vitesse.
8359. 그는 진행을 제동할 것이다. - Il va freiner sa progression.
8360. 멈췄어? - Vous vous êtes arrêté ?
8361. 네, 멈췄어. - Oui, je me suis arrêté.
8362. 제압하다 - soumettre
8363. 그들은 반대를 제압했다. - Ils ont maîtrisé l'opposition.
8364. 당신들은 문제를 제압한다. - Vous soumettez le problème.
8365. 그는 상대를 제압할 것이다. - Il va soumettre son adversaire.
8366. 이겼어? - Avez-vous gagné ?
8367. 네, 이겼어. - Oui, j'ai gagné.
8368. 94. 명사 단어들 외우기, 필수 10개 동사의 단어들을 가지고 50문장 연습하기 - 94. Mémorisez les noms, pratiquez 50 phrases avec les 10 verbes essentiels.
8369. 건너갈 때 - Quand traverser
8370. 사용할 때 - Quand utiliser
8371. 말할 때 - En parlant
8372. 압박 - pression
8373. 긴장 - nerveux
8374. 시간 - heure
8375. 연구 - recherche
8376. 교육 - formation
8377. 상담 - consultation
8378. 실패 - échec
8379. 장애 - obstacle
8380. 거부 - refus
8381. 프로젝트 - projet

8382. 회의 - réunion
8383. 혁신 - innovation
8384. 음식 - nourriture
8385. 상품 - Biens
8386. 서비스 - service
8387. 피곤 - fatigué
8388. 슬픔 - tristesse
8389. 부담 - Fardeau
8390. 문 - porte
8391. 창문 - fenêtre
8392. 뚜껑 - couvercle
8393. 체중 - poids
8394. 관심 - intérêt
8395. 거리 - distance
8396. 소음 - bruit
8397. 비용 - dépense
8398. 조심하다 - faire attention
8399. 나는 건너갈 때 조심했다. - J'ai fait attention en traversant.
8400. 너는 사용할 때 조심한다. - Vous êtes prudent lorsque vous l'utilisez.
8401. 그는 말할 때 조심할 것이다. - Il fera attention quand il parlera.
8402. 괜찮아? - Est-ce que ça va ?
8403. 네, 괜찮아. - Oui, ça va.
8404. 조여오다 - serrer
8405. 그는 압박이 조여왔다. - Il a senti la pression se resserrer.
8406. 그녀는 긴장이 조여온다. - Elle sent la tension se resserrer.
8407. 우리는 시간이 조여올 것이다. - Nous allons manquer de temps.
8408. 버틸 수 있어? - Pouvez-vous tenir bon ?
8409. 네, 버텨. - Oui, tenez bon.
8410. 종사하다 - être engagé dans
8411. 나는 연구에 종사했다. - J'étais engagé dans la recherche.
8412. 너는 교육에 종사한다. - Vous êtes engagé dans l'enseignement.
8413. 그는 상담에 종사할 것이다. - Il va s'occuper du conseil.
8414. 좋아해? - Cela vous plaît-il ?
8415. 네, 좋아해. - Oui, cela me plaît.

8416. 좌절하다 - Être frustré
8417. 그녀는 실패에 좌절했다. - Elle était frustrée par son échec.
8418. 우리는 장애에 좌절한다. - Nous sommes frustrés par les obstacles.
8419. 당신들은 거부에 좌절할 것이다. - Vous serez frustré par le rejet.
8420. 힘들어? - Est-ce difficile ?
8421. 네, 힘들어. - Oui, c'est difficile.
8422. 주도하다 - Diriger
8423. 나는 프로젝트를 주도했다. - J'ai dirigé le projet.
8424. 너는 회의를 주도한다. - Vous dirigez les réunions.
8425. 그는 혁신을 주도할 것이다. - Il dirigera l'innovation.
8426. 준비됐어? - Êtes-vous prêt ?
8427. 네, 준비됐어. - Oui, je suis prêt.
8428. 주문하다 - Commander
8429. 그녀는 음식을 주문했다. - Elle a commandé de la nourriture.
8430. 우리는 상품을 주문한다. - Nous commandons des marchandises.
8431. 당신들은 서비스를 주문할 것이다. - Vous allez commander un service.
8432. 뭐 주문할까? - Que devons-nous commander ?
8433. 피자 좋아. - J'aime les pizzas.
8434. 주저앉다 - s'affaisser
8435. 나는 피곤에 주저앉았다. - Je suis fatigué.
8436. 너는 슬픔에 주저앉는다. - Vous êtes envahi par la tristesse.
8437. 그는 부담에 주저앉을 것이다. - Il va faiblir sous la pression.
8438. 힘들어? - Êtes-vous fatigué ?
8439. 네, 많이. - Oui, beaucoup.
8440. 죄다 - Beaucoup.
8441. 그는 문을 죄었다. - Il verrouille la porte.
8442. 그녀는 창문을 죈다. - Elle va serrer la fenêtre.
8443. 우리는 뚜껑을 죌 것이다. - Nous allons visser le couvercle.
8444. 닫혔어? - C'est fermé ?
8445. 네, 닫혔어. - Oui, c'est fermé.
8446. 줄다 - Perdre du poids
8447. 나는 체중이 줄었다. - J'ai perdu du poids.
8448. 너는 관심이 줄었다. - Vous avez perdu tout intérêt.
8449. 그는 거리가 줄 것이다. - Il aura moins de distance.

8450. 작아졌어? - Tu as rapetissé ?
8451. 네, 조금. - Oui, un peu.
8452. 줄이다 - réduire
8453. 그녀는 소음을 줄였다. - Elle a réduit le bruit.
8454. 우리는 비용을 줄인다. - Nous réduisons nos dépenses.
8455. 당신들은 시간을 줄일 것이다. - Vous allez réduire le temps.
8456. 줄일까? - Réduire ?
8457. 좋은 생각이야. - C'est une bonne idée.
8458. 95. 명사 단어들 외우기, 필수 10개 동사의 단어들을 가지고 50문장 연습하기 - 95. mémoriser les noms, pratiquer 50 phrases avec les 10 verbes essentiels
8459. 결정 - décision
8460. 일 - jour
8461. 관계 - relation
8462. 약속 - promesse
8463. 행동 - action
8464. 문제 - problème
8465. 상황 - situation
8466. 건강 - santé
8467. 방 - chambre
8468. 책상 - table
8469. 자료 - données
8470. 반복 - répéter
8471. 음식 - nourriture
8472. 기다림 - attendre
8473. 목표 - cible
8474. 꿈 - rêve
8475. 성공 - succès
8476. 좋고 나쁨 - bon et mauvais
8477. 진실과 거짓 - vérité et mensonges
8478. 중요한 것 - beaucoup
8479. 우연히 - par hasard
8480. 친구 - ami
8481. 기회 - opportunité

8482. 도전 - défi
8483. 위험 - danger
8484. 변화 - changement
8485. 적 - ennemi
8486. 중요하다 - Important
8487. 그는 결정이 중요했다. - Sa décision était importante.
8488. 그녀는 일이 중요하다. - Son travail est important.
8489. 우리는 관계가 중요할 것이다. - Notre relation sera importante.
8490. 중요해? - Importante ?
8491. 네, 매우. - Oui, très.
8492. 지체하다 - Être en retard
8493. 나는 약속에 지체했다. - J'étais en retard à un rendez-vous.
8494. 너는 결정에 지체한다. - Vous êtes en retard dans votre décision.
8495. 그는 행동에 지체할 것이다. - Il sera en retard pour agir.
8496. 늦었어? - Êtes-vous en retard ?
8497. 조금 늦었어. - Je suis un peu en retard.
8498. 진단하다 - diagnostiquer
8499. 그녀는 문제를 진단했다. - Elle a diagnostiqué le problème.
8500. 우리는 상황을 진단한다. - Nous diagnostiquons la situation.
8501. 당신들은 건강을 진단할 것이다. - Vous allez diagnostiquer votre santé.
8502. 건강해? - Êtes-vous en bonne santé ?
8503. 네, 괜찮아. - Oui, je vais bien.
8504. 질러놓다 - mettre en désordre
8505. 나는 방을 질러놓았다. - Je nettoie la pièce.
8506. 너는 책상을 질러놓는다. - Vous débarrasserez le bureau.
8507. 그는 자료를 질러놓을 것이다. - Il va ranger le matériel.
8508. 정리할까? - On range ?
8509. 나중에 할게. - Je le ferai plus tard.
8510. 질리다 - Se lasser
8511. 그는 반복에 질렸다. - Il est fatigué des répétitions.
8512. 그녀는 음식에 질린다. - Elle s'ennuie avec la nourriture.
8513. 우리는 기다림에 질릴 것이다. - Nous nous lasserons d'attendre.
8514. 질렸어? - En es-tu fatigué ?

8515. 아직 아냐. - Pas encore.
8516. 질주하다 - Faire un sprint
8517. 나는 목표를 향해 질주했다. - J'ai sprinté vers mon objectif.
8518. 너는 꿈을 향해 질주한다. - Vous sprintez vers vos rêves.
8519. 그는 성공을 향해 질주할 것이다. - Il va sprinter vers le succès.
8520. 빠르게? - Rapidement ?
8521. 최선을 다해. - Aussi vite que possible.
8522. 분별하다 - discerner
8523. 그녀는 좋고 나쁨을 분별했다. - Elle a discerné le bon et le mauvais.
8524. 우리는 진실과 거짓을 분별한다. - Nous discernons le vrai du faux.
8525. 당신들은 중요한 것을 분별할 것이다. - Vous discernerez ce qui est important.
8526. 알아볼 수 있어? - Peux-tu le reconnaître ?
8527. 시도해볼게. - Je vais essayer.
8528. 마주치다 - tomber sur
8529. 나는 우연히 그와 마주쳤다. - Je l'ai rencontré par hasard.
8530. 너는 친구와 마주친다. - Vous tombez sur un ami.
8531. 그는 기회와 마주칠 것이다. - Il va tomber sur une opportunité.
8532. 누구 만났어? - Qui avez-vous rencontré ?
8533. 옛 친구야. - Un vieil ami.
8534. 직면하다 - affronter
8535. 그는 도전과 직면했다. - Il a relevé un défi.
8536. 그녀는 위험과 직면한다. - Elle affronte un danger.
8537. 우리는 변화와 직면할 것이다. - Nous allons devoir faire face au changement.
8538. 겁났어? - Avez-vous peur ?
8539. 조금, 그래. - Un peu, oui.
8540. 대면하다 - affronter
8541. 나는 문제를 대면했다. - J'ai affronté le problème.
8542. 너는 상황을 대면한다. - Vous affrontez la situation.
8543. 그는 적을 대면할 것이다. - Il va affronter l'ennemi.
8544. 준비됐어? - Êtes-vous prêt ?
8545. 네, 준비됐어. - Oui, je suis prêt.
8546. 96. 명사 단어들 외우기, 필수 10개 동사의 단어들을 가지고 50문장 연습

하기 - 96. Mémorisez les noms, pratiquez 50 phrases avec les 10 verbes essentiels
8547. 기술 - technologie
8548. 이슈 - enjeu
8549. 감정 - émotion
8550. 동아리 - club
8551. 커뮤니티 - communauté
8552. 프로젝트 - projet
8553. 전략 - stratégie
8554. 생각 - pensée
8555. 의견 - opinion
8556. 지지 - soutien
8557. 친구 - ami(e)
8558. 팀 - équipe
8559. 선수 - joueur
8560. 동생 - frère
8561. 동료 - collègue
8562. 정보 - information
8563. 자료 - données
8564. 증거 - preuve
8565. 용기 - courage
8566. 사람들 - personnes
8567. 자금 - fonds
8568. 가족 - famille
8569. 상대방 - opposant
8570. 위험 - danger
8571. 도전 - défi
8572. 실패 - échec
8573. 다루다 - faire face
8574. 그녀는 기술을 다루었다. - Elle s'est occupée de la technologie.
8575. 우리는 이슈를 다룬다. - Nous nous occupons des problèmes.
8576. 당신들은 감정을 다룰 것이다. - Vous vous occuperez des émotions.
8577. 어려워? - Difficile ?
8578. 조금 어려워. - Un peu difficile.

8579. 활동하다 - être actif
8580. 나는 동아리에서 활동했다. - J'étais actif dans un club.
8581. 너는 커뮤니티에서 활동한다. - Vous êtes actif dans la communauté.
8582. 그는 프로젝트에서 활동할 것이다. - Il sera actif dans le projet.
8583. 재밌어? - Vous vous amusez ?
8584. 네, 많이. - Oui, beaucoup.
8585. 진화하다 - Évoluer
8586. 그는 전략을 진화시켰다. - Il a fait évoluer sa stratégie.
8587. 그녀는 생각을 진화시킨다. - Elle fait évoluer sa pensée.
8588. 우리는 기술을 진화시킬 것이다. - Nous allons faire évoluer notre technologie.
8589. 변했어? - A-t-elle changé ?
8590. 많이 변했어. - Elle a beaucoup changé.
8591. 표시하다 - montrer
8592. 나는 감정을 표시했다. - J'ai marqué mes sentiments.
8593. 너는 의견을 표시한다. - Vous exprimez une opinion.
8594. 그는 지지를 표시할 것이다. - Il montrera son soutien.
8595. 보여줄까? - Je vous montre ?
8596. 좋아, 보여줘. - D'accord, montrez-moi.
8597. 응원하다 - Applaudir
8598. 그녀는 친구를 응원했다. - Elle a encouragé son ami.
8599. 우리는 팀을 응원한다. - Nous encourageons l'équipe.
8600. 당신들은 선수를 응원할 것이다. - Vous allez encourager l'athlète.
8601. 같이 갈래? - Tu veux venir avec moi ?
8602. 네, 가자. - Oui, allons-y.
8603. 주의를 주다 - donner de l'attention à
8604. 나는 동생에게 주의를 주었다. - J'ai donné mon attention à mon frère.
8605. 너는 친구에게 주의를 준다. - Tu donnes de l'attention à ton ami.
8606. 그는 동료에게 주의를 줄 것이다. - Il va donner de l'attention à son collègue.
8607. 필요해? - Tu en as besoin ?
8608. 네, 조심해. - Oui, fais attention.
8609. 수집하다 - recueillir

8610. 그녀는 정보를 수집했다. - Elle a recueilli des informations.
8611. 우리는 자료를 수집한다. - Nous collectons des matériaux.
8612. 당신들은 증거를 수집할 것이다. - Vous allez collecter des preuves.
8613. 찾았어? - Les avez-vous trouvées ?
8614. 네, 찾았어. - Oui, je les ai trouvées.
8615. 모으다 - rassembler
8616. 나는 용기를 모았다. - J'ai rassemblé du courage.
8617. 너는 사람들을 모은다. - Vous rassemblez des gens.
8618. 그는 자금을 모을 것이다. - Il va collecter des fonds.
8619. 준비됐어? - Vous êtes prêts ?
8620. 거의 다 됐어. - Nous y sommes presque.
8621. 속이다 - Tromper
8622. 그는 친구를 속였다. - Il a trompé ses amis.
8623. 그녀는 가족을 속인다. - Elle trompe sa famille.
8624. 우리는 상대방을 속일 것이다. - Nous allons tromper l'autre personne.
8625. 알아챘어? - Tu comprends ?
8626. 아니, 몰라. - Non, je ne comprends pas.
8627. 꺼리다 - à Réticent
8628. 나는 위험을 꺼렸다. - J'étais réticent à prendre des risques.
8629. 너는 도전을 꺼린다. - Vous êtes réticent à relever un défi.
8630. 그는 실패를 꺼릴 것이다. - Il sera réticent à l'idée d'échouer.
8631. 두려워? - Peur ?
8632. 조금, 그래. - Un peu, oui.
8633. 97. 명사 단어들 외우기, 필수 10개 동사의 단어들을 가지고 50문장 연습하기 - 97. mémoriser les noms, pratiquer 50 phrases avec les 10 verbes essentiels
8634. 소식 - Nouvelles
8635. 상황 - situation
8636. 결과 - résultat
8637. 성공 - succès
8638. 달성 - Atteinte
8639. 지연 - retard
8640. 소음 - bruit
8641. 불편 - Inconvénient

8642. 실수 - erreur
8643. 성취 - réussite
8644. 팀 - équipe
8645. 성과 - résultat
8646. 늦음 - retard
8647. 오해 - malentendu
8648. 친구의 성공 - succès d'un ami
8649. 동료의 기회 - opportunité d'un collègue
8650. 이웃의 행복 - bonheur des voisins
8651. 동생의 인기 - popularité du petit frère
8652. 친구의 재능 - talent d'un ami
8653. 동료의 성공 - succès d'un collègue
8654. 의견 - opinion
8655. 규칙 - règle
8656. 선택 - choisir
8657. 계획 - planifier
8658. 슬프다 - à Triste
8659. 그녀는 소식에 슬퍼했다. - Elle a été attristée par la nouvelle.
8660. 우리는 상황에 슬퍼한다. - Nous sommes attristés par la situation.
8661. 당신들은 결과에 슬퍼할 것이다. - Vous serez attristé par le résultat.
8662. 괜찮아? - Vous allez bien ?
8663. 아니, 슬퍼. - Non, je suis triste.
8664. 기쁘다 - Je suis contente
8665. 나는 성공에 기뻐했다. - J'ai été heureux de ce succès.
8666. 너는 소식에 기뻐한다. - Vous vous réjouissez de la nouvelle.
8667. 그는 달성에 기뻐할 것이다. - Il se réjouira de la réussite.
8668. 행복해? - Êtes-vous heureux ?
8669. 네, 매우. - Oui, très heureux.
8670. 짜증나다 - Agacer
8671. 그는 지연에 짜증났다. - Il était agacé par le retard.
8672. 그녀는 소음에 짜증난다. - Elle est agacée par le bruit.
8673. 우리는 불편에 짜증날 것이다. - Nous allons être ennuyés par ce désagrément.
8674. 짜증나? - Agacé ?

8675. 네, 많이. - Oui, beaucoup.
8676. 부끄럽다 - à Embarrassé
8677. 나는 실수에 부끄러워했다. - J'ai été gêné par l'erreur.
8678. 너는 상황에 부끄러워한다. - Vous êtes gêné par la situation.
8679. 그는 결과에 부끄러워할 것이다. - Il sera gêné par le résultat.
8680. 어색해? - Gêné ?
8681. 네, 조금. - Oui, un peu.
8682. 자랑스럽다 - à Fier
8683. 그녀는 성취에 자랑스러워했다. - Elle était fière de son exploit.
8684. 우리는 팀에 자랑스러워한다. - Nous sommes fiers de l'équipe.
8685. 당신들은 성과에 자랑스러워할 것이다. - Vous devriez être fiers de vos réalisations.
8686. 뿌듯해? - Fier ?
8687. 네, 많이. - Oui, beaucoup.
8688. 미안하다 - à Désolé
8689. 나는 실수로 미안했다. - J'étais désolé de mon erreur.
8690. 너는 늦음에 미안하다. - Vous êtes désolé d'être en retard.
8691. 그는 오해에 미안할 것이다. - Il sera désolé pour le malentendu.
8692. 사과할래? - Voulez-vous vous excuser ?
8693. 네, 사과할게. - Oui, je vais m'excuser.
8694. 부러워하다 - Jalouser
8695. 그는 친구의 성공을 부러워했다. - Il a envié la réussite de son ami.
8696. 그녀는 동료의 기회를 부러워한다. - Elle envie les opportunités de son collègue.
8697. 우리는 이웃의 행복을 부러워할 것이다. - Nous envierons le bonheur de notre voisin.
8698. 부럽지? - L'envie, c'est ça ?
8699. 응, 부럽다. - Oui, l'envie.
8700. 질투하다 - Être jaloux
8701. 나는 동생의 인기를 질투했다. - J'étais jaloux de la popularité de mon frère.
8702. 너는 친구의 재능을 질투한다. - Vous êtes jaloux du talent de votre ami.
8703. 그는 동료의 성공을 질투할 것이다. - Il sera jaloux de la réussite de

son collègue.
8704. 질투해? - Jaloux ?
8705. 좀, 그래. - Un peu, oui.
8706. 강요하다 - Imposer
8707. 그녀는 의견을 강요했다. - Elle a imposé son opinion.
8708. 우리는 규칙을 강요한다. - Nous imposons des règles.
8709. 당신들은 선택을 강요할 것이다. - Vous allez imposer un choix.
8710. 필요해? - En avez-vous besoin ?
8711. 아니, 선택해. - Non, vous choisissez.
8712. 공표하다 - promulguer
8713. 나는 계획을 공표했다. - Je promulgue un plan.
8714. 너는 의견을 공표한다. - Vous déclarez une opinion.
8715. 그는 결과를 공표할 것이다. - Il publiera les résultats.
8716. 알렸어? - L'avez-vous annoncé ?
8717. 네, 모두에게. - Oui, à tout le monde.
8718. 98. 명사 단어들 외우기, 필수 10개 동사의 단어들을 가지고 50문장 연습하기 - 98. Mémorisez les noms, faites 50 phrases avec les mots des 10 verbes essentiels
8719. 억압 - suppression
8720. 부정 - déni
8721. 위협 - menace
8722. 분쟁 - différend
8723. 갈등 - conflit
8724. 문제 - problème
8725. 조건 - condition
8726. 요구 - demande
8727. 계획 - plan
8728. 신호 - signal
8729. 경고 - avertissement
8730. 증거 - preuve
8731. 우정 - amitié
8732. 건강 - santé
8733. 지식 - connaissance
8734. 기회 - opportunité

8735. 관계 - relation
8736. 추억 - mémoire
8737. 명령 - Commande
8738. 자료 - données
8739. 자금 - fonds
8740. 환자 - patient
8741. 위험 - danger
8742. 감염 - infection
8743. 위기 - Danger
8744. 도전 - défi
8745. 대항하다 - se dresser contre
8746. 그는 억압에 대항했다. - Il s'est opposé à l'oppression.
8747. 그녀는 부정에 대항한다. - Elle s'oppose à l'injustice.
8748. 우리는 위협에 대항할 것이다. - Nous nous opposerons à la menace.
8749. 이겼어? - As-tu gagné ?
8750. 아직 모르겠어. - Je ne sais pas encore.
8751. 중재하다 - Médier
8752. 나는 분쟁을 중재했다. - J'ai joué le rôle de médiateur dans le conflit.
8753. 너는 갈등을 중재한다. - Vous êtes le médiateur du conflit.
8754. 그는 문제를 중재할 것이다. - Il est le médiateur du problème.
8755. 해결됐어? - Le problème est-il résolu ?
8756. 네, 해결됐어. - Oui, c'est réglé.
8757. 타협하다 - Compromettre
8758. 그녀는 조건에 타협했다. - Elle a fait un compromis sur les conditions.
8759. 우리는 요구에 타협한다. - Nous faisons un compromis sur nos exigences.
8760. 당신들은 계획에 타협할 것이다. - Vous ferez un compromis sur le plan.
8761. 동의해? - Êtes-vous d'accord ?
8762. 네, 동의해. - Oui, je suis d'accord.
8763. 간과하다 - négliger
8764. 나는 신호를 간과했다. - J'ai négligé le signal.

8765. 너는 경고를 간과한다. - Vous négligez l'avertissement.
8766. 그는 증거를 간과할 것이다. - Il négligera les preuves.
8767. 못 봤어? - Vous ne l'avez pas vue ?
8768. 아니, 못 봤어. - Non, je ne l'ai pas vu.
8769. 가치를 두다 - apprécier
8770. 그녀는 우정에 가치를 두었다. - Elle tenait à son amitié.
8771. 우리는 건강에 가치를 둔다. - Nous tenons à notre santé.
8772. 당신들은 지식에 가치를 둘 것이다. - Vous accorderez de l'importance à la connaissance.
8773. 중요해? - Est-ce important ?
8774. 네, 매우. - Oui, très important.
8775. 소중히 여기다 - apprécier
8776. 나는 기회를 소중히 여겼다. - J'ai apprécié l'opportunité.
8777. 너는 관계를 소중히 여긴다. - Vous accordez de l'importance aux relations.
8778. 그는 추억을 소중히 여길 것이다. - Il chérira les souvenirs.
8779. 소중해? - Chéris ?
8780. 네, 매우 소중해. - Oui, très précieux.
8781. 대기하다 - attendre
8782. 나는 명령을 대기했다. - J'ai attendu l'ordre.
8783. 너는 신호를 대기한다. - Vous attendez un signal.
8784. 그는 기회를 대기할 것이다. - Il attendra l'occasion.
8785. 준비됐어? - Êtes-vous prêt ?
8786. 네, 됐어. - Oui, je suis prêt.
8787. 예비하다 - Préparer
8788. 그는 자료를 예비했다. - Il a préparé le matériel.
8789. 그녀는 계획을 예비한다. - Elle préparera un plan.
8790. 우리는 자금을 예비할 것이다. - Nous réserverons les fonds.
8791. 준비할까? - Devons-nous nous préparer ?
8792. 네, 해야 해. - Oui, nous devons le faire.
8793. 격리하다 - isoler
8794. 그녀는 환자를 격리했다. - Elle a isolé le patient.
8795. 우리는 위험을 격리한다. - Nous isolons le risque.
8796. 당신들은 감염을 격리할 것이다. - Vous allez isoler l'infection.

8797. 안전해? - Est-ce sans danger ?
8798. 네, 안전해. - Oui, c'est sûr.
8799. 대처하다 - faire face
8800. 나는 위기를 대처했다. - J'ai fait face à la crise.
8801. 너는 문제를 대처한다. - Vous faites face au problème.
8802. 그는 도전을 대처할 것이다. - Il va relever le défi.
8803. 가능해? - Est-ce possible ?
8804. 네, 가능해. - Oui, c'est possible.
8805. 99. 명사 단어들 외우기, 필수 10개 동사의 단어들을 가지고 50문장 연습하기 - 99. Mémorisez les noms, pratiquez 50 phrases avec les 10 verbes essentiels
8806. 적 - ennemi
8807. 위협 - menace
8808. 경쟁 - concurrencer
8809. 함정 - piège
8810. 오해 - malentendu
8811. 위기 - Danger
8812. 자리 - siège
8813. 의견 - opinion
8814. 기회 - opportunité
8815. 운명 - destin
8816. 도전 - défi
8817. 이해관계 - intérêts
8818. 상대 - adversaire
8819. 세부사항 - Détail
8820. 약속 - promesse
8821. 하늘 - ciel
8822. 그림 - peinture
8823. 전망 - Vue
8824. 비밀 - secret
8825. 조언 - conseil
8826. 계획 - plan
8827. 기쁨 - plaisir
8828. 슬픔 - tristesse

8829. 승리 - Victoire
8830. 사과 - s'excuser
8831. 의문 - question
8832. 정보 - information
8833. 맞서다 - affronter
8834. 그는 적을 맞섰다. - Il a affronté l'ennemi.
8835. 그녀는 위협을 맞선다. - Elle a affronté la menace.
8836. 우리는 경쟁을 맞설 것이다. - Nous allons affronter la concurrence.
8837. 두려워? - Avez-vous peur ?
8838. 아니, 안 두려워. - Non, je n'ai pas peur.
8839. 빠지다 - Tomber dans
8840. 그녀는 함정에 빠졌다. - Elle tombe dans un piège.
8841. 우리는 오해에 빠진다. - Nous tombons dans un malentendu.
8842. 당신들은 위기에 빠질 것이다. - Vous allez tomber dans une crise.
8843. 괜찮아? - Est-ce que ça va ?
8844. 네, 괜찮아. - Oui, ça va.
8845. 양보하다 - céder
8846. 나는 자리를 양보했다. - J'ai cédé ma place.
8847. 너는 의견을 양보한다. - Vous cédez votre opinion.
8848. 그는 기회를 양보할 것이다. - Il cédera l'opportunité.
8849. 필요해? - En avez-vous besoin ?
8850. 아니, 괜찮아. - Non, ça va.
8851. 맞다 - à droite
8852. 그는 운명을 맞았다. - Il rencontre son destin.
8853. 그녀는 기회를 맞는다. - Elle a sa chance.
8854. 우리는 도전을 맞을 것이다. - Nous serons mis au défi.
8855. 준비됐어? - Êtes-vous prêt ?
8856. 네, 준비됐어. - Oui, je suis prêt.
8857. 충돌하다 - se heurter
8858. 나는 의견이 충돌했다. - J'ai un conflit d'opinion.
8859. 너는 이해관계가 충돌한다. - Vous avez un conflit d'intérêts.
8860. 그는 상대와 충돌할 것이다. - Il va entrer en conflit avec son adversaire.
8861. 괜찮아? - Est-ce que ça va ?

8862. 네, 괜찮아. - Oui, ça va.
8863. 놓치다 - manquer
8864. 그녀는 기회를 놓쳤다. - Elle a raté l'occasion.
8865. 우리는 세부사항을 놓친다. - Nous manquons les détails.
8866. 당신들은 약속을 놓칠 것이다. - Vous allez manquer le rendez-vous.
8867. 걱정돼? - Êtes-vous inquiet ?
8868. 아니, 괜찮아. - Non, ça va.
8869. 쳐다보다 - à Regarder en l'air
8870. 나는 하늘을 쳐다보았다. - J'ai regardé le ciel.
8871. 너는 그림을 쳐다본다. - Vous fixez le tableau.
8872. 그는 전망을 쳐다볼 것이다. - Il regardera la vue.
8873. 예쁘지? - N'est-ce pas joli ?
8874. 네, 예뻐. - Oui, c'est joli.
8875. 속삭이다 - Chuchoter
8876. 그는 비밀을 속삭였다. - Il a chuchoté un secret.
8877. 그녀는 조언을 속삭인다. - Elle murmure des conseils.
8878. 우리는 계획을 속삭일 것이다. - Nous allons chuchoter des projets.
8879. 들렸어? - Tu as entendu ?
8880. 아니, 못 들었어. - Non, je n'ai pas entendu.
8881. 외치다 - crier
8882. 나는 기쁨을 외쳤다. - J'ai crié de joie.
8883. 너는 슬픔을 외친다. - Vous criez votre chagrin.
8884. 그는 승리를 외칠 것이다. - Il criera victoire.
8885. 들려? - Vous entendez ?
8886. 네, 들려. - Oui, je t'entends.
8887. 물다 - Mordre
8888. 그녀는 사과를 물었다. - Elle a demandé une pomme.
8889. 우리는 의문을 묻는다. - Nous posons des questions.
8890. 당신들은 정보를 물을 것이다. - Vous demanderez des informations.
8891. 아파? - Est-ce que ça fait mal ?
8892. 아니, 안 아파. - Non, ça ne fait pas mal.
8893. 100. 명사 단어들 외우기, 필수 10개 동사의 단어들을 가지고 50문장 연습하기 - 100. mémoriser les noms, pratiquer 50 phrases avec les mots des 10 verbes essentiels

8894. 사과 - s'excuser
8895. 껌 - chewing-gum
8896. 채소 - légume
8897. 커피 - café
8898. 곡물 - grain
8899. 향신료 - épice
8900. 스프 - soupe
8901. 샐러드 - salade
8902. 소스 - sauce
8903. 빵 - pain
8904. 과일 - fruits
8905. 김치 - kimchi
8906. 맥주 - bière
8907. 빵 반죽 - pâte à pain
8908. 치즈 - fromage
8909. 와인 - vin
8910. 고기 - viande
8911. 길 - route
8912. 다리 - jambe
8913. 강 - rivière
8914. 집 - maison
8915. 시작점 - point de départ
8916. 고향 - ville natale
8917. 씹다 - mâcher
8918. 나는 사과를 씹었다. - J'ai mâché une pomme.
8919. 너는 껌을 씹는다. - Vous mâchez du chewing-gum.
8920. 그는 채소를 씹을 것이다. - Il va mâcher ses légumes.
8921. 맛있어? - Est-ce que c'est bon ?
8922. 네, 맛있어. - Oui, c'est délicieux.
8923. 갈다 - Moudre
8924. 그녀는 커피를 갈았다. - Elle a moulu le café.
8925. 우리는 곡물을 간다. - Nous moulons les grains.
8926. 당신들은 향신료를 갈 것이다. - Vous allez moudre les épices.
8927. 준비됐어? - Tu es prête ?

8928. 네, 준비됐어. - Oui, je suis prêt.
8929. 분쇄하다 - moudre
8930. 나는 약을 분쇄했다. - J'ai broyé les médicaments.
8931. 너는 돌을 분쇄한다. - Vous écrasez les pierres.
8932. 그는 씨앗을 분쇄할 것이다. - Il écrasera les graines.
8933. 필요해? - Tu en as besoin ?
8934. 네, 필요해. - Oui, j'en ai besoin.
8935. 휘젓다 - Remuer
8936. 그녀는 스프를 휘저었다. - Elle a remué la soupe.
8937. 우리는 샐러드를 휘젓는다. - Nous fouettons la salade.
8938. 당신들은 소스를 휘젓을 것이다. - Vous allez fouetter la sauce.
8939. 잘 섞였어? - Elle est bien mélangée ?
8940. 네, 잘 섞였어. - Oui, elle est bien mélangée.
8941. 담그다 - tremper
8942. 나는 빵을 우유에 담갔다. - J'ai fait tremper le pain dans du lait.
8943. 너는 과일을 물에 담근다. - Vous allez tremper les fruits dans l'eau.
8944. 그는 채소를 절임에 담글 것이다. - Il fera tremper les légumes dans des cornichons.
8945. 시간 됐어? - Est-ce que c'est prêt ?
8946. 네, 됐어. - Oui, c'est prêt.
8947. 발효시키다 - fermenter
8948. 그녀는 김치를 발효시켰다. - Elle a fait fermenter le kimchi.
8949. 우리는 맥주를 발효시킨다. - Nous fermentons la bière.
8950. 당신들은 빵 반죽을 발효시킬 것이다. - Vous allez faire fermenter la pâte à pain.
8951. 준비됐어? - Es-tu prêt ?
8952. 네, 준비됐어. - Oui, elle est prête.
8953. 숙성시키다 - vieillir
8954. 나는 치즈를 숙성시켰다. - J'ai fait vieillir le fromage.
8955. 너는 와인을 숙성시킨다. - Tu fais vieillir le vin.
8956. 그는 고기를 숙성시킬 것이다. - Il fera vieillir la viande.
8957. 맛있겠다, 안 그래? - Ce sera délicieux, n'est-ce pas ?
8958. 네, 맛있겠어. - Oui, ce sera délicieux.
8959. 건너가다 - traverser la rue

8960. 그녀는 길을 건너갔다. - Elle a traversé la route.
8961. 우리는 다리를 건너간다. - Nous allons traverser le pont.
8962. 당신들은 강을 건너갈 것이다. - Vous allez traverser la rivière.
8963. 위험해? - Est-ce dangereux ?
8964. 아니, 안 위험해. - Non, ce n'est pas dangereux.
8965. 되돌아가다 - Retourner
8966. 나는 집으로 되돌아갔다. - Je suis retourné chez moi.
8967. 너는 시작점으로 되돌아간다. - Vous revenez au point de départ.
8968. 그는 고향으로 되돌아갈 것이다. - Il retournera dans sa ville natale.
8969. 늦었어? - Il est tard ?
8970. 아니, 안 늦었어. - Non, il n'est pas tard.

MP3 파일들 다운로드 - 밑의 주소를 클릭하시거나 큐알 코드를 스마트폰으로 접속후 비밀번호를 넣으시면 다운로드가 가능합니다.

비밀번호 1278

https://naver.me/F40lyhcj

또는

https://www.dropbox.com/scl/fo/jdwzav96merobmjx6591h/h?rlkey=o42d74bkuhj6esu3w4x3c6lqq&dl=0

QR 코드를 스마트폰을 찍으시면 보실 수 있습니다. 비밀번호는? 1278입니다.

1천 동사 5천 문장을 듣고 따라하면 저절로 암기되는 프랑스어 회화(MP3)

발　행 | 2024년 4월 16일
저　자 | 정호칭
펴낸이 | 한건희
펴낸곳 | 주식회사 부크크
출판사등록 | 2014.07.15.(제2014-16호)
주　소 | 서울특별시 금천구 가산디지털1로 119 SK트윈타워 A동 305호
전　화 | 1670-8316
이메일 | info@bookk.co.kr

ISBN | 979-11-410-8114-0

www.bookk.co.kr